ウィキペディアでまちおこし

みんなでつくろう地域の百科事典

伊達深雪

紀伊國屋書店

ウィキペディアでまちおこし

みんなでつくろう地域の百科事典

伊達深雪

もくじ

第2部

読者から編者へ

地域情報を"正しく"発信する

第3部

イベントから日常へ

ウィキペディアタウンの課題と可能性

・文中の〈　〉はウィキペディアの記事名を示す。
・引用したウィキペディア日本語版のテキストは特に記載のない場合、2023年11月時点のものである。

コラム

はじめに――「強固な地域力」を生むウィキペディアタウン

2020年9月18日、イギリスの新聞「ガーディアン」が報じた、ある実験が注目を集めた。それはイタリアとドイツの研究機関が、スペインの複数の都市を無作為に抽出し、それら都市のウィキペディア項目に高画質な写真や詳細な解説文を加え、数か国版で展開したところ、市内のホテルの宿泊数が増加し、観光収入が年間約10万ポンド増えたと推定されるというものだった。

インターネット百科事典「ウィキペディア（Wikipedia）」――「ウィキ」はハワイ語で「速い」を意味する「wikiwiki」に由来し、「ペディア」は「百科事典（エンサイクロペディア）」を略した言葉である。「ウィキ」＋「ペディア」、この造語が意味するとおり、ウィキペディアは、リアルタイムで誰でも情報を更新することができ、一定の条件を守ればすべての掲載情報を自由に利活用できる、みんなの百科事典だ。すべての編集活動はボランティアで行われ、その成果物である情報は全人類の財産として共有される。イタリアとドイツの研究機関が行った実験も、専門的な知見を持たない者でも可能な編集内容で、その大半はウィキペディアスペイン語版にもともとあった文章を、フランス語・ドイツ語・イタリア語・オランダ語に翻訳しただけのものだった（オランダ語版のみ実験が商用編集とみなされ、のちに該当の項目が削除された）。

この実験の結果、知名度や予算がそれほどない小都市では、広告代理店を使ったり派手なパンフレットを作ったりするよりも、ウィキペディアのページを充実させるほうが効率よく多くの人々に認知されうることが確認されたという。

ウィキペディアは今世紀を代表する発明のひとつといわれ、いまや多くの人々にとって情報を得る基礎的なツールであるインターネットの数あるウェブサイトのなかでトップ10に入るアクセス数を誇る。ウィキペディアに存在する項目は、その言葉を検索したとき高確率で上位に表示されるため、個人のホームページをはじめとする他のウェブサイトの情報と比べて、多くの人に閲覧される可能性が高い。

イタリアとドイツの研究機関が行った実験のように、ウィキペディアのこの特性に注目して、自分たちの住む町の項目を充実させようという取り組みは、日本では２０１３年にスタートした。

ウィキペディアなどを共同で編集・改善したり、初心者に基礎的な編集方法を教えたりするイベントは「エディタソン（editathon）」と呼ばれ、世界的に様々な団体や個人が様々なテーマで実施している。このうち特にウィキペディアで地域をテーマに編集するイベントを、日本では「ウィキペディアタウン」と呼んでいる。

最初の事例は、イギリス・ウェールズにあるモンマスという小さな町で２０１２年に試みられたプロジェクトだった。この町では、あるウィキペディア編集者（ウィキペディアン）の呼びかけに町議会が協力し、約半年をかけてモンマスに関するありとあらゆる項目をウィキペディアに新たに作成し、それらに関連する約１０００か所の建造物や展示物などに、各ページにリンクが飛ぶ二次元バーコード（ＱＲコード）の設置を目指した。例えば旅行者などが、自分のスマートフォンなど携帯端末で町のどこからでも詳細な情報を入手できるネットワークを構築したのである。近年、日本でも観光地を歩いていると、各所のホームページに誘導する二次元バーコードをよく見かけるようになったが、その先駆けのひとつといえるかもしれない。

モンマスペディアの翌年、２０１３年2月に横浜で開催された編集イベントが、日本における最初のウィキペディアタウンだと考えられている。２００５年からウィキペディア日本語版の編集者、また、一時は管理者として活躍していた日下《くさか》九八《きゅうはち》（アカウント名・Ksaka 98）さんのガイダンスにより、〈インド水塔〉や〈横浜情報文化センター〉など市内の名所旧跡に関する４つのウィキペディア項目が編集された。この企画は、市民参加型オープンデータ、つまり二次利用が可能な地域のデータを市民とともに作成する取り組みとして様々な分野で注目され、主催者の想定の１・５倍もの市民参加を実現した。

地域情報を編集・発信するウィキペディアタウンという取り組みは、その後、地域資料の収集と利活用を模索する図書館関係者の積極的な協力により全国に広がった。２０１７年には日本全国で１００回以上の開催を数えたことも評価され、この取り組みに関わった関係者全員に「Library of the Year」優秀賞が贈られた。

ただ、外部の人々に向けた情報発信の手段として自治体が戦略的に主導したモンマスとは異なり、日本のウィキペディアタウンは、まず地域の人に自分たちの暮らす町への興味・関心を喚起する、はやりの「町歩き」に「調べ学習」を付け足したイベントとして普及していった傾向がある。

地域振興のためにウィキペディアを活用するのであれば、モンマスのように数百という項目を揃えないと効果が見えづらく、また、ひとつひとつの記事を町のアーカイブにしたいと思えば、それなりに内容を整える必要がある。しかし、質量ともにそこまでボランティアの市民に求めるのは簡単ではない。そこで日本のウィキペディアタウンは、まずはウィキペディアの普及を目指して、「意外と簡単に編集できるから、気軽に参加してみよう！」という形で育っていったのだろう。

一度イベントに参加しただけで、その後、ウィキペディアの編集を自ら進んでするようになる人はあまりいないが、地域情報のアーカイブ化や町おこしなど、なんらかの目的意識をもって、誰でもアクセスしやすいウィキペディアの特性に着目した人たちのなかには、本来の意味でのウィキペディアタウンの実現を目指す小規模なコミュニティも生まれていった。町中にウィキペディアの各項目にリンクする二次元バーコードを設置したり、地域に関連する項目を自治体のウェブサイトで検索できるようにしたりといった活用も始まっている。誰でも無償で活用できるウィキペディアをどんなふうに役立てるかは、アイデア次第といってもよいだろう。

２００１年にウィキペディアが誕生して以来、多くの先達が、世界最大の優れた百科事典を作るという、この途方もないプロジェクトに自らの意志で心血をそそいできた。しかし、誰でも編集できるウィキペディアを実際に編集しようという人はいまだに少数派であり、2013年に横浜で開催されて以来、全国に広まったウィキペディアタウンもまた、ごく一部のウィキペディアンと関係者だけが知る内輪の企画にとどまるものも多い。気軽に参加できるようなウィキペディアタウンの開催情報はウェブ上にも少なく、企画の詳細はウィキペディアンですら知る機会が少ないのが現状だ。

様々な地域活動に長く携わってこられたある人が、ウィキペディアタウンを初めて経験したあと、次のように話してくれた。

「ウィキペディアはひとりでも編集できる。でも、イベントで様々な人々が集まって、協力して地域のことを調べ、発信していく。その〝場〟で育まれたつながりが、さらに強固な地域力になっていく気がする」

日本版ウィキペディアタウンのはじまりから、10年。筆者はその後半の数年間で、おそらく最も多く、様々な立場からウィキペディアタウンに関わってきたひとりである。

ある時は主催者として、ある時は一般の参加者として。また、ある時は参加者をサポートする図書館司書として。さらには、参加者にウィキペディア編集を解説する講師として。どの立場にあっても世界最大の百科事典に良質な項目を増やしたいという思いは変わらない。現在も引き続き、郷土の人々と地域のウィキペディア項目の充実をはかるボランティア・グループ「edit Tango（エディット丹後）」のメンバーとして各地のウィキペディアタウンに参加、企画・主催する一方で、高校や大学などの調べ学習や探究学習、情報教育などに適した活用を提案したりと、様々な形でウィキペディアに関わりつづけている。

この道を拓いてこられた先達の労に感謝と敬意を表しつつ、本書では、私のこれまでの取り組みを通してみえてきたウィキペディアやウィキペディアタウンの魅力や課題、その可能性について、また、ウィキペディア編集とウィキペディアタウン開催のための基本的なノウハウについて、経験から得た知識を包み隠さず述べていこうと思う。いずれもウィキペディアタウンという試みに魅了されてしまった私の個人的な経験をまとめたものでしかないが、本書がこれまで読者であった多くの方々が、ウィキペディアで自ら情報を発信する執筆者・編集者となる一助となること。あるいは、そうした執筆者・編集者を育て、地域を振興するためなどにウィキペディアタウンを活用したい方の一助となること。あるいは、ウィキペディア・コミュニティとウィキペディアタウン関係者の相互理解を育む一助となることを期待したい。

世界最大の優れた百科事典を作るという、この巨大プロジェクトと、それに携わるボランティア・コミュニティが、より開かれ、健全に発展することを願って。

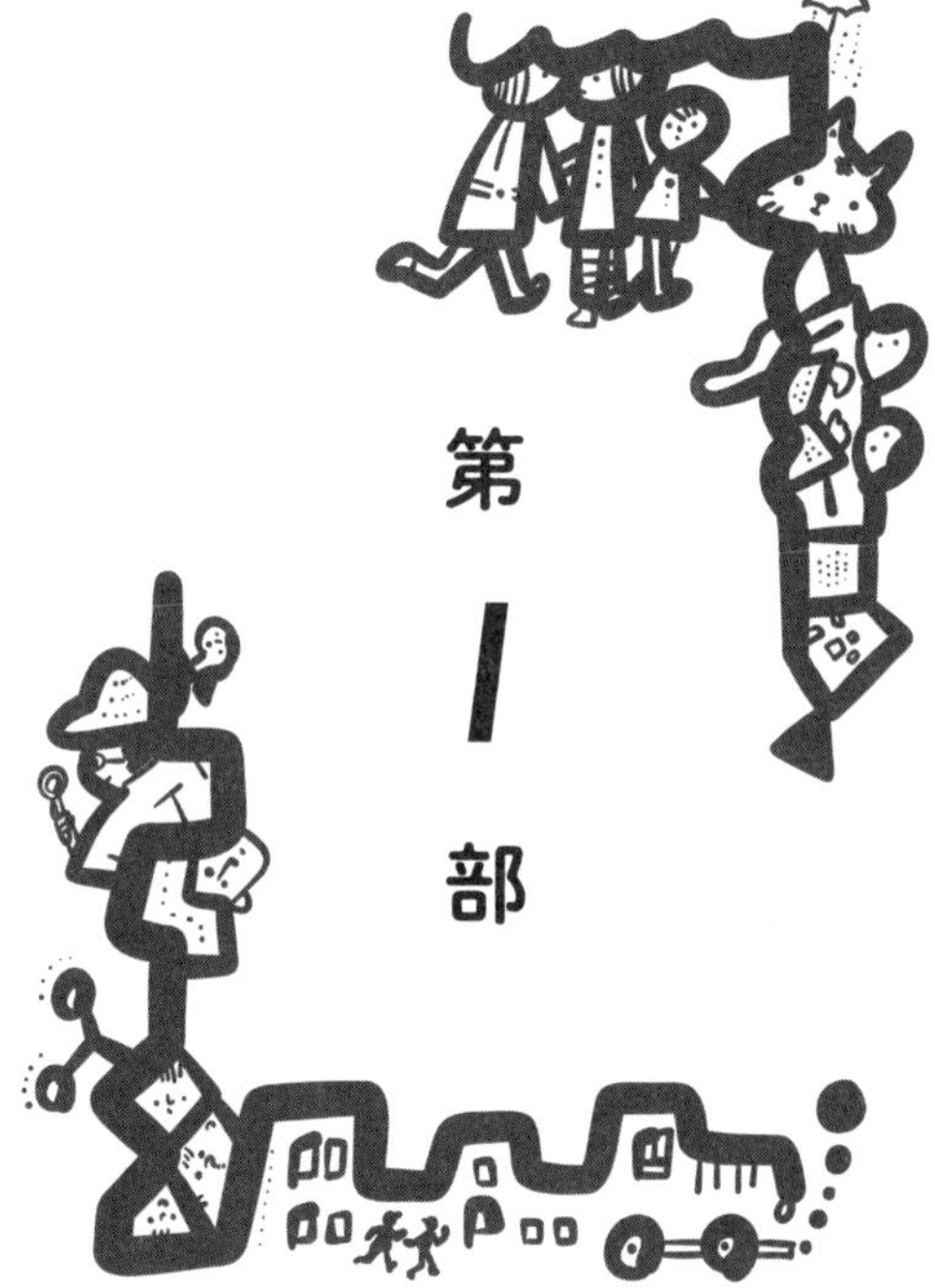

第1部

ウィキペディアタウン、始めました

地域を知る・新たなつながりが生まれる

01

はじまりの「こまねこまつり」――地域初のウィキペディアタウン開催

例えば通勤・通学途中のありふれた町。常にそこにありながら記憶にとどまらない風景が、その場所の歴史や文化や人々を知ることにより急に存在感を増して五感に訴えかけてくるような、そんな体験をしたことはないだろうか。

その町について何かを知るたび、目に映る町の風景が、ひとつ輝きを増す。ウィキペディアタウンは私にそんな感覚を与えてくれるイベントである。

はじまりは、京都府京丹後市。古くは「奥丹後」と呼ばれた丹後半島の6町が、2004年に合併して誕生した、日本海沿岸の地域だった。

金刀比羅神社と狛猫

丹後・峰山《みねやま》のこんぴらさんには猫がいる。ただの猫ではない。石の猫だ。鳥居から本殿に向かう途上の社《やしろ》に、子猫を連れた親猫と、別の1匹が向かい合って座り、その愛らしくも勇ましい眼差しで参拝する人々の足を止めさせる。

狛猫《こまねこ》。日本で唯一、ここにしかないとされる一対の猫の石造物は2020年、京丹後市の文化財に指定された。その珍しさと近年の猫ブームを受けて人気を博し、関西ローカル誌の表紙を飾ったり、小説の舞台になったりもしている。神前を守護する動物といえば一般的には狛犬《こまいぬ》だが、絹織物「丹後ちりめん」発祥の地である峰山では、原料の絹を生む蚕《かいこ》をネズミから守る猫を大切にした。その名残りが、江戸時代、養蚕《ようさん》守護を願って建立された社に奉納された、狛猫なのである。

こうした歴史や文化を地域再生に活かそうと企画され、「丹後・峰山のこんぴらさんに狛猫あ

狛猫がいる金刀比羅神社の境内社・木島社

峰山の町にあふれる絵付けされた狛猫たち

り」と、その名を広く知らしめるきっかけとなった地域イベントが、「こまねこまつり」である。

こまねこまつりは、峰山を中心とする京丹後市の有志が発案した町おこしイベントだ。世界が注目すると期待された東京五輪が、ちょうど丹後ちりめん誕生から３００周年の年でもあったことから、２０２０年をひとつの節目ととらえ、２０１６年に5か年計画でスタートした。

メイン会場となった金刀比羅《ことひら》神社の境内では、もともと3月から12月にかけて毎月、地域の人々が様々なものを持ち寄り販売する「こんぴら手づくり市」が開かれていた。こまねこまつりは、この手づくり市の9月の開催日に合わせて開かれ、当日の境内には、猫をモチーフにしたアクセサリーや雑貨が並んだ。町は絵付けされた陶器や石の狛猫であふれ、和菓子店や洋菓子店が次々と狛猫スイーツを考案した。第3セクターの京都丹後鉄道は、猫柄の丹後ちりめん生地で作った特別切符を発行し、猫をモチーフにした顔出しパネルやボードゲームも制作された。町内の空き店舗にはシャッターアートが描かれ、また別の空き店舗では猫の美術作品展が開かれた。さらには、愛護団体による保護猫の譲渡会に、丹後ちりめんゆかりの地をめぐるウォーキング・イベントなど20以上の関連企画が次々と展開され、現在では京都市内からも複数の大学がゼミ生を派遣して共同企画を提案するような、丹後地方を代表するビッグイベントとなっている。

発起人であり、実行委員会会長の田中智子さんは、町の中心地にあるビジネスホテルの女将である。女将は「地域あってこその商売」という思いと、「猫が好き」という思いから、２０１１年頃にはすでに猫をテーマに町おこしに取り組む「ねこプロジェクト」を発足させて、「いずれはいたるところに猫がいるような町にしていきたい」と、市内在住のアーティスト・池田修造さんらと協力して、陶器の狛猫400体をアクリル絵の具で絵付けし、町のいたるところに置いていく作戦を決行していた。

2018年春、新聞の取材に女将は語っている。

「私たちは猫が丹後を救う、世界を救うと大風呂敷を広げている仕掛け人に過ぎません。でも本気です（略）。そんなバカなというアイデアも面白がり、このウェーブに乗って商売でもやってみようという人が現れてほしい」（「京の人今日の人・田中智子さん――丹後復興に意気込み」「毎日新聞」2018年4月16日）

商売ではないものの、そんなウェーブに乗り、第3回目となるこの年に実現した企画のひとつが、ウィキペディア編集活動とウィキペディアタウンだった。

きっかけは、およそ9か月前に遡る。

地域学習支援の壁

その頃、私は悩んでいた。2002年、ひょんなことから京都府立高校の図書館で働くことになり、小規模校のアットホームな校風のもと読書活動を推進し、図書館利用を伸ばしたことなどから、京都府知事賞や朝の読書大賞を受賞したり、文部科学大臣表彰を受けたりと、いわばブイブイいわせてきたものの、「地域創生」というキーワードが本校の教育目標に盛りこまれ、授業でも地域を題材に調べ学習や探究学習をしよう！　という機運が高まってきていたこの頃、残念ながらそうした地域学習に対応できる図書資料が備えられていなかったからだ。府立高校が所蔵する郷土資料は、寄贈されたら受け入れる程度で積極的に収集する対象ではなかったため、市立図書館と比べても貧弱ぶりは明らかだった。

学校図書館に調べに来ても資料がないとなれば、教師も生徒も頼るのはインターネットとなる。しかし、ふつうにググった程度で見つかる地域情報は、今この瞬間の市の観光案内か個人ブログやＳＮＳくらいで、高校生の学習教材にはおすすめできない。

そこで、目をつけたのがウィキペディアだった。ウィキペディアに項目があると、Ｇｏｏｇｌｅなどのブラウザで見出し語を検索するだけでも上位に表示されるので、情報を検索するテクニックが未熟な生徒でも発見しやすい。さらに、インターネットはどこからでもアクセス可能なので、ウィキペディアに確かな文献情報を付して項目を作成しておけば、学校図書館に来ない生徒にも、地域の子どもや社会人にも、京丹後市を訪れる観光客やビジネス客にも、簡単に必要な資料を見つけられる、ありがたいレファレンスツールとなるだろう。

もちろん私としては、生徒たちに学校図書館の本を届ける橋渡しとなることをいちばんに期待していたが、様々なよい影響が期待できる――一粒で何度でも美味しいコンテンツとなれば、やる気もマシマシといったところ。一念発起して、ウィキペディアに丹後地方の項目を増やす活動を始めたわけだが、長く続けるには限界を感じていた。

仕事の一環とはいえ、ひとりで取り組んでいると、興味の向く題材とそうでない題材とでは、熱意にも差が生じる。もとより知らない題材にいたっては、調べるきっかけがないので見落としてしまう。そこで、「知らないことは、知っていそうな人に聞いてみよう！」と、ふと思いつき、情報提供を求めてメッセージを送った先のひとつが、こまねこまつり実行委員会だった。

その時点では、まさかこんなとてつもなく地味で面倒なボランティアを一緒にやってくれるような物好きがいると思わず、実行委員会に期待したのも、私がウィキペディアに地元の項目を執筆するために出典にできそうな資料、あるいは高校生が調べたいというときに提供できるよう、新聞などで特集されたことがあれば、その記事を教えてほしい、という程度のことだった。

目的が変わったのは、それから数か月後。当時、京丹後市観光振興課の職員で、こまねこまつりの関連イベント「こまねこウォーク」のガイドを担当していた小山元孝さん（現・福知山公立大学地域経営学部教授）が、私の問い合わせを小耳にはさみ、興味を示してくれたことがきっかけだった。

小山さんは、かつて市の教育委員会事務局の文化財保護課で『京丹後市史』（２００５～16年）の編纂に携わり、京都府南部で開催されたウィキペディアタウンにも参加した経験があるという。「いずれは丹後でも」と、ひそかに検討したこともあったらしく、人づてに私のウィキペディア活動を耳にしたとき、「ついに丹後にもこの時が来たか」と思ったとか。

よもや丹後にウィキペディアタウンの経験者がいたなんて！

編集活動を始めて以来、様々な項目をウィキペディアで検索していたが、丹後地方の情報はまだウィキペディアにはほとんどないという印象だったので、まさかの灯台もと暗しであった。

「こんばんは。ウィキペディアタウンに興味をお持ちとのこと、嬉しく存じます」

共通の知人の紹介を受けて、早速、私からメッセージを送った。

「私は、様々な物事について簡単に『知る』ことができるインターネットを活用した地域振興は、教育や経済にも影響する地域格差を埋める、最も費用対効果のよい手段だと思っています。丹後地域の文化や歴史についても、正確で詳細な情報をウィキペディアを通して広く知ることができるようにすることが、地域の底力を上げる一助になるものと確信しています。

もし、この丹後でウィキペディアタウンができるとしたら、『こまねこウォーク』の発展型しかないと思われます。小山さんには誠にご面倒をおかけしますが、お力をお貸しいただければ幸いです。どうぞよろしくお願いします」

夜も遅い時間にFacebook上で送ったメッセージだったが、返信はその日のうちに返ってきた。はじめましての挨拶と自己紹介に続いて、

「今年は2回、こまねこウォークを計画しています。また、第3回こまねこまつりは2018年9月9日に開催されます。うまく、その頃に実現できれば面白いなと考えております。何分、実行委員にはウィキペディアの説明から始める必要があるので、少しずつしか進まないかもしれませんが、5月の総会で提案したいと思います」

との小山さんの返信に、私が特大の「いいね」を返したことはいうまでもない。

その総会の結果は、当日のうちに届けられた。

「こんばんは。先ほど会合があり、ウィキペディアタウン開催について了承を得ました。こまねこまつりの当日に、会場である金刀比羅神社を歩き、その内容をアップするというのはどうでしょうか。そもそも〈金刀比羅神社〉のページがないのでそこから作らなければなりませんが。例えば次のようなスケジュールはいかがでしょうか。

『ウィキペディアにゃウン in こまねこまつり』――11時に社務所前集合（30分程度の境内ガイドツアーを実施、一般参加ＯＫ）～お昼休憩～13時から社務所内で編集作業を行う」

なんと！　即決?!　しかもイベント名に加えて、ざっくりとはいえスケジュールまで組まれていた。まさかの急展開に興奮のあまり寝つけず、私は深夜ひとりで室内をぐるぐる歩きまわり、飼い猫たちに不審がられた。

こうして、こまねこまつり実行委員会主催による「第1回ウィキペディアタウン in 京丹後」こと「ウィキペディアにゃウン」の開催は、それまでの数か月、私がひとりで悶々と悩んでいたのが嘘のように、あっさりと決定したのである。ひとえに、長年地域のために尽くしてこられた、小山さんの人望の賜物だろう。

そしてもうひとり。実行委員会のメンバーのなかから、ウィキペディアタウンがどういう企画かまったく知らないながらも「面白そうだし、いいんじゃない？」と、万事ポジティブな廣瀬啓子さん（現・こまねこまつり実行委員会委員長）が賛同してくれたことも後押しになっていた。保護猫活動団体「ねこ会議」の副代表をつとめる廣瀬さんは、こまねこまつりをはじめ様々な地域活動の場で役員や事務局をつとめるなど、多方面で屋台骨を支える役回りを労を惜しまず引き受ける〝みんなのお母さん〟的存在の方である。顔の広い彼女の協力は、企画を成功に導く大きな吸引力となった。

こまねこまつり実行委員会は、田中女将ら「ねこプロジェクト実行委員会」と、「こんぴら手づくり市実行委員会」、廣瀬さんら「丹後のねこ好きネットワーク・ねこ会議」の3団体のメンバーを中心に構成されている。総勢50名近いボランティアグループだが、活動歴が長いだけに高齢化率も高く、実行委員の顔ぶれや人数も一定ではない。開催年により、まつり当日には100人規模の体制が敷かれることもあり、そのなかには、府内の複数の大学の学生たちの姿もある。

とはいえ、「ウィキペディアって何？」という人も少なくはない田舎町。チラシを配り、公民館や近隣の学校にポスターを貼ったくらいで、「できればWi-Fi接続可能なノートパソコンを持参してください」などという準備物のハードルからして高い、前例のない企画に、ほいほいと人が集まるわけもない。見学だけでもいいから！　と職場でも宣伝していたが、参加すると言ってくれる人はなかなか現れなかった。京都府北部で初めてのウィキペディアタウンと聞いて、他府県からは興味を持ったウィキペディアンたちが続々と参加表明してくれていたが、肝心の地元の反応が鈍い。

しかし開催の1週間前、「土地勘のある人間がゼロでは困るだろう」と、こまねこまつり実行委員会のメンバーが奔走し、地元の史跡についてブログに執筆していたふとん屋さんや、長老的な生き字引など数名に直談判してくれた。自営業者が多い土地柄、仕事の合間をぬっての参加となる人もいたが、結果的に20名以上の参加者を集めてくれた実行委員会の底力と、それを可能にする長年の活動で培われた皆さんの人脈やお人柄には今でも頭が上がらない。

ドタバタの初「ウィキペディアタウン in 京丹後」

そんなこんなで迎えたウィキペディアにゃウン当日。当初の予定では、最初に主催者挨拶、次いで講師によるレクチャー、その後、軽めの町歩きでざっくりウィキペディア編集と題材のイメージをつかんでもらい、昼食後に集めておいた関連文献をみんなでひもとき、裏づけのとれた情報をまとめ、ウィキペディアの項目を新規作成・公開する、ということになっていた。

しかしながら、その日は台風直撃予報で気象警報が発令された影響で、京阪神方面からの特急列車が遅れ、乗り継ぎができなかった遠方の参加者たちからの「どうしたらいい?!」とのヘルプコールと、〝警報が出たら休業〟という習慣が染みついている学校関係者からの問い合わせが殺到する事態からスタートした。

幸いにもこの日、大雨は降ったものの、開催中止にするほどではなく、天候を理由に不参加になった人もいなかった。午前中のスケジュールは、企画進行役の小山さんの采配により、空模様を見ながら柔軟に調整され、予定が前後する部分はあっても、雨に濡れることもなく時間内にきっちり終わった。その天候の変化を読むがごとき臨機応変な進行は、ウィキペディアタウンの参加経験が豊富なウィキペディアンたちも「すごい」と感嘆するレベルだった。

初めてウィキペディアを編集した参加者たちの反応も上々で、この時に一般参加していた社会人のうち2名が、のちにそれぞれ地元においてウィキペディアタウンを主催し、また別の2名が、その後も丹後地方で開催されるウィキペディアタウンに参加してくれている。

唯一、峰山から参加してくれたふとん屋さんは、「ウィキペディアっていいっすね！　自分でも調べたことをブログに書いたりしてきたけど、こっちのほうが断然、たくさんの人に読んでもらえる」と編集活動にハマり、その後しばらく、ふとん屋の店番をしながらついついウィキペディアの編集をしてしまって仕事が手につかなくなったとか。また、そんな息子の姿を見ていた御母堂が、「息子がすごく楽しそうにしていて、そんなにいいものなら応援しなくちゃ！」とウィキペディアを読もうとして、「ウィキメディア財団からの『寄付のお願い』が出てきたので、寄付したわ！」なんて嬉しい話も聞いた。

しかし、参加者のうちネット慣れした現代っ子のなかには、想定以上に書物に馴染みのない者もいた。ウィキペディア編集には必ず出典となる文献が必要なため、会場には公共図書館などにあらかじめレファレンスをして集めてもらった関連資料を揃えていたのだが、目の前に置かれた本そのものは目に入らず、「この情報、ネット記事がないから確認できない！」と嘆く大学生と、

「載ってる本、目の前にあるよ?」と指摘するウィキペディアンのコントのような会話も展開された。

一方、『峰山郷土史』(1963年、臨川書店)など、図書館に複数冊所蔵がある文献も1冊しか準備していなかったため、必要な資料が行き渡らず十分な編集活動ができない参加者もいて、準備を担当した私の想定の甘さで、やる気に水を差す結果になってしまったことは大きな反省材料である。

不慣れな初の企画で、準備段階から当日まで気苦労が絶えなかったのは、こまねこまつり実行委員会の面々も同様だった。インターネットに情報があるといいというのはわかるけど、それならこまねこまつりの公式サイトやSNSを充実させることを考えるべきでは? という当然の声もあったので、

「ウィキペディアに〈こまねこまつり〉の記事ができました!」

「〈金刀比羅神社(京丹後市)〉の記事ができました!」

と報告しても、その影響が不明瞭なうちは、主催者サイドの反応は鈍かった。運営側にしてみれば、遠方から講師を呼ぶのは交通費がかかるし、参加者集めの苦労も多く、拘束時間は長く、傍《はた》目《め》には何が楽しいのかもよくわからないウィキペディアタウン。この1回はお試しでやらせてもらえたが、二度目はないとも思われた。

全国各地のウィキペディアタウンが、1回かぎりの企画で潰《つい》えがちなその最大の原因が、まさ

に、準備や記事作成の大変さに比して「活動の成果が見えにくい」という点にある。インターネットの情報は検索しなければ目にとまることがないので、ウィキペディアに書いただけではなんの宣伝にもならないからだ。

ウィキペディアにゃウンがこのまま終わらなかったのは、こまねこまつり実行委員会が地域に密着したコミュニティだからというのがいちばんの理由だろうと、私は思う。地元参加者の、あるいは地域の人々の、イベント後の「楽しかったよ」「記事を読んだよ」という反応を直に聞くことができたことが、苦労を喜びに変えたのだろう。

そして、幸運もあった。

イベントで〈こまねこまつり〉のウィキペディア記事の新規作成を担当してくれたウィキペディアンは、実は私たち実行委員会が招聘《しょうへい》した講師ではなく、山梨から自主的に参加してくれた、さかおり（アカウント名）さんという方だった。さかおりさんは、ウィキペディア日本語版に140万本近くある項目のなかでも特に優れたもののひとつとして有名な〈地方病（日本住血吸虫症）〉など、多くの地方記事を執筆しているウィキペディアンである。遠方にお住まいなのでお招きできるとは考えていなかったが、この時はたまたま翌日に京都訪問の予定があったそうで、ついでにと足を延ばしてくれたのだ。

当時の私はまだウィキペディアの執筆経験が浅く、〈こまねこまつり〉という題材をどう項目立てすべきか見えていない部分があった。

「ウィキペディアの編集ができる」という言葉には、ふたつの意味がある。システムに詳しい人、コミュニティの方針に明るい人、記事は作成しないが、誤字脱字や、レイアウトにも関わるマークアップ言語の修正に熱心な人、記事に使える写真を撮るのが好きな人等々、ウィキペディアには様々な人が参加している。しかし単に編集方法を知っている（マークアップができる）ことと、題材ごとに適切な構成と文章表現ができる（内容を書ける）ことは、本質的に別の問題なのだ。私たちのように「郷土資料をベースに、地域の項目を作成する」ことを目的とするウィキペディアタ

第1回ウィキペディアにゃウンでさかおりさんの指導を受ける大学生たち（2018年）。さかおりさんには翌年に正式に講師をお願いした

第5回ウィキペディアにゃウンで峰山の町を歩く参加者たち（2022年）

ウンの講師役には、ウィキペディアの基本的な方針を理解しているだけではなく、文献調査や記事執筆に長《た》けている人が最適なのはいうまでもない。自分自身にその側面がなければ、参加者に記事に書くべき適切な内容を助言することができないからだ。

そのふたつの条件をあわせ持つさかおりさんの指導で新規作成された〈こまねこまつり〉の項目は、どのような視点で何を書くべきか、明快に示されていた。「由来」や「運営体制」のほか、開催年ごとの内容や「関連企画」などについて節に分けて書く。おかげで、イベントの時間内では書ききれなかった部分も、後日、まだ未熟な私たちだけでも引き続き加筆を続けることができた。

その結果、このウィキペディア項目は、「あなたたち、すごい、いろいろがんばっとんなったんやね！」と、地域の人が読んでこまねこまつりそのものを再評価するきっかけとなり、実行委員会が様々な場でその活動を紹介するとき、「詳しくはウィキペディアを読んでください」と、言える内容になっている。

新たなスタート――エディット丹後発足

1か月後の10月初め。私たちは、田中女将のお膝元・プラザホテル吉翠苑（現・KISSUIEN Stay & Food）のレストランで、初のウィキペディアタウン成功を祝い、互いの労もねぎらった。

この頃までには加筆を終えていたウィキペディアの〈こまねこまつり〉は、題材のユニークさからかウィキペディア・コミュニティ内でも注目を集め、メインページの「新しい記事」（コラム05参照）に取り上げられたり、地元ケーブルテレビ局の週間ニュースでイベントの様子が紹介されたりしていた。話題になったことでイベント直後とは一転、実行委員会のなかでもウィキペディアにゃウンをやってよかったとの評価を勝ち得つつあった。

「最初はほんま、人、集まるんかなと思ったけど、ふたを開けてみたら愛知とか山梨とか大阪とか東京とか……めちゃくちゃ遠くからわざわざ来て、地元民も知らないような歴史とか調べて、みんなで頭悩ませて。なんか、すごかったですね」

「今までもいろいろ企画はしてきたけど、こんな広域から人が集まるようなのはない。初めてじゃないかな」

「画期的でしたね。丹後の文明開化かってくらいの衝撃が走りましたよ」

廣瀬さん、小山さん、ふとん屋さん、そして私。乾杯の前も後も感想が尽きない。

「ひとりの参加者としても面白かったですよ。地元だけど、知らんこともいっぱいあるのがわかって。自分の地域のことを深く知ることは、それだけでもアイデンティティの形成につながるとはいうけど、みんなでやるっていうのが、またいいですわ」

「みんなでやると、こうして後々まで話題にできるから楽しいですよね」

「そう。自分だけで調べたり考えたりしとるより、もっと深まるというか、気づけることがあるというか……これってすごく大事なことだと思う」

「地元のじいさんたちから、今まで聞いたことないような大ネタが出てきたり……もっと早く教えてくれよ！　って、その時は思ったけど、こういうきっかけがないと意外と地元の話でも聞く機会がないというか、知らんままやったりするんだよなあ」

「小学生とか大学生とか、ふだん接点のない世代は今、こんな感じなんだとか、そういう違う世代と作業できたのもよかったです」

酒杯を重ねながらも、話題はほとんど今後のアイデア出しばかりになっていった。もともと飲んで騒ぐよりも新しいことを考え出すほうに喜びを感じるメンバーだったからかもしれない。そういうメンバーだからこそ、未知の企画にも労を惜しまず、実現させることができたのだと思う。

顔ぶれのなかで唯一、今回初めてインターネットに地域情報を発信することを経験した廣瀬さんが言った。

「『地域活性化』って、曖昧な表現だけど、スポーツやエンタメや食や、たくさんの分野からの発信が必要だと思うんですよね。ウィキペディアはひとりでも編集できる。でも、イベントで様々な人々が集まって、協力して地域のことを調べ、発信していく。その〝場〟で育まれたつながりが、さらに強固な地域力になっていく気がする」

ひとりでもできるけど、みんなでやるともっとできる。ウィキペディア編集を続けてきて、そしてウィキペディアタウンを自分でも開催してみて、まさに私もそう実感していた。

「私にとって食やエンタメの〝楽しい〟は瞬間的だけど、ウィキペディアタウンの〝楽しい〟は、じわじわくるんですよね。様々な世代や立場の人と一緒に、お互いの持てる知識や技術を限界まで出し合って、協力してようやくできる、苦労したからこそみんなで喜びを共有できる。みんなで共有してるから、イベント後も〝嬉しい〟〝楽しい〟が続いていく気がします。一過性の賑わい創出イベントとは違う、地域に根を張るような」

仮に、途中で気持ちが萎えてしまっても、ほかの誰かがひっぱりあげてくれるような気もする。飽きっぽい私でも、仲間がいるから続けられる。

ウィキペディアにゃウン実行委員会ミーティング中の廣瀬啓子さんと小山元孝さん（2019年）

狛猫の前でNHKの取材を受ける田中智子女将（2023年）

「来年もぜひやりましょう」と、小山さんが力強く請け合った。

「ええ、必ず！」と皆で深く頷《うなず》いた。しかし、その時の私は、それだけでは少し物足りない気がしていた。

その気持ちを代弁してくれたのは廣瀬さんだった。

「こまねこまつり以外でも、地域でウィキペディアタウンとか、オープンデータ的なことで何かしたいって人がいたときに、このメンバーで手伝いに行く。そういうボランティア組織みたいなのができないかな」

その提案に、皆が一も二もなく賛成した。

やがては京都府北部から全国へと、ウィキペディアタウンの輪を広げていくこととなる私たち、エディット丹後の、ここがはじまりの場所となった。

その後、ウィキペディアにゃウンはこまねこまつりの関連イベントとして定番となり、こまねこウォークとともに回を重ね、峰山の様々なスポットを題材に開催されている。

第2回は地元の大企業・日進製作所の創業記念館にお邪魔し（〈小西川〉などを立項）、第3回は古代・丹後王国のルーツを探って巨大古墳群の山に登った（〈湧田山古墳群《わくたやま》〉などを立項）。第4回は、第2次世界大戦時の飛行場跡地の弾《たま》の痕《あと》も生々しい遺構や、高い建築技術が光る戦闘機の格納庫を見学した（〈河辺《こうべ》飛行場〉などを立項）。いずれも地域の様々な人のつながりと知識と協力がなければ、私をはじめ多くの参加者は足を踏み入れることもなければ、その存在を知る機会もなかったかもしれない、宝探しのような体験だった。

学校図書館の仕事に役立つと思って始めたウィキペディアタウンだったが、ノウハウを得るために全国各地の企画に足を運ぶうちに、また、地元のほかの地域でも開催していくうちに、それは私にとって、日々を生きる喜びにも等しい楽しみをもたらしてくれるものとなっていった。

2022年10月23日、第5回目のウィキペディアにゃウンでは、再びこんぴらさんこと〈金刀比羅神社〉が編集対象になった。狛猫が鎮座する境内社・木島社の向かいには、江戸時代に丹後ちりめんを振興し、地域の発展の素地を作った藩主・京極氏にゆかりの境内社・佐々木社がある。2022年はこの京極氏が峯山藩を築いて400年の節目の年にあたっていたので、関連する題材をウィキペディアの編集テーマとしたのだった（〈峰山1区〉などを立項）。

丹後を代表する魅力のひとつとして狛猫を定着させたこまねこまつりは、「あれ？　2020年で終わりじゃなかったっけ？」と、さかおりさんをはじめ〈こまねこまつり〉のウィキペディア立項に関わったウィキペディアンたちに首を傾げられながらも、今年も続いている（2023年は食をテーマに〈丹後国営農地開発事業〉などを立項）。

column
01

オープンデータでできること――〝町残し〟とデジタルアーカイブ

東京からいちばん遠い町のひとつともいわれる丹後地方は、20世紀の高度経済成長期以降いち早く人口が流出し、多くの集落が廃村となっていった地域のひとつだ。これまでに失われた集落は100以上ともいわれ、いまや人口の約4割は高齢者。人口減少と廃村化は今後も緩やかに進行し、おそらくとどまることはないだろう。

人口が減るなか、こまねこまつり実行委員会は、町を「興す」ことは現実問題として難しいかもしれないが、どのような形であれ、町を「残し」ていくことを考えていた。若い世代に、あるいは、ほかの地域から移住してきた人たちに、この町の魅力を伝え、残していくためには、町の歴史や文化を発信する必要がある。そのような企画が探られていたなかで提案された取り組みのひとつが、ウィキペディアタウンだった。

百科事典であるウィキペディアは、文章による解説を基本としつつ、その理解を助ける図表や写真も必要とされる。そこに注目したのが、こまねこまつり実行委員会メンバーで、金刀比羅神社宮司の脇阪卓爾さんだった。かねてから峰山の魅力を視覚的に伝えたいと考えていた脇阪さんは、1912(大正元)年に発行された書籍『中郡一班峰山案内』(淀徳書店)に掲載されている町内の古写真や、1925年に峰山に鉄道が開通したときの記録映画『峰山線全通』のフィルムから場面写真をデータ化して、当時の町の風景を集めていた。

かつての峰山は、ちりめん産業の好景気に支えられ、町の規模からすれば信じがたいほどの豊かな歴史と文化を誇っていたという。金刀比羅神社は30基もの山車《だし》・屋台を有し、その豪華絢爛ぶりは神社に奉納された絵馬にも描かれている。

しかし、1927(昭和2)年3月7日、丹後半島を震源とするマグニチュード7・3の北丹後地震が、この地に壊滅的な被害をもたらした。峰山では約9割の建物が

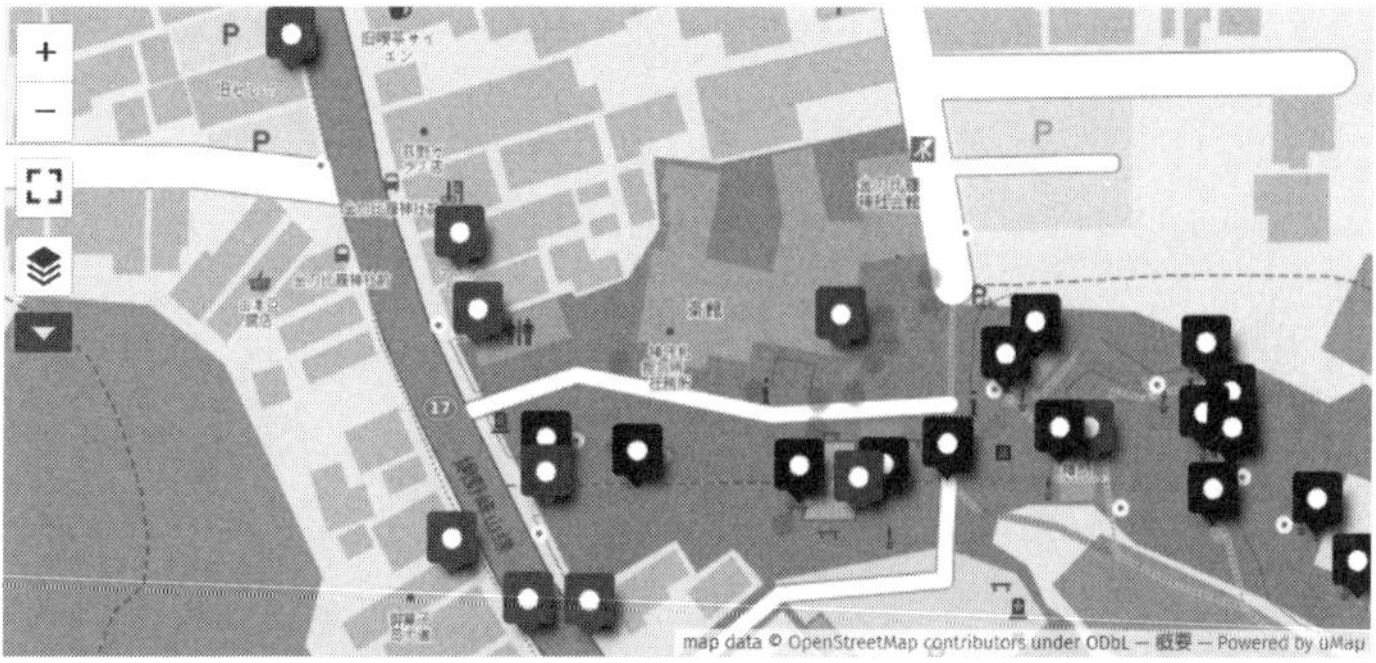

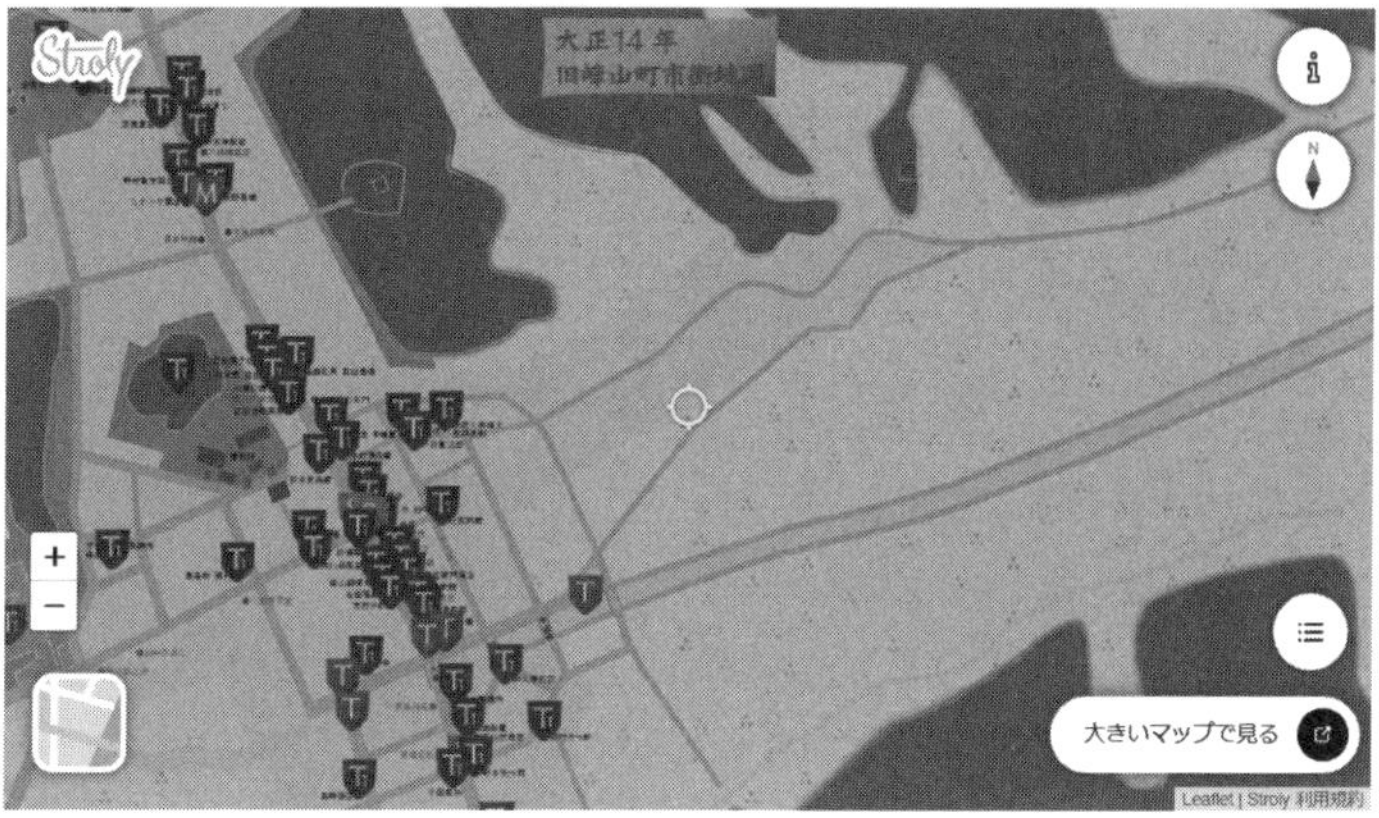

（上）『中郡一班峰山案内』オープンストリートマップ
（下）1925年の旧峰山町市街地図Strolyマップ
（©金刀比羅神社, ©OpenStreetMap contributors）

倒壊して火災も発生、町が大切に伝えてきた歴史的史料や古文書、文化財、金刀比羅神社の山車も、この時、多くが失われた。

地震大国・日本。今も昔も震災に関する各地の資料は、多くが変わり果てた町の姿や倒壊した建物や死傷者の数など、地震の恐ろしさを今に伝える。しかし脇阪さんは、震災の教訓とともに、震災前の峰山がどのような町だったのか、どんな歴史や文化を持っていたのかをこそ、伝え残したいと願っていた。

そんな〝ローカル・アーキビスト〟の願いを現実のものとしたのが、2018年9月のウィキペディアにゃウンでウィキペディア編集に関わったことよって身近に示された「オープンデータ」「オープンアクセス」といった世界だった。

ウィキペディアにゃウンのあと、こまねこまつり実行委員会はウィキペディアにも使用できる地図「オープンストリートマップ（OSM）」や「ストローリー（Stroly）」(stroly.com/ja) を編集するイベント、マッピングパーティも開催していくようになる。オープンストリートマップとは、ウィキペディアと同様に誰でも自由に利用でき、共同で編集もできるオンラインの地図である。これを利用すれば、これまで収集した大正時代の町並みをインターネット上に再現し、当時の趣きを感じながら町歩きができる。

マッピングパーティで編集スキルを習得した脇阪さんは、まず、現代のオープンストリートマップに、コツコツとスキャンしていた『中郡一班峰山案内』の古写真を登録し、全データを金刀比羅神社のホームページ上の「昔の峰山案内サイト」(konpirasan.com/mineyamaya/) で公開、さらに手描き地図などをデジタル化してGPSと連動させることのできるストローリーに、1925年の市街地の地図を登録、そこに『峰山線全通』の場面写真を掲載し、これも公開している。

脇阪さんのこうした活動は「京都新聞」などでも紹介され、大きな反響を呼んだ。活動に感銘を受けた京都市内の映像会社が、『峰山線全通』のフィルム全編のデジタル復元を無償で申し出てくれたのだ。

2022年9月、峰山町内で、復元された『峰山線全通』のお披露目上映が行われた。2023年現在、この映像フィルムは、YouTubeにアップロードされており、誰でも視聴することができる。

02

歴史に埋もれた丹後の女性たち

——「ウィキギャップ」とある女性郷土史家との出会い

「人に歴史あり」とはよく言われるが、実際に日常の付き合いのなかで、知人・隣人の生きてきた歴史を深く知る機会は、そうはない。それがその人にとって辛く苦しい記憶であれば、なおのことだろう。けれど、辛く苦しい時代を乗り越えてきた人の歴史だからこそ、その経験や想いが他者の心に何事かを強く訴え、時にその生き方に影響を及ぼすこともある。

私の尊敬するウィキペディアンのひとりに、逃亡者（アカウント名）さんという方がいる。2004年からウィキペディア日本語版で精力的に活動し、良質な項目の作成者として定評のあるウィキペディアンだ。彼が、特に人物について執筆するようになったきっかけは、東日本大震災の復興に尽力する人々や、戦時下を力強く生きた人々の底力に感銘を受けたことにあるという。

永六輔さんのものとされる名言に、「人間は2度死にます。まず死んだ時、それから忘れられた時」というものがある。この言葉を受けて、逃亡者さんは語っている。「自分が書いた記事によって、偉人たちが多くの人々の記憶に残りつづけてくれたらいいなと思います」

私が東世津子《あずませつこ》さんと知り合ったのは、もう20年以上も前になる。

けれど、私が彼女についてほんとうに知り、人々の記憶と記録に残したいと漠然と思うようになったのは、ごく最近、ウィキペディア編集に親しみ、地域の今につながる様々な物事に関心を持つようになってからのことだった。

ウィキペディアタウンをきっかけに知った東さんの生き方は、私がこの活動を続けるなかで壁にぶちあたり、何もかも投げ出してしまいたくなるようなことがあっても、再び立ち上がり、歩み出す力を与えてくれている。

女性に関する項目をどう増やす?

東世津子さんは、私の勤務する高校の図書館に本を納品してくれる「書店のおばちゃん」である。いつも朗らかで穏やかなお人柄が印象的なご婦人で、御年すでに90をいくつか越え、さすがに近年は3階にある図書館まで上がってこられることは少なくなったが、私が勤めはじめた頃はまだ足取りも軽やかな70代だったので、よく納本ついでに図書館を見学に来られていた。「まあ、この図書館はほんとうにいつもきれいにようしてはって、わくわくするんですわ」と、目を輝かせてじっくりと書架を眺め、本を手に取り、昨今の高校生は誰も言ってくれないような誉め言葉を大盤振る舞いしながら、「先生、最近読まれたおすすめの本はなんですか?」と、いたって無邪気に高度な質問を繰り出されるのがいつものパターン。その質問、私がしたい。東さん、私よりはるかにいろいろ読んでるでしょ……。

「あのおばちゃんは、謙虚で全然そんなふうには見えんけど、実はすごい人なんやで」とは、当時、年配の先生方から聞いた話である。郷土かるたを作ったり、絵本を出版したり、読書サークルのような活動をしているとは、本人からも聞いたことがあったが、私がその神髄を目の当たりにして、ほんとうの意味で理解したのは、自ら企画し、2020年2月29日に開催したウィキペディアタウン「WikiGap by edit Tango～歴史に埋もれた丹後の女性たち」というイベントに関わったときのことだった。

ウィキギャップとは、インターネット上の男女格差解消のため、ウィキペディアに女性に関する項目を増やそう！という社会運動である。主に人名事典に載るような功績を残した女性の項目を増やすことを目指す取り組みなのだが、ひとつ問題がある。歴史的にみて、記録が残る女性は男性と比べて圧倒的に少ない。検索キーワードとなる項目名を「人名」に限定すると、男女でその数に差が生じるのは当然なのだ。

しかし、例えば、名古屋が世界に誇る絞り染め「有松・鳴海絞り《なるみしぼ》」や、東北地方の「刺し子」などの家内産業を発展させてきた女性たちや、沿岸集落の暮らしを支えた海女《あま》など、女性の存在感を物語る文化や産業は、数多《あまた》ある。そうした項目の充実をはかることも、ウィキペディアのなかのジェンダーギャップの解消につながるのではないだろうか。

ウィキペディアに書かれていない女性と聞いて、私が真っ先に思い至ったのは、江戸時代からの地場産業である「丹後ちりめん」の女工たちだった。丹後地方は今なお日本最大級の和装用生地の生産地であり、様々な紋様を織りこんだ「紋《もん》ちりめん」が有名なのだが、その紋様の種類は織り手の数だけあるともいわれ、最盛期には1万軒を超えた機屋《はたや》の織り手の多くが女性だった。しかし、近代の品評会などで名を残した職人は、すべて男性である。江戸時代にこの産業が興った当時から昭和の中頃まで、主な織り手が一般家庭の子女だったのは周知の事実であるというのに。全国的にみても、繊維産業の中心が女工だったのは、その過酷な暮らしぶりが紹介された『あゝ野麦峠』などでも明らかだ。

ウィキギャップ・イベントで、〈丹後ちりめんの女工〉について書きたい。ほとんど直感的に、そう思った。「イベントで」というところがミソである。

私たちエディット丹後の主催するウィキペディアタウンでは、多くの場合、京丹後市のどこかひとつの大字《おおあざ》に焦点をあて、その地名項目と、地区内の主要な名所旧跡などをウィキペディアに立項してきた。しかし、2018年秋に最初のウィキペディアタウンを開催してから1年以上。最初の頃こそ地元紙やケーブルテレビ局、FM放送などが広報に協力してくれたが、目新しさがなくなると取材も減り、すると新規の参加者も徐々に減少し、この頃は毎回の参加者がほぼ固定の顔ぶれとなっていた。

そうなると、地区や寺社など、同じような題材で同じようなイベントを続けているだけでは飽きも出てくる。参加者がひとり減り、ふたり減り……となってしまう前に、リフレッシュできるきっかけはないかと考えていた頃に出会ったのが「ジェンダー」という切り口だった。このテーマを打ち出すことで、それまでウィキペディア編集に興味を持っていなかった層からの新規参入が期待できるような気がした。

また、ウィキギャップ・イベントは当時、スウェーデン大使館が後援していたので、その点でも関心を持つ人がいるのではないかとも思われた。つまり、地元メディアや参加者を集めるネタとしても、ウィキギャップはたいへん魅力的に思えたのだ。

女性の存在感を示すウィキペディア編集……。特定の人物にこだわらなければ、例えば丹後七姫に数えられる羽衣天女の伝承地である〈磯砂山《いさなごさん》〉という山岳項目を作成したり、静御前の生誕の地とされる京丹後市網野町〈磯《いそ》〉集落の地区項目を作成するのも、考えようによってはありかな。羽衣天女や静御前について詳しく解説しようと思えば、関連する項目も必要だよね……？

何かを調べるとき、図書館であれば、分類番号やジャンルごとに本が並ぶ書架を眺めてざっくり情報を探すことができる。しかし、インターネットは基本的に検索した言葉でしか情報が拾えないので、そもそも知られていない、検索されないローカルな題材は、それ単独ではウィキペディアに項目があっても読まれる可能性が低い。

機屋の丹後ちりめんの女工の様子（1917年、京都府立丹後郷土資料館蔵）

そこで重要になるのが、関連項目と内部リンクでつなげることだ。単独では知名度が低いローカルな項目も、〈羽衣天女〉や〈静御前〉といったメジャーな項目から、クリックひとつで閲覧できる内部リンクで結ばれていれば、ついでに読んでもらえる可能性が生まれる。そして、そのようなローカルな項目——特に地理や歴史に関するもののなかには、その土地の人々の暮らしや文化が息づいている。そうした関連項目を充実させていくことで、〈丹後ちりめんの女工〉のような、名もなき多くの女性の生き様も、様々な角度から描き出すことができるはずだ。

一般的にウィキペディアタウンでは、その町の名所旧跡や文化施設、文化財など、目に見えるものや、客観的に評価が確立している物事の項目を作ることが多い。あるいはその町の著名な人物や事件など何かしらの明確なくくりのある題材でしか、項目を作ることができないからだ。

しかし、それらひとつひとつの題材の本質、町の名所旧跡や歴史がなぜ生まれたのか、それらを育んできたものはなんだろうかという点を突きつめていくと、すべてがその町の人々にたどりつく。どのような物事もそこに人がいなければ始まらない。もし予測できない災害や少子化による町村合併などで、ある瞬間に「○○町」といったくくりが消えることがあっても、その町の人々はいきなり消えたりはしない。そこを知る人がひとりでもいるかぎり、その町の記憶と記録は必ずほかのどこかにつながっていく。

町を記録し、発信すること——エディット丹後のウィキペディアタウンが最終的に目指すところは、ひとつひとつの場所や物事の記録にとどまるものではない。名所旧跡などの町に関する多数の点（項目）が、内部リンクという線で結ばれて、人々の営みが可視化されることに、より大きな価値があるのではないだろうか。それが実現して初めて私たちは、ウィキペディアという百科事典のなかで、その町の全景や、町を築き発展させてきた人々に思いをいたすことができるだろう。

誰もが簡単に無償でアクセスできるインターネット上に、あらゆる時代の、その地に生きたすべての人々の営みを描き出す「地域の百科事典」を作る。そこをゴールとするウィキペディアタウンが多数開催されて、ウィキギャップ・キャンペーンが終了したあとも、人々の意識が「目立たないけれども、確かに存在する／存在した人々の記録」に向けられることを期待したい――そんな思いを漠然と抱きながらウィキギャップ・イベントの準備を進めていたある日、運転免許を返納して以来、久しく姿を見せていなかった「東のおばちゃん」が訪ねてきた。

記憶を記録に――東世津子という女性

「ご無沙汰しとります、伊達先生。お元気でしたか」。京都市内から手伝いにきているという息子さんに半身を支えられながら来館された東さんは、最初の挨拶こそいつもの東さんだったが、その面持ちはそれまで見たことのないような緊張感を伴っていた。

「今日は本の納品はないのですけど、ちょっとお話ししたいことがあって寄らせてもらったんです。少し長い話なんですが、お時間は大丈夫ですか？」

「ええ。今日は授業の予定もありませんし……」

図書館の扉をくぐって早々に切り出された東さんに、いつもにこにこと楽しそうに書架を眺める彼女しか知らなかった私は、内心とても動揺しながら、とりあえず椅子をすすめた。

その数日前、「WikiGap by edit Tango」の参加者募集の記事が「京都新聞」の地方欄に大きく掲載されていた。東さんはそれを読み、足を運んでくれたという。

「イベントに参加したいけど、近日中に白内障の手術を受ける予定があって、行けるかどうかわからないから、今、話しておきたいんです」

そんな前置きから始まった話は、戦時下に思春期を過ごした、ひとりの女学生の物語だった。

東世津子さんは、京都府竹野郡丹後町、現在の京丹後市丹後町の間人《たいざ》に、１９３０（昭和５）年に生まれた。第２次世界大戦の敗色濃厚な１９４４年、14才で女学校に進学したが、戦時中のため授業は行われず、軍服の縫工所で働いた。主にポケットの型板にそって縫い代を折りまげ、はりつけやすいようアイロンをかける仕事だった。

50人ほどがずらりと並んで流れ作業で働く職場は指導が厳しく、機械の故障が原因であっても作業が遅れると成績が下がった。誤って動力ミシンで手を縫い流血しても、けがの手当てよりも先に不注意を叱られ、極度の緊張と工場の熱気にあてられて失神したこともあったという。

そんな過酷な思春期のささやかな楽しみが、読書と勉学だった。教員が個人的に貸してくれた『土佐日記』や『徒然草』などの古典や文学全集を読み、わからないところを教わった。戦時下の緊張を強いられる暮らしのなか、イプセンの『人形の家』に新しい女の生き方を垣間見るなど、読書によって束の間でも物語に没頭できたのは幸せだったそうだ。

女学校卒業後は郵便局に勤め、青年団で出会った男性と20歳で結婚したが、ＧＨＱの統治下にあった当時、レッドパージによって東夫妻は失職してしまう。そこで始めたのが、書店だった。店舗用に親戚から借りた荷車置き場で、ノートと画用紙が並ぶだけの書店を開業し、知人が「恰好がつくから」と寄付してくれた蔵書を店頭に飾った。開業当初は、問屋との直接取引がなかったため、本の注文を受けるたびに15キロ以上離れた峰山の書店まで自転車を走らせ、購入した本をそのまま販売して店の看板を守ったという。やがて宮津市にあった書店の分店となり、のちに独立して、夫婦二人三脚で４人のお子さんを育て上げた。しかし、暮らしが安定しても、戦争のために人生のいちばん大切な時に勉強ができなかったことは、長く彼女の心のしこりとなっていた。

そんな戦争の記憶も薄らぎはじめた頃、東さんは、ひとつの決意をする。それは、戦争の時代のふつうの人々の暮らしの記録を出版することだった。

東世津子さんが、１９７９年当時の間人の全９５４戸３５６２人の住民と、太平洋戦争の戦没者１５０名の遺族に呼びかけ、約1年をかけて収集した体験記をまとめた『戦争中のくらし――たいざの女』（山倉千代）と、同じく東さんが仲間を募り綿密な取材の果てに１９９８年に刊行した『丹後のはた音――織物産業を支えた人たちの記録』（「丹後のはた音」編集グループ）が、今、私の手元にある。

その半生をお話しいただいて、この2冊を手渡されたとき、東さんから聞いた言葉をできるだけそのまま残しておきたくて、帰路につかれる後ろ姿を見送ってすぐ、私はメモをとった。当時のメモを、そのまま引用する。

「学校は年齢が来て卒業したけど、勉強する機会はいっさいなかった。そんな無学な自分でもできることはないかと、戦時中の暮らしの記録を出版したいと学校の校長をしていた叔父に相談すると、『気持ちはわかるが、当時のことは立派な文学者がたくさん本を出しとるから、あんたががんばらんでもええんやで』と言われた。しかしその場にいた叔母は、『立派な作家さんもぎょうさん書いてはるけど、そこに丹後の女性のことは出てこない。それは確かにあんたがやる価値のあることや』と、応援してくれた。

グループを作って執筆者を募り、原稿をお願いすると、『そんな時代のことは思い出したくもない』と言う人もいれば、『もう忘れたわ』と言う人もいた。それでも、10人以上が原稿を寄せてくれた。みんな戦争や機織りで、学校で勉強する機会なんてなかった女性ばかりやから、字も書けない人もおったし、聞き書きで。でも、それを本にできるように整えようと手伝ってくれる人もいて、各1000部を作った。すぐに完売してしまって、もう私の手元にも残っていない。書いた人もほとんど死んだ。でも、みんな『これを作ってよかった』『自分の言葉を残せてよかった』と言って、死んでいった。

この2冊があなたの役に立つかどうかは自分にはわからないけど、1行でも使ってもらえたら嬉しい」

とても、とても大きなものを託された気がした。

明治期には海外にも輸出され、隆盛をきわめた丹後ちりめんだが、その繁栄を支えた織り手は、多くが小学校にもほとんど通わせてもらえることなく、少女のうちから機屋や紡績工場に奉公に行かされ、稼ぎはすべて親に渡し、それが男兄弟が上の学校に進学する資金となったという。

WikiGap by edit Tango編集会場（2020年）
右から2番目に東世津子さんの写真と著書を並べた

WikiGap by edit Tangoイベント風景（同）

東さん自身は、機屋暮らしを経験していないが、明治生まれの東さんの母はそんな織り手のひとりだった。幼い弟の子守をしながら小学校に入学はしたものの、弟がむずかるので教室に居続けることはできず、いつも窓の外から授業風景を眺めるだけだった。小学2年で中退を余儀なくされ、13歳で機屋奉公に出てひたすら働いたのだと、東さんは聞いて育った。

こうした女工の生の声を記録した文書は、彼女がまとめた『丹後のはた音』以前はほとんど存在せず、その後の丹後ちりめん研究の基礎文献のひとつとなっている。

自らの無学を恥じつつ、何かできることはないかと、名もなき女性たちの声を残した東世津子さん。私が本を受け取って、「できるだけ使わせていただきます」と言ったときの、ほっとしたような優しいお顔と、「よかったなあ！　お母さんがやってきたことを、伊達先生らが継いでくれるだあで」と、満面の笑みで老母の背を支えていた息子さんの様子を、私は生涯忘れないだろう。

「WikiGap by edit Tango」で、私たちは〈丹後ちりめんの女工〉や〈丹後七姫〉や地元出身で女性として初めて同志社女学校（現・同志社女子大学）の校長となった〈松田道〉など15のウィキペディア項目を編集し、そのうちの2項目がウィキペディアンたちの査読を経て「良質な記事」（コラム05参照）に認定された。

新規に作成した項目のひとつに〈東世津子〉がある。彼女の人生を簡潔にまとめたこの項目もまた、図書館の書庫に眠る1冊1冊への道しるべであり、丹後の地に生きた名もなき多くの人々の記録の所在を示す手がかりとなっている。

彼女の半生をかけた想いを、私はのちの世の誰かにつなぐことができただろうか。

インターネットで検索して、目にとまりやすいウィキペディアに項目があることで、図書館に行けばその出典となった記録があることが広く知られ、忘れられかけていた文献がひもとかれるきっかけともなる。そこに描かれた誰かの生き様が、のちの誰かの心に根を下ろし、先人の生きた証を後世につないでゆく糧《かて》となるだろう。

私もまた、その糧をいただいた、ひとりであるように。

column 02

ウィキペディアの3大方針＋α――人物記事は慎重に

ウィキペディアで情報を発信することを体験すると、多くの人は、自分の知る価値ある人や物事について「もっと書きたい！」「もっと広く知ってほしい！」と思うようになる。その動機は純粋で、大きな活力でもあり、ウィキペディアの何割かはそうした人々の想いで作られているといっても過言ではないだろう。その想いはウィキペディアが「正しい情報の発信を目指すもの」だと知っているところから生まれている。

だが、その想いを、ウィキペディアを知らない人が理解することは難しい。このオープンコンテンツに自分や自分の大切な人に関わる項目が作成されることを歓迎しない人は一定数いる。

ある人が、自分の尊敬する亡き友人の項目を作りたいと、私に相談してくれたことがある。そのご友人は、生前は1970年の大阪万博に作品を出品し、没後も海外の美術館で企画展の目玉となるほど実績があるアーティストだった。ウィキペディアに項目を作成する「特筆性」（コラム09参照）は十分にある。私たちが書かなくても、いずれは誰かがその人物の項目を作成しただろう。

しかし、その〝誰か〟の作る項目が、その人の遺した作品や生き方を正しく理解し、適切な言葉で解説したよい記事となるとは限らない。多くのウィキペディアの項目は、その主題について書かれた書籍などの記述と比べれば、正確性はさておき、情報の充実度や文章表現という点では未熟な部分が多々ある。不特定多数が編集に参加する無償のコンテンツを、プロの文筆家が執筆、あるいは監修した有償のコンテンツと比較するのも何ではあるが……。それを危惧するがゆえに、本人をよく知る自分の目が黒いうちにきちんとした項目としてその人物の記録を残したい、という相談だった。

亡き人と数十年来の付き合いがあったという相談者は、出典にできる文献や写真も多数持っていた。とうに廃刊になった地方誌の30年以上前の特集記事など、国立国会図書館のオンライン蔵書目録検索システム（OPAC）でも探すことが難しいような資料まで保管していたのだ。さらに大阪や東京の専門図書館やアートセンターにも赴いては資料を集め、ひとつひとつの情報と表現を吟味しながら時間をかけて慎重に作成されたその記事は、平均的なウィキペディアの記事より確実によいもので、全記事の数パーセントしか載らないメインページの「新しい記事」にも取り上げられた。だが、相談者は満足できなかった。「遺族はもっと情報を持っているかもしれない。ちょっと聞いてみるわ」。尊敬する友人の生きた証を余すところなく記録し、世に伝えたい一心だったのだろう。その想いの強さが、結果的に誤った判断を招くことになった。

項目の主題となった人物を深く尊敬し、その功績を高く評価していたのは遺族も同様である。しかし、ウィキペディアへの見方は違った。「素人に、あの人の評論を書かせるなんて！」というのが話を聞いた遺族の第一声で、雑誌の特集で本人が語った言葉や、原典の雑誌の見出しの引用にも「敬意が感じられない」と、作成したテキストは大幅に削られてしまった。

もちろん、そのような感情的な編集活動は、ウィキペディアでは認められていない。削られた情報は、その編集に気づいた第三者によってわずか2分後には戻されている。

主題となったアーティストは、その類い稀な哲学的思考の深さから後にも先にも類例のない作品を世に送り出した人物で、独特の世界観を国内外で高く評価される一方、専門的に研究した評論家の書籍はまだ存在していなかった。研究者にも扱いが難しい主題だといわれていただけに、彼を語る最初の1冊は学識のある研究者に執筆してほしいという思いを、遺族は強く持っていたのだ。

「ウィキペディアは、雑誌の特集や新聞記事など、既出の情報を集めただけのもので、評論ではない」こと、「誰でも編集可能で、影響力のあるメジャーなコンテンツであるからこそ、事実関係を適切な表現できちんとした出典を付して先に書いておくほうが安全と思われる」こと――長年家族ぐるみの付き合いがあった相談者のそうした言葉も、ウィキペディアというコンテンツを、世間の評判程度にしか知らなかった遺族の耳には届かなかった。作成された記事には親しい友人だった相談者の名前もちらと出てきたことから、売名行為だろう！　とも言われ、相談者は深く傷つき、一時は遺族と絶縁状態になってしまう。

だが、その数か月後、遺族はある大手新聞社の取材に応じたと連絡してきた。アーティストの没後10年を記念して、一面を丸々使い、全4回の連載記事でその人を紹介するというのだ。

その記事は、相談者とともにありったけの関連資料を読みこみウィキペディアに書いてきた私の目から見ても、非常によい内容だった。相談者はよく知り、遺族は直接には知らないアーティストの前半生も詳しく紹介されていて、図書館や専門機関のＯＰＡＣでもたどりつけない先の雑誌記事にも言及していた。

連載を読んだ相談者は、「ウィキペディアの内容が記者の執筆に貢献したことは間違いない」と、長年大切に保管してきた雑誌を手に、力強く私に話してくれた。

純粋な好意による活動が、ほんのわずかな共通認識の欠如から大きな傷を残したこの一件。しかし、彼は、尊敬する友人の項目をウィキペディアに作成したこと自体に後悔はないという。そしてその後も、自分が価値があると思う人や物事について、適切な資料をできるかぎり集めウィキペディアを編集する活動に関わりつづけている。

没後の人物でもこのようなトラブルが生じることもある人物記事。

問題の性質は異なるが、存命中の人物についてはさらに慎重な扱いが求められる。芸能人やユーチューバーなど実績がまだそれほどない人物について項目を作成するのはもとより宣伝目的とみなされ、ウィキペディアでは認められていないが、たとえ自他ともに認める華々しい実績があっても、内容の如何を問わず、自分についての詳しすぎる情報がウィキペディアという影響力の大きな場所に集められ公開されることに、強い恐怖を感じる人もいる。出典があるとしてもなんでも書いていいかというと、そうではないのだ。

〈存命人物の伝記〉に関して、ウィキペディアは以下を基本方針としている（〈Wikipedia: 存命人物の伝記〉）。

・記事は「正確な」ものでなければいけません。特に、その人物の生涯の細部については、信頼性の高い参考資料だけを用いるべきです。

・存命中の人物に関する否定的な情報で参考文献や出典のない、あるいは貧弱な情報源しかないものは、項目本文およびノートから即刻除去するべきです。

ウィキペディアを運営するウィキメディア財団は2009年、〈存命人物の伝記〉に関して同財団の姿勢を示す決議を採択、人間の尊厳とプライバシーの尊重などに加え、ウィキペディアの3大方針――「中立的な視点」に立ち、「検証可能性」を満たし、「独自研究は載せない」ことをあらためて強調した（コラム07参照）。同時に、「場合によっては当該人物自身によって公表されたものを文章化する方がよいかもしれません」と明記して、公刊情報の誤りに基づいて編集された結果、ウィキペディアの記述が不適切なものとなっている場合は、当事者の発信する情報によって、あるいは当事者自らがそれを修正することも奨励している。

人物に焦点をあてる場合は、項目を作成すること自体がダイレクトにその人物の世間的イメージにつながりかねないことにも心を配り、特に多くの注意と配慮が求められる。

03
みんな大好き「酒ペディア」！――地域を見る目の重層性

旅行といえばその土地の美味しい料理と温泉、ついでにお酒があればおおむね満足できるタイプである私は、最新スポットをめぐることにはさほど興味がない。たまに仕事で出向く東京では、空き時間ができると知った場所に足を向け、以前に来たときとあまり変わっていないように見える景色を眺めて、そのことに安堵のようなものを覚えながら、ひとりぼーっとするのが常である。その場所のひとつが浅草。子どもの頃、祖母に土産にもらった浅草橋の張り子の犬の可愛さの虜《とりこ》となり、初めてひとりで東京観光に来たときからの習慣だ。

そんな浅草を、ある時、早朝に歩いたことがある。開店前の仲見世通りで、ここはこんな道幅だったのかなど、人ごみのなかでは意識しないようなことひとつひとつを新鮮に思いながら、営業中は見られないシャッターアートが並ぶ風景に心躍らせ、時とともに増えゆく忙しなく開店準備をする人々や、観光客とは明らかに違う速さで流れる人波を飽きもせず見物していて、予定の時間を大幅にオーバーしてしまったものだ。

観光地だけれど、観光地ではない、リアルな浅草。

その時のことが記憶に残り、その次の機会には、浅草寺の近くに宿をとってみた。日没後に東京に着き、スーツケースを引きずりながらまだ人通りの多い仲見世通りを歩いていると、急に勢いよく雨が降りはじめたので、私はとりあえず近場の飲食店に避難した。同じような人でざわめく店内でも、はっきり聞こえる激しい雨音が静まってきた20時過ぎ。店を出ると、どこかに水滴の落ちる音のほかは何も聞こえず、視界の利かない深い藍色の空の下、濡れて色艶を増した浅草寺だけが、あたりに神々しい光を放っていた。

短時間に大量に降った雨が、地面に束の間、水の膜を張り、鏡のようにライトアップの光を反射していたのだ。人の気配もない広い境内に、黄色味を帯びたライトに照らしだされて輝く浅草寺だけが不動の佇《たたず》まいでそこにある。威厳に満ち、とても美しい光景だった。

水鏡は瞬く間に地中に消えてゆき、やがて雨宿りをしていた人々が行きかいはじめると、浅草寺もただの観光地に戻った。けれどあの雨上がりの一瞬は、その後、私が浅草寺を思い出すとき、いちばんに心に浮かぶ風景となっている。

宿泊予定の民宿に到着すると、出迎えてくれた宿の人は「すごい雨でしたけど、大丈夫でしたか？　まだ降りそうでしたら、そこの傘を使ってくださいね」と気づかってくださった。私は、あの光景もここの人たちには日常なのかとふと思い、少しうらやましく感じた。

観光客に見える景色と、そこに住む人に見える景色は、同じであって、同じではない。ウィキペディアを編集していると、これと似た感慨を覚えることがある。

ウィキペディアの項目は、出典となる資料さえ集めることができれば、直接には知らない物事についても作成できる。でも、実際に体験したり、現地に足を運んだりすることで、同じ文献を読んでいても見落としていた要素に気づき、その題材への自分の印象・評価が激変することがある。その結果、同じ文献を出典に執筆していても、別物のような記事になったりする。

しかし、たとえ現地に出向き、その土地の図書館で十分に情報を集めたつもりでいても、その向こうには旅行者には見えない世界がまだあるのである。

地酒とエディタソン

ユネスコ無形文化遺産にも登録された「和食」など、日本の豊かな食文化を彩るもののひとつに酒がある。長い歴史のなかで酒が人類の友であったのは日本に限った話ではないが、この国には「花見酒」「月見酒」「雪見酒」等々、四季折々の自然を愛でつつ酒を飲む伝統があり、酒はただ喉《のど》を潤《うるお》すだけでなく、人生を味わう友であり、知的好奇心を満たす大人の嗜《たしな》みであり、時には人間関係を円滑にするコミュニケーションツールともなってきた。

そんな酒を生む各地の酒蔵を見学したり、様々な酒を味わいながら酒や酒蔵の記事を書く編集イベント「酒ペディア」は、数あるエディタソンのなかでも、特に人気の高いもののひとつである。地酒、地ビール、ワインに焼酎などの酒にはその土地や酒蔵ごとの歴史や特徴があり、郷土色を感じられるところもウィキペディアタウン向きの題材だ。記事を書くためのネタと文献が用意されていれば楽しめるのがウィキペディアンの性《さが》でもあるので、飲めない人でもともに楽しめるのがまたいい。

しかし、多くの公共施設では、館内での飲酒や泥酔客の利用を断っている。

2018年10月27日に、長野県諏訪市で開催された県立長野図書館主催の「信州・酒ペディアin 上諏訪（全国発酵食品サミット in NAGANO プレイベント）」は、上諏訪の5つの酒蔵を訪ね歩き、奥深い酒の話をいろいろ見聞きし、酒や酒蔵の記事を書くのに参加者に許された試飲は甘酒だけという、酒好きの参加者にとってはとても切ないエディタソンだった。諏訪地方は、日本の清酒醸造に最も使われている「真澄《ますみ》酵母（協会7号酵母）」発祥の地である。そんな名所に遠路はるばる他府県から足を運び、そこでしか飲めない地酒の数々を前に、香りだけ味わいながら飲めないなんて！　まるで拷問のようだ。参加者一同は、町歩き中に各々入手した未開封の酒瓶を抱えて編集会場である図書館に入ると、帰宅後に飲む酒の味を想像し、生唾を飲みこみながらウィキペディアを編集した。

その点、個人が主催する酒ペディアは、気楽でいい。ウィキペディアン同士の親睦を兼ねて、みんなでワイワイ。酒にまつわる神社を参拝したり、酒蔵を見学したり。その折々に買ったりもらったりした酒やつまみ、参加者が各々の地元から持ち寄った酒を飲み比べ、ほろ酔い加減で他愛もない話に花を咲かせて、気が向けば大好きなウィキペディアを編集する。自治体主催の企画のように、なんのために実施し、どういった成果があったか等々をのちほど議会などで報告する必要もないので、仮に参加者全員が酔っぱらって肝心の編集作業がまったく進まなかったとしても問題ない。ただ単純に「面白そうだからやってみた」「楽しかった」のみが成果であっても困らないのが、個人企画のいいところだ。

私が知るかぎり、酒をテーマにウィキペディアを編集するエディタソンは、毎年3月のインターナショナル・オープンデータ・デイの前後に、京阪で主に活動するオープンデータ京都実践会が開催していた企画や、ラム酒が好きな個人が馴染みのバーを借りて開催した企画、名古屋に拠点を置くグループが忘年会を兼ねて開催した企画などがある。個人主催のイベントは、参加者の募集も仲間内にとどまることが多いため、その全貌を把握することは困難だが、「酒」という主題が個人主催のエディタソンでとりわけ人気の題材であろうことは、間違いない。

しかし、アルコールは時に人をダメにする。

２０１９年3月、ある酒ぺディアに参加したとき、私はつい試飲の杯を重ねていつの間にか酔ってしまい、パソコンで編集画面を開きながら船を漕いだはずみにマウスに置いていた指がポチっと、本文を1文字も書いていない項目を新規作成してしまった。２０２３年現在のウィキペディア日本語版では、ある程度の文字量がないと「文章量が少なすぎる記事は作成できません」という警告が出るが、当時はそういうストッパー機能がなかったのだ。

ほとんど白紙でも項目を作れたのだが——検索してあると思いきや内容は空っぽという状態は、もちろんよくない。

さすがに酔いが吹っ飛んだ。やばいやばいやばいやばい……！　中身のないダメ項目として記事が削除される前に、イタズラ投稿をする要注意人物とみなされる前に、加筆せねば……！

　パソコンの向こうにいる不特定多数のウィキペディアン、特にダメな記事や初心者にも手厳しい、ウィキペディアン用語で〝自警〟と呼ばれるタイプの方々に、どうか見つかりませんように！　と祈りながら、私はひたすら資料をめくり、猛然とキーボードをたたき続けた。

　幸い、名のある酒蔵だったので資料は多く、その日、編集会場に用意されていた文献からありったけの情報を書きこんでなんとか体裁を整えることはできた。しかし、突貫工事で書き上げ

第2回ウィキペディアタウン in 弥栄で立項した〈吉岡酒造場〉にて（2022年）

ある酒ペディアでの講習の様子（2018年）

た記事には、消化不良感が残ってしまった。

ふだん、資料集めは自分で図書館の蔵書や論文を探すところから行っていたので、主催者があらかじめ用意した文献でしかこの酒蔵について調べていないという点も、モヤモヤの原因だったかもしれない。

そこで翌週、私はその酒蔵〈竹野酒造〉を実際に訪ねてみることにした。いわばひとりウィキペディアタウンである。

竹野酒造を訪ねる

竹野酒造は、京丹後市弥栄町溝谷《やさかちょうみぞたに》に、戦後に生まれた酒蔵である。当時、弥栄町は京丹後市ではなく竹野郡に属していた。竹野郡には戦前は5つの酒蔵があったが、戦中の企業整備令で4社が休業を余儀なくされ、その4社が終戦後に共同で再建したのが竹野酒造である。近年、昔からの銘柄のほかにも様々に改良を重ねた新酒を生み出し、国内外の鑑評会で入賞を重ねてきた。その華々しい活躍は、丹後地方に10社以上ある酒蔵のなかでも群を抜いている。

「うちの蔵はそりゃあ特別ですよ。なんたって蔵元の息子さんらは、3人とも杜氏《とうじ》やし」

こちらの酒蔵は有名みたいだから調べに来たのと話したら、従業員の男性が誇らしげに教えてくれた。

酒造技能士の免許にはランクがあるが、竹野酒造の蔵元であり前杜氏でもある行待佳平《ゆきまちよしへい》さんの跡を継ぐ息子たちは、3人ともが一級酒造技能士であるという。事務所にはその証書3枚が額に入って飾られていた。父が杜氏の代から全国酒類コンクールなどで毎年のように入賞を重ねる酒蔵だが、その高い評価は息子の代にも健在で、前途洋々といった印象を受ける。

この日、ここに来る前に、私は地元の公共図書館に資料探しに立ち寄っていたが、残念ながら酒ペディアの時に確認した書籍以外に、ウィキペディア編集に使えそうな資料は見当たらなかった。そこで、酒蔵の外観の写真だけでも追加するかと、軽い気持ちでアポもなく訪問したのだが、ちょうど事務所から従業員の男性が出てくるのに行き合ったのだ。この日は大きな作業の予定もなく、「外出中の蔵元ももうすぐ戻ってくるだろうから、待ってみるといいよ」と、その彼に事務所に招いてもらった。

竹野酒造は一般客が日常的に買い物に来るようなショップを併設していない。商談用だろうか。事務所には、数人が囲めるテーブルセットと、その近くに数冊の本や雑誌が置かれていた。何冊かは酒ペディアで閲覧し、出典として使用した本である。

お、これは……。一声かけて、見覚えのない何冊かを手に取りパラパラとめくれば、やはり竹野酒造の特集記事などが掲載されているものばかりだった。

インターネットや図書館の蔵書検索で探せなくても、何ページか特集された本や雑誌、新聞記事があるという題材は少なくない。ウィキペディアタウンではこうした地方紙誌の記事が、多くの題材で重要な情報源だったりする。

雑誌はともかく地方紙は記事データベースが個人を対象に、あるいは公共図書館などに提供されていることもあるが、残念ながら丹後地方の題材に関して過去の詳細なニュースが期待できる「北近畿経済新聞」や「両丹日日新聞」「京都新聞」といった新聞社にはいずれもそうしたものがない。そのため、刊行されたその日にチェックできなかった情報を後日入手することは非常に難しく、ウィキペディア編集をしていてしばしば困る。京丹後市立図書館は、購入している新聞に掲載された地域の記事についてはスクラップブックを作成しているが、項目ごとに整理したり索引を作ったりはしていないので、「何年何月何日に掲載された」ということが不明だと掲載記事を見つけることは難しい。

しかし、多くの当事者は、自分がメディアに載った掲載紙誌を、自分で保管しているものだ。だから、ウィキペディアを書くにあたっては、可能であれば一度、当事者や関係者に聞いてみると、自分では探せないようなところから意外と資料が出てきたりする。願わくば、公共施設や店舗などでは、何かメディアに紹介されたら、ぜひその記事をファイリングして客も読めるように残しておいてくれるといいと思う。

ほくほくしながら、加筆の材料にできそうなページをメモしているうちに、行待社長が戻り、軽く話を聞くことができた。

といっても、聞いた話は第三者が検証できないので、ウィキペディア編集には使えず、文献を読み解く参考になる程度だ。また、突然来たうえに長居してお仕事の邪魔になっても申し訳ない。

本や雑誌で紹介されていた内容をベースに思い出話をうかがって、〈竹野酒造〉のウィキペディアを加筆するから、読んで修正すべき点があったら、ご自身で訂正するか私に連絡してほしいとお願いして帰宅の途についた。

一般的に、「ウィキペディアに書くんです」と言って、すんなり意図が通じる当事者ばかりではない。むしろ理解されないことのほうが多いが、そこはさすがに話題の商品開発を手掛ける社長である。酒蔵を継いでから自分でも自社の歴史についていろいろ調べてきたという行待さんは、ウィキペディアと聞いてうさんくさがることもなく、数年後に再びお会いした際にも「たぶん、もともとの酒造場の創業年は○○年じゃないかと思うんだよね。いや、はっきりとはわからないんだけどね」と、朗らかに笑っていらっしゃった。

こうして、私のひとりウィキペディアタウンは、ひととおりの成果をあげて無事に終わった。その後も時々、地元メディアや新聞などで竹野酒造の活躍は聞いたが、あらためて加筆修正しなくてはという必要性を感じることもなく、数年が過ぎた。

そんな竹野酒造を題材のひとつに、ウィキペディアタウンを開催したいという話が舞いこんできたのは、〈竹野酒造〉の項目を私がおおむね書き上げてからそろそろ4年になろうかという2022年秋のことだった。

「ウィキペディアタウン in 弥栄」計画始動

企画したのは弥栄町在住のトラベルコーディネーター・芦田久美子さんである。前年まで「海の京都DMO（一般社団法人 京都府北部地域連携都市圏振興社）」に籍を置いていた芦田さんは、実は2018年9月のウィキペディアにゃウンに、最初に申しこみをしてくれた人だった。残念ながらこの時はご都合が悪くなり、結果的には不参加となったのだが、その後、2020年に開催した「WikiGap by edit Tango」への参加をきっかけに、私たちエディット丹後が毎月1回開催していた勉強会にも参加されるようになり、この頃には主要メンバーのひとりとなっていた。

同じ京丹後市の峰山や網野でウィキペディアタウンがぽつぽつと継続開催されるようになってきた頃、芦田さんは「弥栄でもやってくださいよ」と時折話題にされるようになり、それが「ぜひ弥栄でもやりましょう」に変わった頃、「ウィキペディアタウン in 弥栄」の計画が本格的に始動した。

丹後半島の内陸部に位置する弥栄は、道の駅にも「丹後王国」の名を冠するほど繁栄をきわめた古代史のネタの宝庫で、国の重要文化財に指定された方格規矩四神鏡《ほうかくきくししんきょう》が出土した古墳群や、奈良時代にこの地から絁《あしぎぬ》を朝廷に献上した記録が正倉院に残っていたりする。ウィキペディアの項目にできる歴史的な題材に事欠かない地元での念願のウィキペディアタウン、芦田さんは最初から単発イベントで終わらせるつもりはなかったようだ。彼女がこの先も見据えて選んだ最初の開催地は、当時、市の郷土資料館館長をつとめていた歴史研究者Sさんの地元・和田野だった。和田野は弥栄町の中心地で、編集会場に使える民間のコミュニティ・スペースがあるという条件もよかった。

Sさんとは私も個人的に面識があった。この前年に加筆していた、あるウィキペディア項目のことで相談にのってもらったことがあったのだ。芦田さんから和田野のウィキペディアタウンの町歩きガイドを彼に頼んだと聞いて、ご挨拶に行っておくかと、イベントの1か月ほど前に資料館を訪ねた。その時のSさんは朗らかに出迎えてくださったものの、「いや、住民といっても地元のことはあまり知らないんでお役に立つかどうか……。でも、楽しみにしてますよ」と、どこか他人事のような反応だったので、私は少し心配していた。

しかし、「まずは経験してもらわないと。ウィキペディアタウンは口で説明するだけではなかなか理解するのが難しいですよ。私もそうでしたし、どんなことでもそうでしょうけど」と、話されていた芦田さんの目論見どおりとなった。

迎えたウィキペディアタウン当日（2022年9月10日）。Sさんの解説と案内で古地図を片手に歩いた町歩きは、民家内のちりめん工場では稼働する織機を間近に見学し、立ち寄った工房ではちりめん生地に丹後の風景画をプリントしたシルク絵葉書がサプライズプレゼントに配られた。昼食は、地域おこし協力隊のシェフが、昭和50年代に地元の郷土史家が復活させた古代米・赤米など地元食材をふんだんに使い腕をふるった特製弁当に、一品一品の料理解説もついた本格的なランチを堪能、午後のウィキペディア編集のための文献は、複数の公共図書館の資料が段ボールに4箱分と、地元住民提供の郷土資料や古写真も多数の充実ぶりだった。

トラベルコーディネーター・芦田さんの本領が発揮された和田野のウィキペディアタウンは、どこをとってもハイクオリティで、プレミア感満載のイベントとなった。約10名の参加者は、芦田さんの努力に応えるべく、総力をあげて〈和田野〉や近隣の神社など4つの項目をウィキペディアに新規作成し、このうち〈和田野〉はウィキペディア日本語版の「良質な記事」にも認定された。

このイベントのあと、編集中にもアドバイザーとして参加者の文献調査をサポートしてくれていたSさんは、引き続きの協力に前向きな感想を寄せてくれた。

「今回、参加して感じたのは、地域をよく知るきっかけになるという点でした。私自身、なんらかのきっかけがないと地域に入ることはないため、よい機会になりました。地域に入ることで、地域の課題を直接お聞きすることができ、個人が所蔵するような地域資料を間近に見ることもできる。大変意義深い活動だったと考えています」

Sさんはまた、市の職員として数々のイベントを企画してきた経験からこの取り組みを分析してくれた。

「行政が関わりすぎると地域の皆さまの自主的な動きになりにくいところがあります。ウィキペディアタウンの主催者は、地域の皆さまとの接点がある方のほうがよいように思いました」

参加者募集の案内などが比較的見つけやすいエディタソンは、公共図書館を会場に市区町村の教育委員会や生涯学習課など行政が主催する企画が多いこともあり、世間では「ウィキペディアタウンは図書館のイベント」というイメージが強い。そのため、「うちの地域の図書館もやってくれたらいいのに」といった声をしばしば聞くのだが、誰かがやってくれたらと思っているうちは、市民の活動にはならないから広がらないということなのだろう。

まだウィキペディアタウンの開催実績がない地域では、行政の主導に意味がある。それを待たずに始めた私たちのような地域では、誰かがやりたい！　というときに、資料や会場や地域の人

食の地域コーディネーターによる、第1回ウィキペディアタウン in 弥栄の特製弁当（2022年）

古地図を手に和田野を歩く参加者たち（同）

材など必要な情報や支援が受けられること、そういう体制が整い、あるいは整っていることを広く知らせ、頼ることができる仕組みの構築を行政には期待したい。

「ひとつ考えていたのは、地域コミュニティに関わらせることです。京丹後市では現在、地区で解決できない課題を明治時代の町村程度のくくりの地域コミュニティで共有し、解決することを目指しています。地域コミュニティのアイデンティティのひとつとなるのは、地域の歴史や文化だと思いますので、ウィキペディアタウンの取り組みはひとつのきっかけになるように思います」

明治時代の町村単位は、現代の京丹後市の行政単位では、おおむね大字か、それより狭い小字の集落になる。ウィキペディアに単独項目として作成できる地区の単位は、大字以上という目安があり、それより狭い小字の項目は、特筆性が高い場合に限るとされているため、ウィキペディアタウンを開催するなら大字のコミュニティが狙い目だろう。

「その単位の地域コミュニティ……村の区長さんあたりの人たちに協力してもらえると、うまく続くのかもしれませんね」

和田野に続いて、芦田さんの地元であり、Sさんも協力を約束してくれた溝谷でのウィキペディアタウン計画が浮上したのは、この直後のことだった。

弥栄の町の真ん中を流れる竹野川を挟んで、和田野の対岸にある溝谷もまた、弥栄の中心的な集落である。地区の名を冠した〈溝谷神社〉についてはぜひ書きたいという参加者がいたため、すでに和田野のウィキペディアタウンで項目を作成していたが、そのほかの項目はといえば、かつて私が書いた〈竹野酒造〉くらいしか見当たらない。

「〈和田野〉の記事がアップされたので、〈溝谷〉をこの勢いでやるのはどうかなと思いはじめています。来年春頃には弥栄の『古墳ウィキ』もやってみたいと、妄想ばかり膨れ上がります」

何ごとにも勢いは大事である。芦田さんは早速、溝谷区長の協力をとりつけて、題材の選定に入っていた。町歩きの訪問先としては、Sさんからもいくつかの候補が挙げられたが、なかでも「〈竹野酒造〉は押さえておきたい」という。この町には酒米「祝《いわい》」を生み出した京都府農林水産技術センター・丹後農業研究所（丹後特産部）があり、地域一帯の地質が花崗岩《かこうがん》である弥栄平野の伏流水はきれいに澄んでいて、これが酒造りに適している。酒造りに必要な米の栽培史もまた古く、この地を語るうえで酒蔵は欠かせない題材なのだ。

しかし、初めてその話を聞いたときの私は、〈竹野酒造〉についてはもう項目があるし、取材に行っても追記できそうなことはそんなにないんじゃないかなと少々失礼な感想を持った。

少々、どころでなく、たいへん無知で失礼な感想だったと、今は思っている。

蒙を啓かれたウィキペディアタウン

和田野でのウィキペディアタウンから3か月後の2022年12月3日、「ウィキペディアタウン in 弥栄　溝谷」は、区長協力のもと溝谷地区公民館を会場に開催された。残念ながらSさんは仕事が入ってしまい、午前中の町歩きは区内の眼鏡店の店主・Uさんに託されたのだが、このUさんがまた個性的なガイドだった。眼鏡店なのに日々漁港に出向いては大量の食材を仕入れ、季節限定のご当地弁当を量産し、各地のイベントや道の駅にも出品している料理人でもあり、次々と斬新な商品を考案する開発者でもあり、むしろそちらの活躍でよく新聞の地方欄に載っているような人物である。そんなわけで、ガイドのみならず昼食手配も担当してくれたUさんにより、この日のランチもほかでは味わえない特製「ちょこっぺの古墳《コーフン》弁当」と、行列のできる地元ラーメン店・平源《ひらげん》の中華そばが用意されていた。

ちなみに「ちょこっぺ」とは、山陰地方で11月からの2か月間しか獲れないズワイガニのメスの「コッペガニ（セコガニ、香箱ガニと同じく地域名）」をちょこっとだけ使い、カニの甲羅を古墳に見立てて盛りつけた、興奮《コーフン》するほど美味いミニ弁当という意味である。地元飲食店の味を知ってほしいという、芦田さんとUさんの心遣いによりこの日のためだけに考案されたスペシャルランチだった。

ちょこっとではあったが旬のコッペガニは、たいそう美味しかった。昼ひなかであるが、このカニ味噌を肴《さかな》に、町歩き中に酒蔵で試飲した酒を口にできたなら至上の喜びだったろう。というのも、この日の午前中の町歩きでは、溝谷にあるふたつの酒蔵を中心に見学し、それぞれで美味しい地酒を試飲していたからである。ほかに、溝谷神社や薬師堂など区内の名所旧跡もめぐり、それぞれ地元の人の案内ならではの新情報や感動があったが、最後に竹野酒造で口にした1本5

万円以上の日本酒を同じく5万円の専用グラスでいただいた、その感動の前には、ほかの記憶が霞んでしまう。

日本酒が5万円？　と、多くの人は驚くであろう。お金の話をするのはいささか浅ましい気もするが、あえて言う。ちなみに竹野酒造がこれまでに販売した最も高価な酒は空ボトルだけで20万円、中身入りは1本数百万円だったという。これらの酒は一般の販売店には流通していない。

「だって、その辺の酒販店に並べたって売れないでしょ。日本人にとって日本酒は毎日飲むような、安い酒だから」

4年近くぶりに訪問した竹野酒造で、行待社長は「ウィキペディアの人、前に来てもらったの覚えてますよ～」と出迎えてくださったあと、販売店に卸していない特別な日本酒の試飲のための部屋「bar362+3」に私たちを招き入れてくださった。

「私が先代から杜氏を継いだ当時、日本酒にはワインみたいな高価格帯の商品がなかった。でも、日本人もワインとかブランデーとか海外の酒には、何万何十万っていうお金を出す。結婚式とか、お祝いに高いワインを贈ったりするでしょう。けど、同じように美味しくても日本酒にはそんなにお金を払ってくれない。日本酒はそういう特別な飲み物と思われていなかったから、それが悔しくてさ」

値段を聞いてまず驚き、おそるおそる試飲してもいいだろうかと尋ねた芦田さんに、行待社長はあっさり「いいですよ～」と快諾して、紙のように薄いガラスでできた大きな球形の専用グラスになみなみと「丹穪 niki」をそそいでくださった。このグラスもひとつひとつ、酒の最も美味しい味を引き出すために特注したものだという。

ほかの参加者とシェアするために前の酒蔵でもらったプラスチックの試飲カップに入れようとしたら、「専用グラスで飲んでね。その辺のコップで飲んだんじゃあ、台無しだから」とすかさず注意された。試しに飲み比べてみたが、グラスひとつでここまで違うのかと驚嘆するほど、味が違った。

舌に優しく、口の中いっぱいに広がる芳醇な香り。米はこんなにフルーティなものだったのかと、まず驚いた。濃厚なのに後味は非常にすっきりしていて、癖がない。

日本酒でもワインでもない、蒸留酒やリキュールなどとはもちろん違う、それは私がこれまで味わったことのない、まったく別の飲み物だった。強いて近いものを挙げるなら、白ワイン系のデザートワインだろうか。ワインのような渋みはもちろんない、酸度が低く、旨味のもとといわれるアミノ酸だけはたっぷり含まれているような、そんな酒だ。

「『テロワール』って、わかるかな。ワインの原料であるブドウの品種ごとの土壌や気候といった環境のことなんだけど、もともとは世界有数のワイン産地とされるブルゴーニュで生まれた概念で、ワインのランクはほぼこれで決まる。日本酒ではそういうことに着目した評価はあまりされてこなかったけど、日本酒にもテロワールはあるんだ。みんな同じ安酒なんかじゃない。

言葉は違っても、美味しいものはわかる。ほんとうに美味い酒は先入観なしでちゃんと評価してもらいたいから、私は世界のマーケットを相手にできる酒を造ろうと思ってね」

「究極のテロワール体験」。竹野酒造の酒は、そう評されることがある。実際に味わった今、私にもそれが決して大げさな表現ではないと心から理解することができた。

そんな究極の日本酒を追求する竹野酒造だが、日常に飲まれる一般的な酒も製造している。伝統の銘柄の味が好きだという昔ながらの地元ファンも大切にしている酒蔵だ。原料である酒米の生産農家の顔が見える商品にこだわり、ラベルにはその酒に用いられた酒米の収穫時期や場所、

竹野酒造の「niki」と専用グラス

第2回ウィキペディアタウン in 弥栄での編集の様子（2022年）

生産農家の姓名がすべて記載されている。経営の柱は、「地元の酒蔵」として地域に愛されることであるといい、酒蔵を広く開放するイベントや地元の同業他社や他業種との協同事業にも積極的に関わっている。

酔っぱらって立項したあと、私は竹野酒造について調べ、訪問して社長のお話も伺い、その地元愛あふれる経営方針からこの酒蔵は地域密着型の、いわゆる昔ながらの酒蔵と思いこんでいた。そして、ウィキペディアを書いた。

その認識は間違いではなかったが、とても浅い解釈だったのだと、このウィキペディアタウンであらためて訪れた竹野酒造で、私はようやく理解したのだった。まさに、先入観にとらわれていたのだろう。

「ワインはブドウで味が決まる。日本酒の味は杜氏の〝技〟だよ。高い酒も一般に卸してその辺で売っている酒も、米は一緒だから。この5万円の酒がどうしてできたかなんて、私も知らない。造ったのは今の杜氏だから、彼だけが知ってる。そういう美味い酒は、手間暇かけて試行錯誤を繰り返して偶然みたいに生まれる。同じものはそうそうできないから量も少ないし、売り切ったらおしまい。そういう稀少な技は評価されるべきだから、安売りはしない。ちゃんとこの味を評価してくれる人に、適正な価格で売りたいと思っている」

特別なイベントの場以外でこの酒を入手したいと思ったら、完全予約制のこのバーに足を運び、行待社長と語らい、試飲したうえで選び抜いた1本を買うのがスタンダードな購入方法だ。生産者から消費者に、文字どおり手渡しで販売される1本。その価格に見合う味だと評価して喜んで飲んでくれる人に売りたい。杜氏のそんな想いの結晶というべき酒なのだろう。

竹野酒造が試行錯誤を重ねて2017年に発売した最初の高級日本酒「in/ei（陰翳）」は、瞬く間に評判となり、香港、フランス、シンガポール、中国と海外に取引先を広げてきた。

「今度、メキシコの高級料理店のグループ会社と契約しようと思って。昨日の夜はオンラインであっちの人と話してたんだ。便利な時代になったよね。メキシコだよ。インターネットがあるから海外の企業と直接商談するのも今じゃ簡単にできる」

楽しそうに語る行待さんは、家業を継いだ数十年前に抱いた夢を今も追い続けているようだ。

憧れのような曖昧な夢ではなく、実現可能な現実として。

そのようにインターネットがつなぐ広い世界をつねづね見ている人だから、4年前に「ウィキペディアを書きに来た」と突然現れた私の相談もすんなり受け入れてくれたのだろうと思った。

唯一無二の「誰も飲んだことのない日本酒」を生み出す、竹野酒造。そのこだわりは酒の味を引き立てるグラスやボトルだけでなく、ラベルの紙の手触りや印刷のインクにも及んでいる。

「行待さんには情熱と哲学がある」と、皆が言う。

インタビューのはじめ、「何を話したらいいのかな?」と行待さんは確認され、芦田さんは「なんでも」と答えていた。ひとりウィキペディアタウンをしていたときの私も、同じように答えたと思う。その時は聞けなかった社長の哲学を、今回のウィキペディアタウンで聞くことができたのは、質問者がもともと持っていると想定される知識量に、行待さんがプラスアルファで返した結果だ。知りたい回答を引き出すための質問の仕方、図書館用語でいうところのレファレンスインタビューのような質問テクニックの重要性を痛感する。

そして、そんなテクニックに頼らずとも、行待さんにその営みの本質を語らせた芦田さん。そのベースにあるのは、地域の日常のなかで積み重ねられてきた信頼と相互理解だろう。「ウィキペディアタウンの主催者は、地域の皆さまとの接点がある方のほうがよいように思いました」というSさんの見立ては正鵠《せいこく》を得ている。

この酒蔵は、やがて世界で最も有名な日本酒を生みだすかもしれない――「ウィキペディアタウン in 弥栄　溝谷」は、いい意味で予想を覆されたウィキペディアタウンとなった。

退職後の趣味に

溝谷でのウィキペディアタウンでは、新たに2名の地域の人がウィキペディア編集デビューした。やがてはその方々も、それぞれのコミュニティにおいて、芦田さんのような主催者になっていくかもしれない。

「先日退職したのでようやく時間ができました。これからはウィキペディアタウンもウィキペディアもどんどんやっていこうと思います」

2022年春、晴れ晴れと宣言した芦田さんは、弥栄でのウィキペディアタウンの企画・コーディネートと並行して、自らも興味を持った主題をどんどんウィキペディアに立項しようと活動を続けている。

毎月1回、メンバーの自宅で開催している勉強会に、芦田さんはほとんど毎回、ノートパソコンとトートバッグにいっぱいの資料、土産のおやつを抱えて通ってくる。

「和田野在住の翻訳家で劇作家の人がいるんですよ。まだウィキペディアには項目がなかったので、今日はその下書きをしようと思って。人物記事って、どんな感じで書いたらいいんでしょうか」

「既存項目のなかから、同じ分野の、わりとよく書けていると思われる記事を見て、まずインフォボックスと見出し文を参考にするといいですよ。ソースコード（プログラミング言語）をコピーして、必要な情報を書き換える」

「インフォボックス？」

「項目によってはない場合もあるんですが、人物記事にはたいていあります。ウィキペディアの本文の右側に表示されている囲み部分がインフォボックス。生年月日や学歴、肩書などの基本情報を載せるものです。ここに記載された情報は姉妹プロジェクトの「ウィキデータ（Wikidata）」と連動していて、ほかの言語版の情報もまとめて更新できたり、例えば年齢が常時、自動計算されたりして便利です。何よりインフォボックスがあると見栄えがいいですしね！」

「なるほど……。あ、インフォボックスって、これですね。ソースは……」と芦田さんは閲覧画面から編集画面に移行、右上の鉛筆マークをクリックして「ソースの編集」を開いた。

「へえ、これがこうなるんですね」

「ページのいちばん下にあるカテゴリー（分類）や全体の構成も、同じ分野の項目を見て、だいたいどういう内容を書いたらいいのか参考にするといいと思います。題材によって書ける内容は違ってきますから、あくまで参考程度ですが」

ウィキペディアを書くというと、さもパソコンスキルが高いかのように思われることがある。でも、実際はそんな人ばかりではない。ウィキペディアは初心者でも編集しやすいように設計されているのでキーボードで文字を打てて、マウスをクリックできれば十分だ。「これを書きたい！」という想いと、文献を読み解いて題材を理解し、「どういうふうに書いたら読者に正しく情報を伝えられるだろうか」と考えることができる思慮深さ以上に必要なものは、あまりない。

芦田さんのように退職後の趣味としてウィキペディア編集をするようになった人は、私の知るかぎりでも数名いる。はてなブログで「70歳のウィキペディアン」を執筆中の門倉百合子さんもそのひとりだ。２０１６年頃からウィキペディア編集をされていたが、22年にブログを始められてからというもの、ウィキペディアにおいてもその活躍が際立ってきた方である。彼女は語る。

「ウィキペディアは誰でも執筆・編集できる百科事典ですが、このブログは様々な知識と経験と、そして時間のたっぷりある高齢者にも、ぜひウィキペディアの書き手となっていただきたいと思って始めたものです。今だけでなく将来の高齢者の方にも向けて」（「70歳のウィキペディアン」プロフィールより）。彼女の想いを綴ったブログは2023年秋に郵研社より出版された。

私の書いているこの1冊も、そんな未来の編集者に向けた道しるべのひとつになったら嬉しい。人生100年時代、いつまでも若々しく人生を楽しむツールとして、ほんの少しの酒とつまみとウィキペディア編集のある暮らしをおすすめしたい。時には地元以外の町の酒ペディアに参加するのも一興である。

エディット丹後の編集イベントの様子（2020年）
上段中央の女性が芦田久美子さん

column 03

様々なウィキペディア編集イベント——個人主催から専門機関での実践まで

個人が主催するウィキペディア編集イベント（エディタソン）には、大きく分けて3つのタイプがあるように思う。

ひとつは、酒ペディアのように、郷土の何かを題材にしたウィキペディアタウン系のもの。例えば樹齢数百年を超える一本桜が多数ある長野県飯田市では、２０１８年に個人の呼びかけで、名所旧跡などの記事にその場所の桜についての記述を加筆する「桜ペディア」が開催された。また、名古屋でも、有志のウィキペディアンにより、「なごやめしを食べて、ウィキペディアの情報を増やそう!」がキャッチコピーの「なごやめしデータソン」や「酒とつまみとウィキペディア」、「Ｗｉｋｉ酒ラン」などのいわゆる酒ペディアが開催されたことがある。

「地区」のようにざっくりしたテーマでは編集する題材が多岐にわたり、必要な文献の種類が多くなるため主催者の負担が大きくなりがちだ。しかし、名古屋めしや桜のような限定的なテーマであれば文献の量も限られるため、パソコンとインターネット回線が使えさえすれば、個人宅や喫茶店などでも実施できる。会場を選ばないという点は、小規模な運営・小さな題材の利点といえるだろう。

ふたつ目のタイプは、博物館や資料館、専門図書館など、特定の施設の利活用促進をねらったもの。データとしてのウィキペディアの活用は、官民問わず２０００年代から様々に検討されており、日本最大の図書館蔵書検索サイト「カーリル」では、例えばウィキペディアの〈推理作家一覧〉の項目を出典に自動的に作家リストが作成されるシステムを構築しているし、国立情報学研究所が運営する「Webcat Plus」は連想検索のキーワードにウィキペディアの項目名情報を利用している。

施設の利用促進の視点から、広義のウィキペディアタウンといっていい専門機関での取り組みが増えてきたのは、2010年代後半からになるだろうか。代表的なものに、神奈川近代文学館の企画展に合わせて開催されている「Wikipediaブンガク」がある。

2018年にスタートしたWikipediaブンガクは2023年10月で10回目を数え、すっかり定着した感があるが、同館の企画ではない。主催者のMayonaka no osanpo（アカウント名）さんは、2015年に横浜開港資料館で行われたウィキペディアタウン・ファシリテーター養成講座に参加し、自分でも開催してみたいと考えるようになったという。そんな彼女が日頃からよく利用していた神奈川近代文学館の「来館者を増やしたい」「若い世代にもっと来てほしい」というねらいを知り、コラボ企画としてウィキペディア編集イベントを提案、文学館の協力を得ておおむね年2回、企画展に合わせて開催されるようになった。以来、寺山修司を題材とした回では〈毛皮のマリー〉など、吉田健一の回では〈私の食物誌〉などを新規立項したり、既存の項目に加筆したりしている。私も複数回参加したが、学芸員の解説を聞き企画展を鑑賞したあと、編集会場を神奈川県立図書館に移すこともあり、関連機関との協働や利用促進にも一定の効果を上げているように思う。

図書館や博物館の資料の利活用促進を目指す企画では、2017年に機械振興協会のBICライブラリ（旧・機械工業図書館）で開催されたウィキペディア編集イベントや、近年では雑誌専門図書館・大宅壮一文庫や、インド学・仏教学の研究を行う機関に付属する三康《さんこう》図書館のほか、東京国立博物館（トーハク）でもエディタソンが行われている。

BICライブラリの企画が初心者も対象に十数名が参加した一般的なウィキペディアタウンであったのに対し、大宅壮一文庫やトーハクの企画は、執筆経験のあるウィキペディアンだけを少数集めた内々の企画だった。

大宅壮一文庫は、約1万2700誌・80万冊を収蔵する日本初の雑誌を専門に扱う私設図書館である。公共図書館では収集していないような雑誌や一定期間を過ぎると除籍されてしまうバックナンバーも所蔵することから、特にマスコミ関係者や流行文化などの研究において貴重な専門機関だが、インターネットの普及で近年、財政的に厳しい状況に置かれている。そこで、これまで利用されてこなかった分野での活用を考えていたことも、「Wikipedia OYA」開催につながった理由である。これまでに「パン」をテーマに食文化的なアプローチから複数項目を執筆するなど、大衆誌の記事を活かせる題材で開催されている。

一方のトーハクも財政難という点では同様で、館長自ら『文藝春秋』(2023年2月号)に寄稿した「国宝を守る予算が足りない!」という訴えが注目を集めた。この寄稿に先立つ2022年8月にウィキペディアンの熱心な働きかけにより初めて開催され、絵画など所属作品の記事が複数立項されたのが「ウィキマニア2022 東博エディタソン」。協力した同館の担当者は、来館促進もさることながら、収蔵資料の写真をインターネット上で好ましくないかたちで使われることに悩んでおり、「ウィキメディア・コモンズ(Wikimedia Commons)」へのアップロードにより、適切な出典情報の記載や、トーハクが「国立文化財機構所蔵品統合検索システム ColBase」(colbase.nich.go.jp/)でクリエイティブ・コモンズ・ライセンスのCCBYにて提供している図版の利用促進などを期待したという(コラム04参照)。このエディタソンは2023年の夏に第2回目が開催された。

唯一無二の資料群を有しながら、世間の注目が少ない専門図書館は数多くある。大半は都市部にあり、ウィキペディアンを確保しやすいだろうから、今後、専門機関におけるこうした取り組みは増えていくかもしれない。

3つ目のタイプは、大学教授など個人の裁量が大きい教育関係者によるもの。知られるところでは、武蔵大学人文学部英語英米文化学科で教鞭をとる北村紗衣(アカウント名・さえぼー)教授の「英日翻訳ウィキペディアン養成セミナープロジェクト」がある。このセミナーは、主にはウィキペディア英語版の項目を日本語に翻訳するもので、ウィキペディア日本語版の発展と、学生の英語力および調査研究スキルの向上をねらいとして、2015年から続けられ、強化された記事を含め、これまでに300項目以上が作られている。すでに他言語版に項目があれば、ある程度、特筆性の基準を満たしていること、また、他言語版の出典情報をそのまま引用できることから、学生も取り組みやすいように思う。北村さんは、ウィキペディアにおけるジェンダーバイアスやシェイクスピアなどご自身の専門分野に関しても多くの著述があるウィキペディアンでもある。

地域における課題解決につながりうるなどの理由で、ウィキペディアタウンの取り組みも多くの大学に広がっている。例えば2022年に福知山公立大学に新設された「観光情報学」講座（情報学部・山本吉伸教授）では、11章で取り上げたウィキペディアタウンをきっかけに導入され、初年度は全4回の授業として市内の観光地や施設など11項目が編集された。地元メディアでも紹介されたこの授業は、学生の満足度も高く、翌年度にも開講されている。なお、同大学では地域経営学部でもウィキペディアタウンが実施されたことがある。

ゼミやサークル活動として実践している大学も多く、例えば二松學舍大学文学部の谷島貫太准教授のゼミや、中部大学人文学部の柳谷啓子教授のゼミでは、学生が主体となってウィキペディアタウンを企画・運営し、一般参加者と一緒に地域について学んだという。三重の皇學館大学附属図書館「ふみくら倶楽部」（文学部・岡野裕行准教授）や、京都女子大学の図書館司書課程（桂まに子講師）、岐阜女子大学文化創造学部（石原眞理准教授）などでもウィキペディアタウンが開催された例がある。

また、高校でもウィキペディアタウンは多彩な展開をみせている。クラーク記念国際高校・芦屋キャンパスの地域研究同好会や、姫路キャンパスの国際総合学科ではそれぞれの町を舞台に実施されたし、フレックスタイム制を導入する京都府立清明高校でも、フィールドワークを伴う「京都と歴史」の授業においてウィキペディアタウンが実施されている。
ウィキペディアは、あくまで既存の研究成果へのアクセスを容易にする三次資料であり、学生や生徒の研究成果をそのまま公表する場所ではない。しかし、探究学習や研究の過程で収集した情報を整理・分析し、その結果を自分ひとりの成果とするのでなく不特定多数の人々と共有する、このアウトプットは、「第三者と共有する以上は、確かな情報でなくてはならない」という情報発信への慎重さと同時に、第三者の加筆修正を受け入れることで学びを振り返り、新たな視点を得る機会となる。

多様な人々により様々なねらいで取り組まれているエディタソン。こうしたイベントの多様性は、ウィキペディアというコンテンツの持つ豊かな可能性を示すものともいえるだろう。なかでも多くの人々に直接関係する地域と協働する企画が大きな割合を占めていて、さらなる広がりを予感させる。

04 砂の鳴る琴引浜で高校生と「3Qタウン」――次世代につなぐバトン

吉田松陰は言った。「まだやったことがないことを、『怖い』『面倒くさい』『不安だ』と思う感情は、過去の偏った経験が作り出す、ただの錯覚です。実際にやってみれば、意外とうまくいくことの方が多いのです」（池田貴将『覚悟の磨き方――超訳 吉田松陰』サンクチュアリ出版）

文献調査や情報の収集・取捨選択・整理・分析、文章表現……「ウィキペディアを書く」という体験の教育的な効果は、はかりしれないものがある。しかし、未成年者である高校生にこれをすすめる場合、そこにはいくつか課題がある。

ウィキペディアにはウィキペディア社会の決まりごとがあり、それは大人も子どもも関係なく、ひとりひとりが自分の意志と責任で編集活動に参加することを求めている。学校の一斉授業とは違い、生徒だからと特別にフォローすることができない場にいきなり放りこむことには、慎重にならなければならない。「自己責任」は、他人が押しつけるものではないのだ。だが、未知の社会に飛びこむことを「自分で決めなさい」と言われることほど、多くの人にとって難しいことはない。

しかし、もし彼らが自ら一歩を踏み出そうとするのであれば……私はその挑戦を、全力でサポートしたいと思う。

きっかけは突然に

２０１８年９月４日。その日、関西国際空港は未曾有の危機に直面していた。25年ぶりともいわれる非常に勢力の強い台風21号が上陸した影響で、暴風に流されたタンカーが対岸との連絡橋に激突し、橋を損壊してしまったのである。さらには高潮で滑走路が冠水したため、台風が去っても旅客機の離着陸ができず、空港はその後、数日間にわたり閉鎖された。

およそ３０００人が一時孤立した空港の様子は、当時、全国のお茶の間に繰り返し流れたので、記憶にある方も多いかもしれない。

この間、関空から飛び立つことができず、涙をのんだ出国予定者のひとりに、丸田智代子さんという方がいる。京丹後市網野町で民宿・ニュー丸田荘を営む女将であり、環境保護活動に取り組むＮＰＯ「琴引浜《ことひきはま》ガイドシンクロ」代表であり、二科展入選の画家としても活躍する、バイタリティあふれる女性である。

彼女の活動拠点である琴引浜は、ユネスコの認定した山陰海岸ジオパークの一角にあり、日本最大級の鳴き砂の海岸として知られる。古くはかの細川幽斎やその息子の妻で明智光秀の娘のガラシャが訪れ、和歌を詠んだとも伝えられる観光地だ。その自然環境と文化的価値から、１９８7年に網野町の指定文化財となり、２００7年には国の天然記念物および名勝に指定されたほか、

「日本の渚百選」「残したい日本の音風景100選」等々の評価を受けてきた。

鳴き砂の音は、波によって表面が磨き抜かれた砂に含まれる石英が、互いに擦れあう摩擦音である。石英の粒が汚れていると、摩擦が減り、砂は鳴らない。そのため、丸田さんたち地元の人々は、砂の鳴る琴引浜の環境を守りつつ観光資源として活用すべく、1980年代から砂浜の保全活動を続けてきた。海流に乗って絶えず漂着するゴミを除去する清掃活動には、多くの人の手を必要とする。丸田さんたちは特に若い世代に琴引浜の環境問題に関心を寄せてもらいたいと、地元の小中学校とも連携して様々な取り組みを推進している。2001年には琴引浜は世界初の禁煙ビーチを宣言してもいる。

2018年9月、丸田さんは琴引浜への教育旅行事業に関わる大商談会に参加するため、台湾に向かう予定だったという。何か月も前から準備をしていよいよ出立という段になって、まさかの空港閉鎖で渡航手段を断たれた彼女の落胆は想像に難くない。そのような折に同業者のつながりで声をかけられ、ぽっかり空いたスケジュールの穴埋めと気晴らしに参加したのが、隣町で開催された第1回目のウィキペディアにゃウンだった。

2018年9月8日、京丹後市初のウィキペディアタウン当日。丸田さんは、気分転換に参加してみたはいいが、「今頃は台湾だったはずなのになんでこんなところにおるんだろう……」と、気を抜けばあふれてしまう不平不満と葛藤していた。しかし、老若男女が協力してインターネット上に町の情報を発信していく現場を目の当たりにするうち、どの瞬間でか天が彼女に囁《ささや》いたらしい。

「地元の方と、新しい形で残せるものを模索したい……！　ウィキペディアタウンでなら、自分たちの浜を、次世代を担う子どもたちと一緒にデジタルの世界に残すことができるのでは?!」

初のウィキペディア編集を体験しながら丸田さんが思い出していたのは、以前見た、地元婦人会の記録だったという。戦後、長く婦人会の会長をつとめていた女性の元気なうちに活動の歩みを聞こうと思っていたのに、機会を逃がしてしまったこと。高齢の先輩ガイドが見せてくれた地元の膨大な史資料。それらをのちの世代に残す手段はないかと、以前からなんとなく思っていたところに、ウィキペディアタウンがピタリとはまったのだ。

可能性を見出した彼女の決断は早かった。

「琴引浜でもウィキペディアタウンを！」ウィキペディアにゃウンの最中、当時まだ結成してもいなかったエディット丹後へ、最初の相談が寄せられたのだった。

鳴き砂を守る人々

年が明けた2019年1月。ニュー丸田荘に招かれた私は、そこに集った十数名の琴引浜ガイドシンクロのメンバーらを前に、ごく簡単なウィキペディア編集のガイダンスを行った。

ウィキペディアには当時すでに〈琴引浜〉という項目があったが、その内容はお世辞にもよく書いてあるとは言いがたかった。チラとその記事を見せただけで、出るわ出るわ、鋭いツッコミとダメ出しの嵐。私が書いた項目でもないのに「ごめんなさい」と言いたい気分になってしまう。と同時に、「こういうことを書かないといかん」「あの本が出典になるわ」「この論文もええで」と、今すぐにでも良質な記事が書けてしまいそうなレベルの話が飛びかい、ガイドの皆さんの知識の豊かさに、その場にひとり紛れこんだ私は、ひたすらおののくばかり。それまでさほど深い考えもなく、書架を眺めて目についた２、３冊で知ったかぶりの記事を書いてきた自分が急に恥ずかしくなってしまった。

琴引浜の一角をなす太鼓浜（©VinayaMoto, CCBY-SA4.0）

その後、案内いただいた琴引浜鳴き砂文化館は、琴引浜を見下ろす高台の国道沿いに２００２年に開館した世界唯一の鳴き砂専門の展示施設だった。日本の海岸線が約３万キロあるのに対して、鳴き砂の海岸は総計約30キロ。わずか１０００分の１だ。その稀少さは諸外国においても同様で、文化館では各国の鳴き砂の展示とともに、砂が鳴る条件のひとつであるきれいな砂浜を維持するための啓発を行っている。１９７０年代に遊歩道の建設計画に危惧を抱き、浜の保護の必要性を最初に提唱し、やがて文化館設立を実現させた「鳴き砂の父」、故・三輪茂雄の記念碑が、この地域の稀少植物・トウテイランの蒼《あお》い花が咲く庭に建っていた。

案内してくれた丸田さんは、記念碑を前に三輪教授の多大な功績とこれまでの地域の取り組みを誇らしげにお話しされたあと、ふっと表情を消して言葉少なに付け加えた。

「琴引浜で地域振興に携わってきた方々の記録を残したい」

たったひとつの石碑の向こうに、彼女はどれだけ多くの顔や歳月を見ていたのだろうか。

「ウィキペディアタウン in 琴引浜」。鳴き砂は「きゅっきゅっ」と鳴るから、「きゅっきゅっ」と景気よく3つつなげて、「3Q」。砂の音と、琴引浜の清掃活動に日頃から多くの人々の協力をいただいていることへの「ありがとう」の気持ちをこめて、このウィキペディアタウンは「3Q《サンキュー》タウン」という愛称で呼ばれることになった。

決行日は、2019年5月の最終週。6月の初めに琴引浜ガイドシンクロの環境啓発活動としては最大のイベント「はだしのコンサート」があることを見据え、そのプレイベントとして開催することになった。

丸田さんの熱意とは裏腹に、当初、参加者集めは難航した。

網野では初めてのウィキペディアタウン。前年9月に市内で1度開催しているとはいえ、こうしたイベントについて聞いたこともないという人のほうが圧倒的に多く、ウィキペディアそのものもさほど評価されていない。

ウィキペディア日本語版が誕生したのは、２００１年。若い世代には当たり前のコンテンツでも、年配者の若い頃にはなかったインターネット百科事典。なくても困らず暮らしてきたのだから、新たに興味を持とうとする人が少ないのも無理はない。人口が少ないことに加えて高齢化の進む地方でウィキペディアタウンを開催するのは、大都市圏よりもはるかに参加者集めの難易度が高い。

「肝心の参加者が増えません。M高校の先生にもお声がけしましたが、当日は中間試験の中日だそうです。たぶんA高校もだろうな」

琴引浜の地元ガイドも高齢化が進んでいるため、共同でウィキペディアを編集するという取り組みが、若い世代とのかけ橋になるのではないかと丸田さんは期待していた。丹後地方には大学がないので、高校を卒業するとここを離れる若者も多いが、琴引浜の保全活動に地域の人々とともに取り組むことで、地元を遠く離れても故郷の素晴らしさを記憶にとどめておいてくれるのではないか、と。

「この取り組みはデッサンと同じだと私は思います。基礎の基礎。積み重ねて新たな時代を創造していくのです」

丸田さんが地域の複数の高校に、特に働きかけていた背景には、そのような想いがあった。

しかし、各校の反応は芳しくなかった。全世界に約３００の言語版があるウィキペディアのなかでも、日本語版の項目数は上位にランクしており、高く評価されることもある。だがその内容はというと、英語版が政治や宗教の項目が充実しているといわれるのに比べ、日本語版はサブカルチャーやギャンブル、アダルトといった、教育現場では活用しにくい分野の占める割合が高い。地理など基本的な項目はまだまだ箇条書き中心のスタブ（書きかけ）記事が目立ち、学術的にみれば未熟な百科事典なのだ。そのため高校や大学など教育や学術研究の現場では、長く信頼できないウェブサイトの代表格のように扱われてきた。

私たちの作ろうとしているウィキペディアはそうじゃない、地域の歴史や文化を後世に伝える手段として、専門家の助言を受けつつ文献を調査し、最高に信頼できる項目を目指すんです！と力強く説明しても、現在のウィキペディアのイメージがうさんくさいものである以上、説得力に欠けることは否めない。

足を棒にして参加者集めに奔走する丸田さんに、やがて強力な助っ人が現れた。京丹後市のラジオ放送局FMたんごで毎週水曜日に「イブニング７９４」を担当していたＤＪのヒビキさんが、番組のなかで３Ｑタウンを紹介しようと申し出てくれたのである。収録を終えたのがゴールデンウィーク前。事態が一気に動いたのは、同番組が放送された5月半ばのことだった。

隣町にある私の勤務校で地域の調べ学習を行っていたクラスの若い担任教諭が個人的に興味を示し、鳴き砂をテーマに調査活動をしていた3名の生徒に３Ｑタウンを紹介してくれたのである。その先生の素晴らしいところは、単にこういうイベントがあるよと伝えるだけでなく、「俺、参加するけど、もし参加したいって人がいるなら、一緒にどう？」と、生徒だけでは申しこむにも勇気がいるだろう企画に、気軽に一歩を踏み出す機会を作ってくださった点にある。結果、学校の枠を離れた企画にも関わらず、30名に満たない学級から8名が参加したいと手を挙げてくれた。これを受けて、地元・網野のA高校からも高校生1名が参加を希望し、生徒が行くならと教員も参加を表明。さらには近隣一帯の学校図書館司書らも集まり、気がつけば20名の募集枠を超える参加者数に嬉しい悲鳴をあげることとなった。

学校という社会は、周囲から持ちこまれる前例のない取り組みには非常に慎重な傾向がある。丸田さんや私から話は聞いていても、個人の企画にどこまで関わるか、関わってよいものか、関係者の多くが迷いを抱えていたところに、ジオパークなど公的機関が後援する事業として地元放送局が報じてくれたことで、背中を押された人もいたかもしれない。

ウィキペディア編集に欠かせない資料の貸し出しは、地元の公共図書館のほか、京都府立図書館も協力してくれた。論文から新聞記事にいたるまで、2行ほどしかない記述も拾い集めるなど、琴引浜にまつわるありとあらゆる情報が収集され、日本海を見下ろす高台の編集会場、琴引浜鳴き砂文化館に搬入されることになった。

考えつく準備をすべてやり終えた3Qタウンの数日前。このイベントにかける想いを丸田さんがご自身のブログに綴っている。

「私の油絵の師匠が、この丹後に住んでいる人たちに文化芸術の大切さを何年もかけて訴えたが響かない、と嘆いておられたことがありました。まだ若かった私は心の中で『先生、丹後は、大丈夫ですよ』と呟いたのですが、実際に持続可能な村作りに足を踏みこめば踏みこむほど、先生の言葉が身に染みていました」、「でも、今回は違う。今までウォーキングイベントなど、様々な企画を開催してきましたが、締め切り前に定員に達したのは初めてです」(「丸ちゃんの琴引浜日記」2019年5月23日を一部改変して引用)

同じ日記のなかで丸田さんは、ウィキペディアタウンを絵画におけるデッサンにたとえ、「次世代を担う若者たち自身の、未来のために大切な作業」だと確信して、心躍らせていた。

はじまりの朝

2019年5月26日、3Qタウン当日の朝を私は琴引浜からおよそ200キロ離れた福井市で迎えていた。

この前日、福井県立図書館が主催した「福井ウィキペディアタウン」に参加していたのである。というのも、このイベントの講師が、3Qタウンでも講師をお願いしていた日下九八さんと、ファシリテーター兼執筆者として参加を要請していたウィキペディアンのかんたさんで、交通の便がよくない丹後地方の北端である琴引浜に、前日夜まで福井市にいるおふたりに来てもらうには自家用車で送迎するしか手段がなかったからだ。ハイリスクだが、ハイリターン。ついでに私もイベントに参加し、他地域の事例に学びながら、終了後も現地にとどまっていたのだった。

午前5時30分。朝日を浴びながらマイカーを走らせ、寝ぼけまなこをこするふたりを順次拾って、一路西を目指す。途中のコンビニで適当に朝食をすませてもらって琴引浜に到着したのは、午前9時を少し回った頃だった。イベント開始の約15分前である。

やれ、ひと安心。講師さえ連れてこられたら、コーディネーターとしてのその日の私の役割は半分終わったようなものだ。イベントそのものの進行とガイダンスは、主催者である丸田さんらに、記事編集は参加者の皆さんに託し、このあとの私には参加者の調査活動をフォローする図書館司書としての役割が待っている。

講師を連れてくるという大仕事をやり終えた達成感に満たされながら受付の横で用意した文献の確認をしていると、見慣れた学生服の団体が入ってきた。

「伊達先生、今日はよろしくお願いしまーす」と爽《さわ》やかに挨拶される担任教諭のうしろで、「えっ?! なんで司書がおるん」「やばっ」とざわめく生徒たち。1クラスから8名参加となると、仲良しの友達が行くなら自分も、くらいなノリで、深い考えもなくついてきた生徒もいるだろうと思っていたとおり、ふだん学校図書館に来ることはあっても、調べものなどしている姿を見たことがない生徒が多かった。3Qタウンについては「図書館だより」でも広報していたというのに、私との関わりは想像もしていなかったらしい。

学校図書館司書は、生徒や教職員のあらゆる読書や学習活動をサポートするのが仕事である。あくまでサポート役なので、生徒たちのほうから「この本が読みたい」「この情報がほしい」など相談してくれないと、日々磨き上げている伝家の宝刀も使いどころがあまりない。この機会に図書館の底力を見せつけ、来週から図書館に行きたくなるような気分にさせてやろうじゃないの……！　と、私がひそかに心の炎を燃やしているうちに、町内在住の他校生1名を含む地元住民と現地ガイドたち、全国からサポートに駆けつけてくれた10余名のウィキペディアンや図書館員、総勢35名ほどが文化館に集結した。

この日、編集する題材は4つ。すでにウィキペディアに項目があったものの、内容の不十分な〈琴引浜〉と〈鳴き砂〉。そして、丸田さんたち琴引浜ガイドシンクロや鳴り砂を守る会の四半世紀の活動の成果である、〈琴引浜鳴き砂文化館〉と〈はだしのコンサート〉の新規作成である。

少し広めのコミュニティスペースも、30人以上がパソコンを広げて作業できるようにありったけの長机を並べて島をつくり、4つの編集班がパソコンを並べるスペースと資料や機材を置く場所を確保したら、空間はいっぱいだ。編集班ごとに分かれるのはあとにして、とりあえず好きなところに着席してもらう。

参加者はまず、主催の丸田さんの挨拶を受けて、館長の案内で文化館を見学した。主な参加者である高校生たちは、顕微鏡のレンズにスマホを押しつけて拡大された鳴き砂の写真を撮ったり、鳴き砂を人工的に鳴らす装置を全力で動かしたりと、体験学習に熱心だった。

ちなみにウィキペディアには、「素晴らしかった」といった自分の感想を書くことはできない決まりだが、ウィキペディアに項目があるような人物が文献のなかで感想を述べていた場合、「○○はこの時の体験を『素晴らしかった』と述べている<ref>出典</ref>」というように文章の末尾にソースをつけて、情報源を示して書くことはできる。

館内展示でひととおり予習したあとは、丸田さんたちガイドの皆さんの案内で、予定どおり掛《か》津《づ》区内や琴引浜の散策に向かうことになった。旅館や民宿がひしめく集落を通り抜け、海岸までは約1キロ。集落内の鳴き砂観音のある海蔵寺や、浜にほど近い白瀧神社の前では、地区の歴史についても説明を受ける。戦国時代にはすでに知られた景勝地であり、多くの人々が訪れ記録に残した琴引浜。遠方から参加しているウィキペディアンたちは、ウィキペディアの〈琴引浜〉に書かれていた内容とネット検索で見つけた観光情報くらいしか予備知識を持っていなかったので、「もっと歴史の浅い観光地かと思っていた」と感嘆する人もいた。

砂浜では、「鳴き砂を笑わせる達人」と称されるベテランガイド、岡田一雄さんが待っていた。鳴き砂の摩擦音を効率よく鳴らすため、ガイドたちは皆、長靴を履いているが、岡田さんは両手で砂を擦りあわせることで、まるで笑っているかのような音を鳴らせるという。丸田さん曰く、ほかの人が同じようにやってもそうは鳴らないそうで、この3Qタウンで「岡田さんの『音』を記録する」のも、丸田さんの目標のひとつだった。

砂が湿っていると摩擦が減るため、海水浴客が多いシーズンは砂を鳴らすのが難しく、鳴き砂を楽しめるベストシーズンはちょうどこの頃、梅雨入り前の5月や、台風シーズンが終わり、雪が降りはじめる前の11月頃であるという。この日は天気予報どおりの好天で、抜けるような青空が広がり、砂もよく乾いていた。参加者たちも素足になると、ガイドたちの歩き方を参考に砂に足を埋め、キュッキュッという音とともに、びりびりと感じる振動を体感して「おお」と歓声をあげていた。

ひときわはしゃいでいたのは、やはり集団で参加しているうちの生徒たちだった。人目をはばからず砂に寝ころび、調査活動にはまったく必要ではない浅瀬の海に駆けていっても微笑ましく見守ってもらえるのは最年少グループの特権だろう。日差しは暖かかったが、まだ5月。水温は低かったと思うが、琴引浜の一角には源泉かけ流しの露天風呂があるので、水着姿の観光客が海と温泉を行ったり来たりする姿もあり、制服の彼らもそんな観光気分を味わいたかったのかもしれない。

この時、参加者たちがこぞって撮影した、岡田さんによる鳴き砂の実演動画は、午後に加筆したウィキペディアの〈琴引浜〉や〈鳴き砂〉の記事にしっかり挿入されることになる。

昼食には、丹後地方を代表する郷土料理「ばらずし」が配達された。参加者たちは「日本の白砂青松《はくしゃせいしょう》１００選」にも選ばれた松林に三々五々に散り、あたたかな日差しに輝く白砂と海を肴に束の間のピクニックを楽しんだ。ただの町歩きイベントならここでおしまいでもいいところだが、あいにくウィキペディアタウンはここからが本番である。

昼食後は文化館に戻り、まずは30分程度、ウィキペディアについての基本的な説明を聞いたあと、参加者それぞれが希望する班に分かれて、各班のファシリテーター役のウィキペディアンのサポートを受けながら、項目の構成などについてミーティングを予定していた。

加筆項目である〈琴引浜〉と〈鳴き砂〉は自然科学的な題材で、比較的広域の事象を扱う。広い視野と専門知識が必要な内容であることから、ゼロから作成するにはいささか骨が折れるにちがいないが、内容は不十分でも既存の記事があったことで、初心者が多めの3Qタウンでも取り組みやすいはずだ。一方、ゼロから作成する〈琴引浜鳴き砂文化館〉と〈はだしのコンサート〉は、それほど専門知識を要求されないことからとっつきやすい題材だろうと思われた。

加えてこの4つの題材は相互に密接な関係があることから、主題である〈琴引浜〉をきちんと

丸田智代子さんの先導で琴引浜鳴き砂文化館から浜辺に向かう3Qタウンの参加者たち（2019年）

琴引浜で砂を鳴らす参加者（同）

説明しよう思えば、必ず各項目にも言及することになる。そのため、イベント終了時には4項目それぞれに相互リンクが付けられることになっていた。

まずは、それぞれ8人くらいが囲めるように4つのブロックに分けたテーブルに、編集予定の項目名を書いた紙を置いていく。「やりたい題材のテーブルに移動してください」と希望を募ると、一般参加の教員や司書、A校からひとり参加していた高校生で、〈琴引浜〉と〈琴引浜鳴き砂文化館〉のテーブルはあっという間に埋まってしまった。やはり町歩きした場所は、編集する内容のイメージが浮かびやすいので、どこの地域のウィキペディアタウンでも希望者が集中する傾向がある。

取り残されたのは、あの8名の高校生である。仲良しグループで参加していただけに、お互いどうするかうかがっているあいだに、動けなくなってしまったようだ。せっかく地域のイベントに参加しているというのに、ふだんから一緒の同級生だけで活動するなら、学校の授業と大差ない。そもそも初心者8人全員をひとつの班にはできない。

「……先生、なんでひとりでそっちに行ってん?!」と、さっさと〈琴引浜〉班に入ってしまった引率の担任に文句を言う生徒もいたが、「俺、最初から自分が参加したいから行くって言っとったやろ。君らも自分で参加するって決めたやん」と、あっさりしたもの。かわいい子には旅をさせよ、といったところだろう。

そこで、もともと授業で〈鳴き砂〉をテーマに調べ学習をしていた生徒3名が〈鳴き砂〉班に決めたため、取り残された5人は必然的に〈はだしのコンサート〉班に入ることになった。題材を解説するガイドとして丸田さんが、編集のサポートとしてエディット丹後で経験のある社会人ふたりもいるとはいえ……この班、大丈夫かな。

いきなり不安になってきたが、これが思った以上に大丈夫じゃないと気がつくまでに、そう時間はかからなかった。メンバー云々の問題ではない。想定していた以上に、新規項目として立項するには、出典として活用できる情報が少なかったのである。

新しくて、古い。空白の時代に苦悩する

〈はだしのコンサート〉は、海岸清掃と音楽ライブをセットにしたイベントで、合言葉は「あなたの拾ったゴミが入場券」。鎌倉の由比ガ浜や静岡の御前崎海岸、九州や沖縄でも開催されているこのビーチクリーン・ライブの発祥は実は琴引浜で、1994年から全国に先駆けて開催されてきた。

1990年代。まだインターネットで誰もがどこからでも自由に情報を発信することができる時代でもなく、郷土史に記載されるほどには昔でもない、この狭間の時代のローカルな題材をウィキペディアに書こうとすると、まず文献がほとんど残されていないという壁に直面する。加えて民間ボランティアのイベントであるため、公的な記録もほとんどない。〈はだしのコンサート〉は、まさにそのような題材だったのだ。

そんな難しい題材に挑むことになった生徒5人は、もともと読書好きでも、調べ学習の経験が豊富なわけでもない。ごく平均的な、書物よりも動画やゲームに親しんできたイマドキの高校生だ。まずは素直にほかの参加者たちと作戦会議を開き、ファシリテーター役をつとめる日下さんのアドバイスで同ジャンルのウィキペディア項目〈サマーソニック〉を参考に、新聞記事や自治体広報誌のバックナンバーから、〈はだしのコンサート〉に関する情報を手分けして付箋に書き出すところからスタートした。

しかし、〈はだしのコンサート〉の情報は、毎年の開催を知らせる記事が中心だったので、記述は多くとも内容には大差がない。黙々と作業に集中する生徒もいる一方、「これ、さっきも書いたで。おんなじヤツちゃうん?」「さっきのとは年が違うで、別や」「書いたること一緒やん」と、早々に飽きて投げ出す生徒もいた。さらには「うちの学校が載ってる! 箱石浜で植林やって。こんなんやっとったん?」「カヌー部の記事、見っけ」「この人、カッコいいなあ」と、無関係な記事に脱線したり。

そうこうしているうちに、ほかの編集班に入った同級生たちは、〈鳴き砂〉の項目に全国の鳴き砂の海岸名一覧を加筆したり、文化館で撮った鳴き砂の写真をアップロードしたりと、続々とウィキペディア編集デビューを果たしていた。「次、何を書こうかな」とウキウキした様子で本を探したり、使えそうな写真を撮りに出かけたりしている様子を遠目に眺め、「あっち、いいな……」とポツリと誰かがつぶやいた。

似たような内容ばかりの断片的な情報に飽き、項目の柱となる情報を見つけられないでいた〈はだしのコンサート〉班は、編集時間の半分を過ぎても記事の骨格すら見えないような状況だった。SNS世代の高校生にしてみれば、ネットで情報発信することなど慣れたもの。ウィキペディアを書くのも簡単だと思っていたのだろう。想像していたようには進まない作業に苛立ちや不安をつのらせ、消極的になりはじめていた。

いそいそとウィキペディアのアカウントを作り、やる気に満ちていた表情はすでにない。約3時間と予定されていた文献調査と編集の時間が残り1時間を切り、ほかの一般参加者が骨格をとりあえず投稿、調べたことを分担して書いていくだけという段階になっても、彼らは誰ひとりウィキペディアを編集しようとはしなかった。

「出典の付け方は個別にレクチャーするから、文章を書けた人から声をかけてね」と呼びかけても、反応が鈍い。

「とりあえず付箋に書き出しはしたけどさ……。これっぽっち、どうしたらええん?」

「お前、書けよ」

「いや、お前から書けよ」

3Qタウン用に複数の公共図書館から提供された文献の一部(2019年)

「なあ、別にもう書かなくてもよくね？　これ、全部書いても、どうせ中身ないしさ」

「半日もやっててこの程度か、みたいに思われそう……」

そんな心の声が聞こえてきそうな、視線で会話をする高校生たち。刻々と時間だけが過ぎていく。……これはちょっと、やばいかもしれない。焦りが、私のなかにも生まれかけていた。

奇跡の逆転劇

イベントとしては期待はずれの結果となっても、いっそ立項を諦めていれば問題はなかったかもしれない。しかし、すでに骨格だけでも投稿した以上、ちゃんと肉づけして、百科事典の項目として成立する程度の情報は掲載しておく必要がある。このままイベントが終わってしまったら、〈はだしのコンサート〉の項目は内容が不十分で特筆性なしとみなされ、削除されてしまうかもしれない。

ウィキペディアは誰でも編集できるとはいえ、その題材に価値があると思っても、立項した当人が書いていない内容を調べて加筆し、不十分な項目を救済できる人はそう多くはない。現状では不足ながら、ありったけの資料が揃えられたこの場で、今いる高校生たちが発信しない情報を、パソコンの向こう側にいる誰かが知り、代わりに投稿してくれたりはしないのだ。

「ねえ、誰か〈はだしのコンサート〉に参加したことある人はいる？　携帯に写真が残っていたりしないかな？」

文章が無理なら写真だと、声をかけてみる。

「いや、さすがに持ってないやろ」と、すかさずツッコむ日下さん。

「まあ、そうですよね……」

大きな期待はしていなかったが、ダメ元でも聞いておきたくなるくらい、企画者のひとりとして私も追いこまれていたのである。

ところがその時、スマホを探っていた生徒のひとりが「あった！」と叫んだ。

「えっ?!」と、その場の全員が固まった。

声をあげたのは、5人のなかでも早々に作業に飽きて、眠そうに目をこすっていた生徒だった。

「ほら、見て！　これ、そうやんな?!　去年、友達と行ってん」

小さなスマホの画面をその場の全員でのぞきこむ。

ピッピッと指で送られる大量のスナップ写真にまざり、確かにそこには、誰の肖像権も侵害しない、素晴らしくウィキペディア向きの1枚があった。前後の写真や日付から見て、前年のステージを観客の背中越しに写したものであることは間違いない。

「まじか！」

「ちょっと待って、俺もあるかも……」

「そういや俺も中学の時に参加したことあるわ」

にわかに活気づき、スマホを取り出す生徒たち。

「あーダメだ。機種変したから、これには入っとらん」

「あったけど、そういうイベント風景っぽいやつはないな。自撮りばっか」

「あかんやん。あんた、何しにコンサート行ってん」

「そりゃ、遊びに……ってか、逆に聞きたいんだけど。なんで、お前、自分が写っとらんやつ残しとるん？」

「たまたまやで。消し忘れとっただけ」と、写真を見つけた生徒はその功を誇るでもなく、しかし、「今日の私の引き、すごくない？」と嬉しそうだった。

「やったな！」と一同も同意し、そんな周囲の注目を一身に浴びながら、彼女はスマホに残していた写真をパソコンに移してウィキメディア・コモンズにアップロードすると、自らの手で〈はだしのコンサート〉の記事に挿入した。

「すごい。私、ホームページとか編集したん初めてや」

更新したウィキペディアに載っている写真が確かに自分のスマホの写真と同じなのを確認して実感がわいてきたのか、しみじみとつぶやく。

「そんじょそこらのホームページよりすごいよ。明日にでもGoogleとかで検索したら、サムネイルにあなたの写真が出るんじゃないかな」

「まじか！　やった。私、今日、カンペキちゃう？」

「うん、すごい。ありがとう」

そんなやりとりをしていると、まわりの生徒たちの空気が変わってくるのがわかった。お互いに腹を探り合っているような様子だったのが、俄然やる気になったのである。

「ここ、書いてみました！　出典ってどうやって入れたらいいんですか？」

「〇年のゲストって、わかる？　どこかに資料、あったかな」

「ちょっと待って。まだ見てない新聞記事があったはず……」

「じゃあ、俺、先にこっちのメモをとったやつ書いとくわ」

と、協力しながら我先にとウィキペディアにログインし、次々と見つけてきた資料の記述を反映させていったのである。この時点でイベントの残り時間はすでにわずかではあったが、全員が「自分も何かやらねば！」という、並々ならぬ意欲と集中力をみせた時間だった。

結果、参加した高校生のほぼ全員が、1行2行ではあっても何かしらの足跡をウィキペディアに残し、イベント後のアンケートでは、「また機会があったら参加したい」と回答してくれた。地元ケーブルテレビ局の取材を受

今もウィキペディア上に残る、3Qタウンに参加した高校生がスマホに残していた、はだしのコンサートの写真　（©Tngcr, CCBY-SA4.0）

けた生徒のひとりは、「この経験を学校の探究学習にも活かしていきたいと思います」とにこに
こ回答し、その様子は翌月以降の「週刊ニュース！」で1日4回、1週間繰り返し放送された。
心理学者のアドラーによれば、人が幸せになるために重要な要素には「他者貢献」があるとい
う。共同体のなかで生きる人は、「ほかの人に信頼され」、「ほかの人の役に立っている」という
自覚により、初めて自分が必要な人間であると自己を肯定することができる。
もし彼らが「どうせ、たいしたことはできない」と、何もしないままだったら、このウィキペ
ディアタウンは彼らにとってある種のトラウマになってしまっていたかもしれない。
写真というきっかけがあったとはいえ、一歩を踏み出してくれたことを私は称えたい。
高校生たちにとって、ウィキペディアタウンへの参加は、学校の外に出て、公共図書館などが
所蔵する貴重な資料を活用し、地域のスペシャリストに直々に学ぶ、きわめて質の高い学習機会
になった。ファクトチェックを意識し、社会のルールや、与えられる学びではなく自ら発信する
ことの責任を自覚する機会ともなっただろう。体感することで得られた学びがこれからもあらゆ
る探究の場において彼らを支えることを願う。
生徒たちが作成に関わった〈はだしのコンサート〉のウィキペディア項目は、この翌週に開催
された同コンサートの会場で早速、二次元バーコードのリンクを組みこんだポスター上で紹介さ
れ、多くの来場者や関係者に読んでもらうことができたほか、ウィキペディアのメインページの
「新しい記事」にも掲載された。

ほかの参加者らによるのちの加筆で、〈はだしのコンサート〉の項目は、3Qタウン直後からは質量ともにかなり充実したため、生徒たちが書いたわずかな文章は、一見するとどこがそうなのか、わかりにくい。しかし、写真は今でも、小躍りして喜んだあの生徒の最初の1枚が、トップを飾っている。

課題から見えた夢

1990年代、琴引浜の保全活動から始まった〈はだしのコンサート〉。新聞記事や自治体広報誌などには、「いついつに第○回はだしのコンサートが行われた」といった記載はあるが、「誰がなぜ始めたのか」という、あらゆる主題できわめて重要な背景が抜けていた。それが高校生たちが編集に苦戦した理由でもあった。その時々のイベントの断片を寄せ集めるだけでは、木を見て森を見ずということになってしまう。

しかし、当事者であれば、森の全体像を知っているので、断片的な1本の木の情報であってもそれを正しく位置づけることができる。また、出典に使える文献がどこにあるのか把握していることもあり、場合によっては必要な資料を公開してもらえることもある。ウィキペディアタウンで題材に精通した地域住民の協力があるのとないのとでは、作成する記事の質に大きな差が生じる理由はここにある。

ところが、過去の〈はだしのコンサート〉の資料は、区民センターの倉庫にあるのは確実なものの、第三者が閲覧できるように整理・公開されているわけではなかった。あることだけは確実な数十年分の資料をこの日、残念ながら活用することはできなかった。

どんなに特筆性の高い題材であっても、すべての事情を知る当事者がその場にいても、第三者に検証可能な形で情報が公開されていなければ、ウィキペディアに書くことはできない。

このイベントを通して、ほんの25年ほど前の〈はだしのコンサート〉の開始の経緯が客観的にわからなくなっていたことに気づいた丸田さんは、その後も地域のウィキペディアタウンに時折参加し、3Qタウンでは対象にしなかった地区内の寺院の項目などを立項する活動を続けながら、丸田さんたち自身の記録を残すためにやるべきことはウィキペディアの編集ではなく、ほかにあると悟ったという。

「私のやるべきことは、まず公式に記録を残すことだと気づきました。私や先達のやってきたことをいつか絶対、本にします。そして、それを公共図書館に置いてもらう。まずは国立国会図書館。それから地元の図書館にも。そうしたら、それが何年後になるかはわかりませんが、誰かがそれを出典にウィキペディアに書いてくれるかもしれない」

そういうことですよねと、自らの心に刻むように語る彼女に、そうですねと私は答えた。

その翌年も翌々年も、場所を変え、題材を変え、丸田さん主催の3Qタウンは開催された。翌2020年には、海と湖をテーマに隣の区で開催され、初回にA高校から唯一参加していた生徒が、後輩2名とともに再び参加してくれた。コロナ禍で参加人数を大幅に減らさざるを得なかった2021年には募集人数を制限したが、単に規模を縮小するのではなく少人数の利点を活かしてカヌーで山陰海岸の奇岩をめぐるなど、前代未聞のウィキペディアタウンを編み出し、参加者を魅了しつづけている。

「私自身は、編集メンバーとしてはさほどお役に立てないかもしれませんが、次世代に残す手段としてのウィキペディアの重要性を語ることは、できると思っています」

2023年には、オープンストリートマップを編集するマッピングパーティを初開催された、〝地域残し〟にかける丸田さんの挑戦は、これからも続いていくだろう。

3Qタウンで加筆修正された〈琴引浜〉が、大幅に内容が改善された項目としてウィキペディ

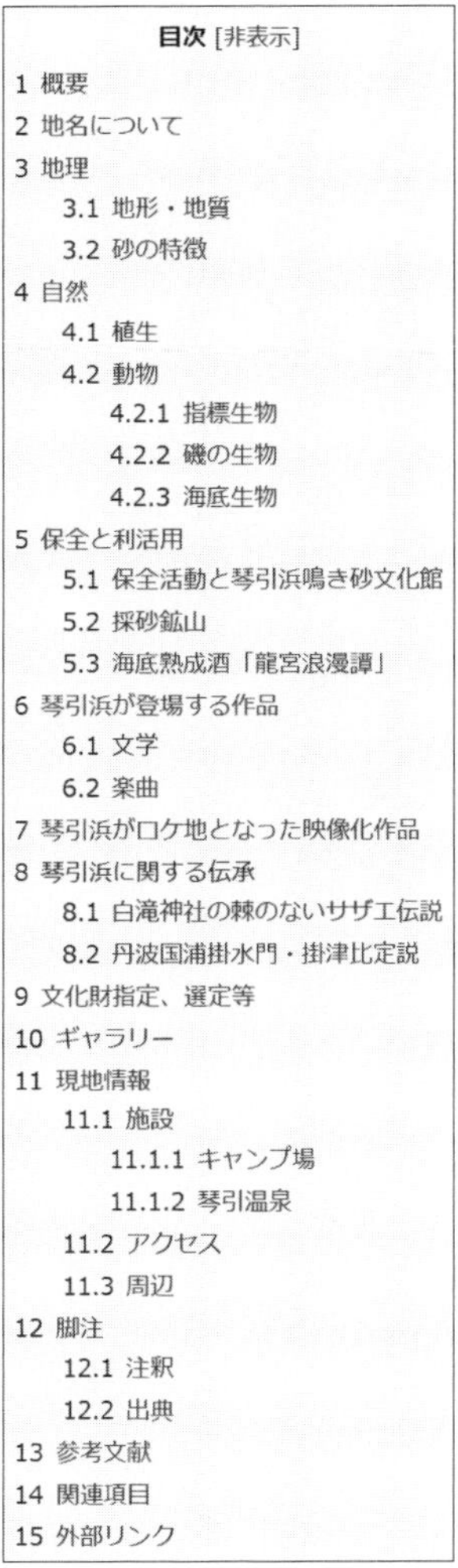
目次 [非表示]
1 概要
2 地名について
3 地理
3.1 地形・地質
3.2 砂の特徴
4 自然
4.1 植生
4.2 動物
4.2.1 指標生物
4.2.2 磯の生物
4.2.3 海底生物
5 保全と利活用
5.1 保全活動と琴引浜鳴き砂文化館
5.2 採砂鉱山
5.3 海底熟成酒「龍宮浪漫譚」
6 琴引浜が登場する作品
6.1 文学
6.2 楽曲
7 琴引浜がロケ地となった映像化作品
8 琴引浜に関する伝承
8.1 白滝神社の棘のないサザエ伝説
8.2 丹波国浦掛水門・掛津比定説
9 文化財指定、選定等
10 ギャラリー
11 現地情報
11.1 施設
11.1.1 キャンプ場
11.1.2 琴引温泉
11.2 アクセス
11.3 周辺
12 脚注
12.1 注釈
12.2 出典
13 参考文献
14 関連項目
15 外部リンク

〈琴引浜〉の記事構成（2023年8月3日時点）

アのメインページの「強化記事」に取り上げられ、「月間強化記事賞」を受賞、さらには内容的にも優れているとして「良質な記事」に認定されたのはイベントのおよそ半年後のことだった。

当初、琴引浜ガイドシンクロの皆さんが、ただの海水浴場の説明になっとる！　と、けちょんけちょんにダメ出ししていたウィキペディアの〈琴引浜〉は、いまや「地理」「自然」「保全と利活用」「文学」「伝承」と、あらゆる観点から詳細に解説された百科事典らしい項目として、ウィキペディアの「選り抜き記事」にも時折、掲載されている。

一方、8名の生徒が参加した私の勤務校では、イベント後に噂を聞いて、自分も参加してみたかったというほかのクラスの生徒の声が多数あったことから、イベントの様子を学校図書館で紹介し、昼休みや放課後を使って希望する生徒にウィキペディア編集のガイダンスを続けている。〈久美浜町〉などいくつかのウィキペディア記事が、こうした高校生の手により改善された。

3年後の2022年。3Qタウンで〈はだしのコンサート〉をウィキペディアに立項した高校生5人が通った校舎では、探究学習の一環で、「地域の課題解決につながるアイデアを検討する」というテーマのミーティングが行われていた。方向性を探るべく、校内アンケートで丹後の魅力を聞いたところ、1位が「海」であったことから、生徒それぞれが海をテーマにしたイベントなどの先行事例を調査した。

生徒が選んだ事例のひとつが、〈はだしのコンサート〉。それを聞いて、私は思わず頬が緩んだ。「そのイベントについてのウィキペディアは、みんなの先輩が書いたんだよ。きちんと文献にあたって書いてあるから、読んでみてね」

時代を問わず、誰もが簡単にアクセスできるインターネット上の百科事典。だからこそ思いもよらないところで誰かの役に立つことがある。もし、この後輩たちの発表を、あの時の生徒たちが聞くことがあったら。彼らもきっと、こっそり微笑み、胸の内で自らを誇るにちがいない。

なお、琴引浜の〈はだしのコンサート〉は、２０２０年以降、コロナ禍により中断を余儀なくされ、23年6月に「The Final」として再開、30年の歴史に幕を下ろした。

後日、生徒8名が参加した高校の学校図書館に展示された、3Qタウンの記録（グラフィックレコーディングは、「Code for ふじのくに」の市川希美さんによる）

column
04

ウィキメディア・コモンズとは——すべて無償で利用できる写真?!

ウィキペディアは言語版ごとに別々のサイトだが、写真など画像や動画、音声などのデータファイルは、多くの場合、姉妹プロジェクトの「ウィキメディア・コモンズ（以下「コモンズ」と記載）」にアップロードされたものが全言語版で使われている。そのほとんどは、作成者本人がアップロードし、カテゴリー別に整理したものだ。

アップロードされた写真などのファイルは、ウィキペディア以外でも、無償で利用することができる。インターネット上には、フリー素材と呼ばれる写真が多くあるが、フリーとはいってもその利用規約は様々。「自由」と「無償」は必ずしもイコールではなく、著作権が放棄されたか、著作権者の死から70年が経過し、「パブリックドメイン」となっているもの以外、ネット上の画像利用にはしばしば著作権法上の問題が発生する。その点、コモンズにあるデータは、著作権者自らが著作物の再利用を許可するという意思表示を手軽に行えるようにするための様々なライセンスを策定している国際的プロジェクト「クリエイティブ・コモンズ」により著作権状態を明記する必要はあるものの、すべて無償で自由に改変し、利用することができる（CC BYあるいはCC BY-SA）。

2023年11月の時点でパブリックドメインのものも含め1億点を超えるファイルをすべて無償で自由に改変し、利用することができる——ということは、逆にいえば、無条件で提供され、自由に改変していいものしか、コモンズにアップロードしてはならない、ということでもある。

3Qタウンでは、約25年分の〈はだしのコンサート〉の公式資料が未整理で、非公開の倉庫にあり、出典として使うことはできなかったと、4章で述べた。しかし、実は各年に撮影された画像データだけはCD-Rに収められ、会場に届けられていた。毎年の記録写真をウィキペディアに掲載したいと、主催者側では考えていたのだ。

一般的にイベント広報用に撮影者から提供してもらった時点で、自由に使用する許可を得ているものだろう。しかし写真の著作権は、撮影者本人にある。ウィキペディアにこれらを掲載する場合、まずそれぞれの写真の撮影者にウィキペディアのアカウントを取得してもらい、コモンズに直接アップロードしてもらうのが望ましい。

これがなかなか簡単ではない。「使っていいよ」と了解を得た写真でも、撮影者以外がアップロードするには、まず内諾を得ていることを証明する手続きが必要なのだ。どの写真が、誰から提供されたものなのかがわからないと、そもそも手続きのしようもないが、琴引浜ガイドシンクロでも、毎年の写真1枚1枚の撮影者までは記録していなかった。このため、過去四半世紀の〈はだしのコンサート〉で、折々に提供されてきた写真をウィキペディアに掲載することは諦めざるを得なかった。

写真はその時、その場にいた人にしか撮影できず、基本的には撮った本人しか提供できない。自分の撮影した写真を人類の共有財産とするという理念に共鳴された方が、地域の季節ごとの風景や伝統の行事、道路工事が行われるならその改修前の様子など身のまわりのあらゆる物事を、日常的に撮ってコモンズにアップロードしておいてくれたなら——いつかその1枚が、何かの場面でその場所をダイレクトに伝える貴重な1枚になるかもしれない。

ただし、被写体によっては別の注意も必要だ。イベントではよく最後に集合写真を撮影するが、その写真をコモンズにアップロードすることは慎んでほしい。過去にはアカウント名で活動するウィキペディアンの身元が特定され、中傷を受けたり、悪質なサイトで写真を流用されるなどして警察沙汰になっているケースもある。一般人の顔写真を改変や流用を認める条件でインターネット上にあげるリスクは、ほかのいわゆるオフ会でも同様だろう。

活動を紹介するなどの理由でコモンズにアップロードする必要があったとしても、イベントの記録としてなら、被写体の肖像権を侵害しない、例えばイベントの様子を背中越しに撮った写真で十分だろう。人物写真については肖像権はもちろん被写体の安全を守ることも重視したい。

また、コモンズではアメリカの法も適用されるため、日本の著作権法では自由に利活用することが可能な写真でも、使用にあたって様々な条件があったり、アップロードすることが認められないケースもある。例えば一般に開放されている公園など屋外にある銅像など美術作品を映した写真のアップロードは、日本では問題なくとも、アメリカでは著作権保護の対象となる。このほか戦時加算などにより国によって著作権の保護期間が異なる場合や、人物を写した写真における法や倫理も国や宗教により違うので注意が必要だ。

そのような場合でも、日本の法律上問題のない写真であれば、「ローカル・アップロード」という方法によってウィキペディア日本語版にのみアップロードし、関連項目に使用することができる。ただし、高画質のものは掲載できない、1記事あたり3枚までしか使用できないなど、いくつか条件があるので、特に問題のない写真であればコモンズに高画質でアップロードしておくほうが、多くの人々に様々な場面で利活用してもらえる可能性が高くなる。

少しでも心配な要素があったら、アップロードする前に〈Wikipedia: 画像利用の方針〉など関連ページを参照すると助けになるはずだ。

第2部

読者から編者へ

地域情報を"正しく"発信する

05

地元の伝統産業と格闘した日々――ウィキペディア編集デビューの頃

その昔、私たちの暮らしのなかに当たり前にあり、今日では失われた産業や技術を、なんらかの形で今も守りつづける人々がいる。機械工業が発展した現代では、むしろ稀少で高価なものとなってしまった手仕事の数々。かつて庶民の衣服に用いられた藤や芭蕉など自然の植物から採取した繊維で織った布は、いまや一反数十万円を下らないような高級品だ。そのため現代の多くの人の日常生活には馴染みがなく、それゆえに時代の流れとともに忘れ去られていく。当事者たちがいかにその技を伝え、記録し、文書を残そうとも、そうしたものが「ある」ということ自体を知る機会がなければ、それは多くの人にとって存在しないということと変わらない。「知る」ことは、すべてのはじまりである。

1日あたり50万人以上もの人がアクセスするウィキペディア日本語版には、日々100前後もの項目が新しく立てられている。そのなかには、これまでの人生で知らずに過ごしてきた、あなたと誰かをつなぐ何か、あなたにとっての大きな転機となる何かがあるかもしれない。

ふってわいた〝難しい要望〟

日本三景のひとつ天橋立《あまのはしだて》を見下ろす西岸の山間部に、上世屋《かみせや》（宮津市）という集落がある。２０２２年の時点でわずか11世帯23人が暮らす小さな村で、数年前には移住してきた夫婦に子どもが生まれて「5月5日に鯉のぼりが立った」ことがニュースになったくらいの高齢過疎の村である。近年こそ風光明媚な田舎にほれこんだ人が伝統的な造りの家を買い取って移住し、狩猟免許をとってジビエの店を開いたり、クラフトビール工房を始めたりと、ある種の桃源郷のような村として注目を集めているが、20世紀には高度経済成長に取り残された不便な山村のひとつでしかなく、多くの住民が中学卒業と同時に家を出てそのまま帰ることのない村だった。

そんな村に、いや、そんな村だから、だろうか。日本全国で唯一ここでだけ一度も絶えることなく受け継がれてきた産業がある。「藤織り」と呼ばれる織物である。

藤織りは、植物の藤の蔓《つる》から繊維を採取し、手機《てばた》で織った布のことで、藤布《ふじふ》ともいう。麻などと同じように古くから日本全国で生産された自然布の一種で、縄文人の服のようなものといえばイメージしやすいだろうか。産業革命以降、より加工しやすく大量生産が可能な綿が普及したことで日本全国から姿を消したが、標高が高く日照時間が短い山間部のため綿花の栽培が困難だった上世屋では、近年まで細々と生産が続き、研究者の目にとまったことで現代まで継承された。きわめて丈夫で火や水に強いため、炭焼きなどの現場で重宝されてきたという。

私がその織物に出会ったのは、２０１８年2月。きっかけはほんの偶然だった。ウィキペディア執筆の練習がてら、適当な題材はないかと郷土資料の書架を整理しながら眺めていて、たまたま手に取った資料に藤織りの布見本が付いているのを見つけて、「これ、写真を撮ってウィキメディア・コモンズにアップロードできるのでは」とふと思い、写真を撮ったら、今度はそれを掲載するためのウィキペディア項目もほしくなった。ただ、それだけのことだった。

〈藤織り〉――取り立てて語ることもない私の人生を、ウィキペディアとウィキペディアタウンの世界へ、どっぷりはまらせるきっかけとなった出会いである。

2018年1月にウィキペディア編集デビューした頃の私は、とりあえず郷土資料の棚で目についた本から題材を探し、丹後地方についての項目を増やすことだけを目指していた。ひとつひとつの項目にかける情熱はさほどなく、とりあえず丹後のメジャーな題材をたくさん編集していけば、誰かしらの役に立つこともあるだろうと漠然と考えていた。

転機は、新学期が始まって仕事が忙しくなり、ウィキペディア編集もご無沙汰になりかけていた4月半ばにやってきた。1か月以上前に執筆した〈藤織り〉の記事をすでに忘れかけていたところに、ウィキペディア日本語版屈指の執筆者、のりまき（アカウント名）さんから、「〈藤織り〉が『良質な記事』選考の最中のようです」と連絡いただいたのである。のりまきさんとはその頃、勉強のために参加したウィキペディア・エディタソンでお目にかかったことがあった。

「あれ、圧迫面接の一面があり、私も何度やってもどこか緊張します。難しい要望ですが、できる範囲でがんばってみる経験が、執筆者として成長する糧になります。題材的になかなか直接支援は難しく申し訳ありませんが、応援しています！」

……何それ?!　寝耳に水、の話であった。

聞くところによれば、ウィキペディアには執筆者のモチベーションをあげるための顕彰制度がいくつかあって、有志のウィキペディアンが査読して認定する「良質な記事」はそのひとつらしい。ひとまず、教わった〈藤織り〉の選考ページを確認すると、そこに書かれていた「難しい要望」とは、おおむね次のようなものだった。

「記事が〈藤織り〉の全般的な解説というより丹後の藤織りに偏っているようです。『製品』『伝承者』の節は明らかに丹後の藤織りの話でしょう。また『製法』はもう少し一般的な話かと思いますが、出典が丹後の藤織り関連のものばかりなので、これらも丹後地方固有である可能性も考えられます。〈丹後の藤織り〉というタイトルの記事なら世屋地区の話だけでもよいのですが、〈藤織り〉というタイトルで、冒頭でも『古くから……全国で織られた古代布』と定義している以上、もう少し一般的、全国的なことがらについての解説が必要と思います」（〈Wikipedia：良質な記事／良質な記事の選考／藤織り -20180411〉を一部改変して引用）

藤織りの反物・藤布

とても納得のいく指摘だった。そもそも私は最初から丹後の項目を増やすために手近な文献のみで書いていたので、言われたとおり全国的な視点などかけらも持っていなかったのである。後日、ほかのウィキペディアンから「〈藤織り〉は日本にしかないものなんですか？　海外の事例は？」とのコメントも入った。

そうか、ウィキペディアは百科事典だから、いろんな角度から解説しないといけないんだ……。図書館司書としては基本中の基本を指摘され、恥じ入る思いである。穴があったら入りたい。と同時に、どこかわくわくするような感情がわきあがってきた。

なんだか論文の査読みたい。のりまきさんは「緊張する」と言っていたが、私は大学の卒業論文で担当教授に指導を受けた若かりし日々を思い出し、嬉しくなった。ふだんひとりで学校図書館の仕事をこなしている私は、時に知らなかったことも知ったかぶりで教えねばならないときがあるが、逆は少ない。「教わる」ということ自体がたいそう懐かしく、新鮮だった。

……よし、ちょっと調べなおしてみるか！　思い立ったが吉日、勢いのままに手元のパソコンから京都府立図書館に文献提供を依頼した。

とはいえ私の住む町は府立図書館のある京都市からはるかに遠く、貸し出しを依頼した文献を読めるのは早くても1週間後である。やるぞと決めたらせっかちな私はその1週間が待ちきれず、近隣の公共図書館に軽く資料探しに出かけることにした。

本格的に資料が届くまでのつなぎ程度のつもりだったのだが、これが甘かった。昔は全国にあったといっても、現在は上世屋にしか残っていない庶民文化など、調べてもたいして資料はないだろうと思っていたのだが、少ないながらも関連する記述のある本をぽろぽろと見つけてしまい、最終的に全国百数十か所に及ぶ藤織りに関係する何かしらの痕跡を発見してしまったのである。

ちょっと待ってよ……。これ、終わるの?!

断言しよう。最初から100か所以上もあると知っていたら、私はそれらを全部反映させようなどとは考えず、数行で解説する程度で終わりにしたにちがいない。

だが、調べはじめた最初の頃は、記録が見つかってもほんの数か所と思っていたので、行く先々の図書館や郷土資料館で関連資料を探し、見つけては加筆していた。気づいたときには、都道府県の半分以上の情報をウィキペディアに反映し終えており、ここまで来たからには全部書くしかないと、腹をくくった。結果、70冊以上の文献を出典に使って、キリがない……と思いながら、連日〈藤織り〉を編集しつづけることになった。この1か月間の私のウィキペディア更新回数は、〈藤織り〉だけで300回以上に及んだ。

フジフジフジフジ……いつの間にか、寝ても覚めても、頭のなかは藤でいっぱい。やがて藤の花の咲く季節を迎え、通勤途中に藤色の美しい花を見かけても、「花が咲くフジの株の蔓は節が多くて、あまりよい繊維は採取できない」などといった、〈藤織り〉の説明が脳裏をよぎり、花見の情緒が入りこむ余地もない。

しかし、ふだん生徒の調べ学習のための資料探しで、広く浅くしか使ってこなかった図書館で、自分が興味を持った内容についてとことん調べ、知らない情報を見つけたときの喜びは、苦労に勝った。

私が〈藤織り〉の記録を探しているのを知り、関連資料を見つけてくれる図書館員もいて、意図した以上の多くの方のサポートをいただいたことも、この調査が社会的にも有意義な活動であるかのようにも思える不思議な自己肯定感につながった。

そんな努力の甲斐あって、2018年5月、〈藤織り〉はウィキペディアの数ある項目のなかで当時0・1％しかなかった「良質な記事」に認定された。全国の事例を調べていく過程で、丹後地方の〈藤織り〉についても新しい情報が多数見つかったので、そこだけ読んでも最初の記事とは完全に別物になっている。

その「歴史」から「材料」「製法」「製品」、全国各地の記録まで、長ければよいというものでもないが、単純に分量だけをみても、約1万バイト（1字が約2バイト）だった項目が、約20万バイトと大幅に増えていた。これを文字数に換算すると、平均的な新書1冊分くらいになるらしい。

それだけ文字数が増えると、今度は写真がほしくなってくる。

百科事典は文章だけでなく、読者の理解を助ける図表や写真も入って完成するものだ。「良質な記事」選考で賛成票を入れてくれたウィキペディアンにも「レビューのために読んでいて、心が折れそうな長さでした」と言われてしまうほど単調な記述が多かった項目にある写真が布見本だけとは、なんとも寂しい。

藤の繊維や織物の写真が撮りたい。できれば製造工程の様子も……上世屋にある藤織り伝承交流館を訪ねたのは、そんな衝動に駆られたからだった。

藤織りの講習会を訪ねる

2018年6月某日。その日、交流館では丹後藤織り保存会によるその年2回目の講習会が行われていた。1989年に上世屋で藤織りを生産していたふたりの女性を初代講師として誕生した同会は、1泊2日の講習を年に7回という、軽い気持ちで参加するには躊躇するような日程で本格的な技術継承を行っていた（コロナ禍後は規模を縮少）。その日は、十数人の会員と受講生たちが、灰汁《あく》で炊いた藤蔓の繊維を冷たい川の水にさらしながら2本の竹に挟んでしごき、米糠《こめぬか》を溶いた湯に潜らせて滑らかにする、「アクダキ」「フジコキ」「ノシイレ」の作業を行っていた。外皮を剝いただけではゴワゴワと硬い繊維を、柔らかくしなやかな糸になるよう加工する工程である。

この工程が、実に映える。特に大釜で繊維を炊くアクダキとか、川の流れに繊維が揺らめくフジコキとか、現代の日常生活ではまず見ることのない作業なので、さながら映画か、明治・大正の農村にでも迷いこんだかのようだ。

作業の邪魔にならないように気をつかいつつも、なるべく近くで写真を撮ろうとしていたところ、途中から様子を見に来られた保存会の方に咎《とが》められた。一応、最初に会の責任者らしき人に理由を説明し、参加者からも了解を得ていたのだが、十数人が冷たい川の水に手を浸してキツイ仕事をしているのに、土手の上からスマホで写真を撮っているような人間は、不躾《ぶしつけ》に見えたのだろう。「取材したいなら1年間講習を受けてまず勉強してからでないと話にならんな」と不快げに吐き捨てられてしまったのだ。

「そんな、職人でもないのに1年なんて……」

うろたえて、思わず本音がこぼれた。そんなに〈藤織り〉ばかりにかまけていたら、丹後に関する項目を増やすという当初の目標が達成できない。ちゃんと勉強してきたとウィキペディアを見せようとしたが、鼻で笑われただけで読んでももらえず、スゴスゴと引き下がるはめになった。最初からその場にいた会員の何人かが気にかけてくれて、「またおいで」と誘ってくれなければ、その後、上世屋に足を踏み入れることは二度となかったかもしれない。

沈んだ気分のまま帰宅したが、撮ってきた数枚の写真をアップロードして〈藤織り〉の項目に加えてみたら、やはり映えた。しかし、まだ、切り干し大根のようなぐしゃぐしゃの繊維の束が、竿《さお》に干してあるところまでしか作業は進んでいない。ここから糸が生まれ、布に織られる。その全工程を撮って、記事に挿入したい！

それを今、私がやらずして、この先、誰がやってくれるだろう。これは私のやるべき仕事だ！でも、また迷惑がられたら……。悩んでいる間に、3か月が過ぎた。その間も毎月1回講習会は行われていたが、週末の予定が合わず、次の取材機会は10月になった。手土産のひとつもあれば少しは印象が違うかと、旅行ついでに購入してきた長野のりんごを一箱抱えて交流館を再訪したのは10月中旬の昼下がり。蛇行しながら登っていく世屋の棚田は稲刈りの真っ最中だった。

1泊2日の講習会はもう始まっている。作業の最中に写真を撮るだけなら、あまり邪魔にもならないだろうと半端な時間をねらったのだ。

作業で頻繁に出入りするため、開放されている玄関から中をのぞき、「こんにちは……」と、声をかけた。出迎えてくれた保存会の方々の反応は、予想だにしないものだった。

丹後藤織り保存会の講習の様子（2018年）

フジコキの作業

ハタオリの作業

「あ！　あんた！」

「すみません、私、6月に」

「ちょっと！　井之本さーん！　誰か代表を呼んできて」

覚えてないかもと名乗ろうとするも、くるりと背を向け、奥に駆けていく保存会の女性。

と思えば、奥から出てきて、

「あー！　来たんか。おーい、井之本さん！　ほれ、例の人、来たで～」

と、同じく戻っていく男性。そして、次々と現れる保存会の皆さん。

「そんなとこおらんと、はよ、あがりんさい。えーと、あんた、なんやったっけ？　ウ、ウキペ……？」

「あ、はい。ウィキペディア。インターネットの百科事典で……」と、あらためて説明しようとするも、「そうや、ウィキペデアやった」「ちゃうちゃう、ウキペディアや」「なんや、あんたもよう発音でけとらんがな」「しゃあないやろ。舌が回らんわな」と、会員同士で盛り上がっていて誰も聞いていない。

まともに挨拶もできないままあがりこみ、とりあえず歓迎されていることはわかったが、理由がまるでわからない。顔面にクエッションマークを浮かべていただろう私に、答えを教えてくれたのは、呼ばれて出てきた保存会三代目会長の井之本泰《とおる》さんだった。

「ウィキペディアを見た、言うて愛知の方から問い合わせがあったんや。なんでそんな遠いところの人が藤織りを知っとるんかと、みんなびっくりしてなあ……」

それで初めて、ウィキペディアの〈藤織り〉を読んだという。

「丹後のこと以外もようけ調べてあったなあ。びっくりしたわ」

かつて京都府立丹後郷土資料館の学芸員で、藤織りを調査したことをきっかけに保存会を立ち上げたという井之本さんは、全国の藤織りについても豊富な知識をお持ちで、私がウィキペディアに書いていた何人かの藤織り関係者も直接知った仲だった。

「〇〇さんは今はもうやめてしもうたみたいで、連絡つかんのや」

そんな切ない話をうかがっているあいだにも、高齢の女性が私が小脇に抱えていたノートパソコンを指して「あんたのそれで見れるんきゃあ。わし、パソコン持ってねえで、まだ見れとらんで、ちょっと見せてえな」と来られ、検索して出てきた〈藤織り〉のページのトップ画面だけで満足そうに頷かれたり、前回来たときに撮影して載せた写真に写る手や後ろ姿を見て、「これ、わしやろ。今日も同じ服着とるで、すぐにわかったで」と得意げに服の袖を引っ張って見せてくれたりした。

故郷をつないだ〈藤織り〉

ウィキペディアで〈藤織り〉の項目を見て、保存会に問い合わせたという愛知の人は、1949年にこの上世屋で生まれた男性だった。中学卒業と同時に家を出ると、天橋立の対岸にある宮津市街地に下宿して高校に通うようになり、そのまま半世紀、故郷に居を構えることはなかった。藤織りは丹後ちりめんとともに彼の母親世代までは当たり前に行われていたはずだが、ウィキペディアで見かけるまでまったく知らなかったという。指先の油で1本1本繊維を撚《よ》り、糸を紡ぐ、地味で根気のいる仕事は小中学生の男子が興味を持つようなものではなく、その他の機業との違いを意識したことはなかったのだろう。

男性はその後、はるばる保存会を訪ね、その頃京都市内で開催されていた藤織りの作品展について生前は評価されることのなかった「おばあちゃんたちの仇討《あだう》ちのつもりです」と冗談めかして話した会員の言葉に、「母たち世代の想いをこんなふうに受け継いでくださって」と感極まり、にわかに号泣したという。この出会いを、会員は「とてもよいご縁だった」と振り返る。

ウィキペディアが故郷をつないだ。インターネット百科事典に〈藤織り〉を紹介したところで何になるんやと、歯牙にもかけていなかった人の目から鱗《うろこ》を引っぺがした出来事だったのかもしれない。

その日は、いよいよ機《はた》に糸をかけていく「ハタニオワセル」という機上げの作業があり、国立民族学博物館で染織《せんしょく》文化を研究するKさんも参加していた。本職の研究者に「ウィキペディア、読みましたよ。よく調べられていますね!」と言っていただけたのも、素直に嬉しかった。

Kさんからは東北大学の研究者Rさんも紹介いただいた。Rさんは韓国で藤織りを紹介する番組を制作中で、ウィキペディアも参考になったという。項目を書くためにとことん調べたことで知らずに愛着がわいていた藤織りが注目されるのは嬉しいけれど、そうはいっても藤織りというものを知ってまだ半年かそこらのにわかファンでしかないので、研究者にメールで相談させてほしいなどと言われてしまうとちょっとビビる。出典だけはちゃんと書いておいたはずだからそちらを参考にしてほしいと伝えた。

翌日の講習会2日目には、講習会担当とは別の会員も、撚糸《ねんし》や機織りなどの作業に来られ、予定していたハタニオワセルの工程以外も写真に撮らせてもらったり、道具や作品をいろいろ見せてもらうこともできた。

藤織りの完成品については、最初に交流館を訪ねたときから、「作品」と書かれたタンスに気づいていたのだが、見せてほしいとはなかなか言い出せないでいた。というのも、藤織りが研究者の目にとまり、全国的に注目された昭和の中後期に、上世屋の人たちはたびたび盗難で多大な被害を受けたと、文献で読んでいたからだ。展覧会などで藤織りに興味を持って上世屋を訪ねてきた人たちが、交通の便の悪さから見学ついでに藤織りを生活の糧にしていたおばあさんたちの家にあがり、気がつけば藤糸や藤布が消えているということが多発したらしい。これが現在のような講習会形式で藤織りの技術そのものを伝承するようになった理由のひとつでもある。

そんな事情があるものだから、記事のなかで特に重要な要素である「仕事着」や「スマ袋（海女が漁に用いる袋）」はぜひにと依頼し写真を撮らせてもらっていたが、あれもこれもとは少々頼みにくかった。この日思いきって聞いてみたら、何人かで相談しつつも「伊達さんになら」「好きに見ていいよ」と言っていただき、嬉しかった。

その年の残りの講習会は予定が合わず、私が保存会の人々と直接顔を合わせてお話を伺うことができたのは、現時点ではそれが最後になった。

藤織りの工程写真は、あとひとつ「クダマキ（管巻き）」という製織《せいしょく》の作業を記録しそびれている。翌年以降に日程の都合が合えばと思っているうちにコロナ禍を迎え、機会を逃している。

保存会の代表も井之本さんから代替わりして、新たに代表となった坂根博子さんの手織り工房「凪《なぎ》」が開業した。「そのうち、凪にも取材に来てくださいね」とお声がけいただいているけれど、いまだ立ち寄れていない。

日々の忙しなさに流されていると何も変わっていないように感じるけれど、ふと気がつけば何かがなくなり、また、何かが始まっている。今あるものは、今大切にすること。そして、いつかは必ず訪れる、当たり前に目の前にあるものとの別れに備えて、記録し、伝え残すことを日頃から心がけておきたいと、ぼんやり意識しはじめる、これが転機となった。

２０２０年春、私は、ひとりの青年を連れて再び上世屋に向かった。ウィキペディアで〈藤織り〉を知ったと保存会を訪ねた、あの男性の息子さんだった。

コロナ禍であいにく交流館は閉館中だったが、祖母が存命だった幼い頃に家族で何度か上世屋を訪れたことがあるという青年は、高台から目を細めて集落を見下ろし、「たぶん、あの緑色の屋根の家だった気がする」と、今はもう知らぬ人が住む家を眺めて、懐かしそうに記憶をたどっていた。ぶらぶらと集落を目的もなく散策しながら、時々思い出したようにカメラを構える青年の後ろ姿に、私は邪魔にならないよう距離をおいてついていった。

それから1年半ほどが過ぎた2021年の秋のこと。彼ら父子が暮らす町の檀那寺《だんなじ》で、本堂の一部に用いられていた織物が古くなったので新たに作り直すことを検討したところ、その素材がどうやら藤織りらしいというので、父が住職に上世屋の藤織りを紹介したという。残念ながら翌年に住職が急逝し、藤織りの話は宙ぶらりんになってしまったそうだが、丹後藤織り保存会では、

高台から見下ろした上世屋集落
海の向こうに栗田《くんだ》半島が見える

父親のルーツをたどる愛知在住の男性（2020年）

今後、こうした問い合わせがあった場合に会として対応が難しい場合でも、工房「凪」など各位で対応する意向を固めている。

中学卒業とともに生まれ故郷を離れて半世紀以上。男性が終の住み処と決めた遠くの町にも、その息子ら次の世代にも、故郷の人々が糸を紡ぎ、織り上げた縁が結ばれている。

「良質な記事」とは——答えはウィキペディアのメインページにあった

Ｇｏｏｇｌｅなどの検索ブラウザで何かしらの言葉を検索し、たまたまヒットしたウィキペディア記事を読むだけの読者は存在に気づく機会もないかもしれないが、ウィキペディアには「メインページ」がある。ウィキペディアのどの項目からでも、左上にある球体のロゴをクリックすると、メインページに移動する。

多くの人にとってインターネットでの情報検索は、知りたい言葉を検索窓に入れて、ヒットしたページを閲覧することだろう。知らない言葉はそもそも検索しないので知らないまま、というのが一般的だが、知らない言葉でもクリックひとつでアクセスできるのが、このメインページのいいところだ。1日あたりのページビューが約57万アクセス（2023年6月時点）と多いため、このページに取り上げられた項目は、その1日だけでふだんの数百倍のアクセスを集めることも珍しくない。

このメインページのなかで、特に目につく中央のブロックで紹介されているのが、ウィキペディアンたちの査読や投票を経て選ばれた記事を紹介する「選り抜き記事」や「新しい記事」「新しい画像」「強化記事」などである。

「選り抜き記事」には、最大3か月間かけて内容の完成度が審議される「秀逸な記事」（全体の0・007％ほど）と、最大6週間かけて審議される「良質な記事」（全体の0・14％ほど）の2ランクがあり、それぞれ「選考」ページへのリンクもある。

「新しい記事」や「新しい画像」は、最近ウィキペディアに投稿された項目や画像のなかから、「強化記事」は半年以内に大幅に加筆修正されて内容が改善した記事のなかから、基準を満たしたウィキペディアンたちがよいと思ったものに投票し、多くの得票を集めたものが数本、掲載されている。この人気投票を経てメインページで紹介された記事は、毎月2日から10日にかけて行われる投票で最も多くの票を集めると月間賞を受賞し、自動的に「良質な記事」選考に進んでいく。一例を挙げると、2018年2月26日に新規立項した〈藤織り〉は3月3日にメインページの「新しい記事」に掲載され、4月2日から10日にかけて行われた投票で「3月期の月間新記事賞」を受賞し、「良質な記事」選考に自動的に推薦された。

これらのトピックの選出基準はまったく違うため、「新しい記事」として高評価された項目が「良質な記事」になるとは限らないし、月間賞では不人気でも「良質な記事」に推薦されれば認定されることもある。

「新しい記事」は、読者に新たな発見と話題を。「良質な記事」は、質の高い項目作成へのヒントを――毎日多くのアクセスを集めるメインページには「季節の画像」などもあり、様々な人々が様々な目的で閲覧するウィキペディアの見本市といえるかもしれない。

さらに〝通〟な読者に向けては、百科事典の体裁は保ちながらもユーモラスで読みごたえのある「珍項目」なども選考によって選ばれているので、〈Wikipedia: 珍項目〉で検索してみてほしい。

なお、メインページの下部にはウィキペディアを運営するウィキメディア財団の、コモンズなど姉妹プロジェクトへのリンクがあり、右にはウィキペディアの基本的な利用方法を案内する「インフォメーション」へのリンクなども貼られている。

ウィキペディアのメインページ
（2023年11月15日時点）

06

見知らぬ誰かの助け舟——ウィキペディア・コミュニティの入り口へ

「伊達さんは、探究活動ってどうしたらできるのかを、ずーっと探究してる感じだよね」とは、最初に出会ったウィキペディアンのひとりが、その後の私の数年間を評した言葉である。

人生を変えるほどの出会いというものは、多くの場合、出会ったその時にはそうとは気がつかないものだろう。それは日常の様々なつながりのなかから、何かの拍子にふと現れ、見過ごせばそのまま枯れてしまうが、ほんの少し気にとめてみれば大樹に育つ可能性がある。

気にとめる——それは、探究するということのはじまりである。

私にとってウィキペディアとウィキペディアタウンは、そういう出会いのひとつだった。

図書館総合展での出会い

私が「ウィキペディアタウン」という言葉を知ったのは、2017年11月。パシフィコ横浜で開催されていた図書館界最大のイベント、図書館総合展でのことだった。その年たまたま学校図書館での取り組みを報告する機会があり、初めて足を運んだのがきっかけである。

その日、広い会場の一角に設けられた発表エリアで私が登壇していたまさに同じ時間、反対側のスペースで行われていたのが、先進的な図書館的活動を顕彰する「Library of the Year 2017」の最終選考会だった。当然、私はその様子を見てはいないが、おそらく大賞発表の瞬間だろう、ホールが震えんばかりにワッとあがった歓声に、資料のスライドを操作しながら何事?! と思ったことは、今でもよく覚えている。

その時、優秀賞を受賞したうちのひとつが、「ウィキペディアタウン」と呼ばれる活動であったことは、その夜の交流会で知った。

交流会には150人ほどが参加していただろうか。私にとってはなにしろ初めての横浜、初めての図書館総合展で右も左もわからない。まわりは知り合いがいる人ばかりのようで、新顔が割りこむ余地はないようにみえる。居場所もなくひとりぽつねんとしていたら、とりあえず誰かとつながろうよ！ と、知人が京都府立図書館の職員だった是住《これずみ》久美子さん（現・愛知県田原市図書館長）を見つけて紹介してくれた。

昨今、全国の地方公共団体でオープンデータの利活用促進をはかる流れが生まれているが、その大きなきっかけは2017年に国が「オープンデータ基本指針」を公開したことにある。しかしウィキペディアタウンが日本で最初に開催された2013年当時はまだ、そうした取り組みも動きはじめたばかりで、社会の反応は鈍かった。そこで、公共のオープンデータの技術面をサポートするような立場にいた人々が、自分たちでも一種のオープンデータといえるコンテンツを作成してみようと目をつけたもののひとつが、ウィキペディアだった。こうして、これらオープンデータや情報学に関わる人々が、ウィキペディア編集者と接触・交流をはかるうちに公共図書館ともつながった。出典の明記を必須とするウィキペディア編集活動においては、あらゆる情報源の宝庫である公共図書館が欠かせないものだったからだ。そうした三者の連携により、やがてウィキペディアタウンが開催されるようになった。

そんなウィキペディアタウンの創成期、公共図書館側でいち早くこの取り組みに着目し、積極的に推進をはかった図書館関係者として知られる人物が、是住さんや、元県立長野図書館長の平賀研也さんである。さらにYahoo!知恵袋の発案者であり、現在は図書館などのコンサルタントとしても活躍する岡本真さん（アカデミック・リソース・ガイド代表）が激推ししたことにより、ウィキペディアタウンは図書館のイベントのような形で全国に広まっていった。

当時の私はウィキペディアについてもウィキペディアタウンについても無知だったが、同じ京都府立の図書館関係者ということでお互いに名前は知っていた。とはいえ、僻地《へきち》の府立高校と府立図書館の関係など、本を相互貸借する程度の縁でしかない。とりあえず一緒にいらした数人と名刺交換させてもらったのだが、てっきり図書館関係者とばかり思っていた人々は、「Miya.m」とか「Asturio Cantabrio」など、横文字の苦手な私にはとっさに発音できない名前の人たちだったのである。

すごい。さすが横浜、国際都市だなあ……。のん気な感想を抱きつつ、よく見れば年代も見た目の印象もばらばらなその人々は、肩書も謎で、名刺には「ウィキペディア」とか「東京ウィキメディアン会」とか書かれている。

ウィキペディアって……もしかしてあのウィキペディア？　予想外すぎて、とっさに何かわからなかった。名刺に印刷されたロゴをどこかで見たことがあるぞとしばらく考えて、ようやくその正体に気がついた。聞けば、町歩きをして図書館で調べたことをウィキペディアに書いていくウィキペディアタウンなるイベントがあり、それが「地域情報資源を活用した公共情報資産の共創活動」だとして賞をもらうというので表彰式を見物に来たのだという。

ウィキペディアといえば、調べ学習の授業でどんなにがんばって本を用意しても、まったく見向きもしてくれない一部の生徒たちが熱心に閲覧し書き写していたウェブサイト、というのが当時の私の認識である。

あのサイト、個人が書いていたのか……。正直、とても驚いた。その時の私は不特定多数の人々が共同で構築する「ウィキ」というシステムそのものに馴染みがなく、GoogleやYahoo！で検索して上位に表示されるようなウェブサイトは当然、企業など組織が作成し運営しているという先入観があったのだ。それを、個人が書く？　図書館の本を参考に？

ウィキペディアって、いいかげんな情報やお粗末な項目が多いとは思っていたけど……。本よりネット派の高校生の多くが絶大な信頼を寄せているサイトではあったが、正直、そうした生徒たちの情報リテラシーには頭を悩ませることも多く、授業でウィキペディアを閲覧している生徒がいたら、そんなものよりまず図書館の本を読んで！　と長年、心の中で叫んでいた。しかしウィキペディアンなるその人たちが語るところによれば、ウィキペディアもほんとうは図書館の本などできちんと調べた内容に基づいて執筆するという決まりがあり、そうした方針に沿ってちゃんと書かれた項目はそれほど馬鹿にしたものでもないらしい。

となると、話は別だ。一介の学校図書館司書がすすめる本には見向きもしない生徒たちでも、大好きなウィキペディアがすすめる本ならどうだろう？　君たちが見ているそのページの大元の情報が、学校図書館にある本だったら？　さすがにちょっとは学校図書館を見直し、紙の本を手に取る気にもなるのでは⁈

話を聞くうちに、自分でもちょっと書いてみようかな、という気になってきた。

図書館総合展から帰宅して早速調べてみたが、残念ながらウィキペディアの書き方はよくわからなかった。目に入った「編集」というボタンを適当にクリックしてみたら、このまま編集に入るとＩＰアドレスが晒《さら》されます！　的な、なんだか怖そうな警告文が現れたので、慌ててもとのページに戻る。次に、書き方を教えてくれる人がいると聞いた、ウィキペディアタウンなるものに参加してみるかとＧｏｏｇｌｅで検索したが、過去にウィキペディアタウンが開かれたというような記録は多少見つかったものの、残念ながらこれからどこで開催されるといった案内は見つけることができなかった。この点はタイミングの問題もあったかもしれない。師走も間近な11月下旬、公共図書館が関わる大掛かりなイベントが少ない時期だったからだ。

そこで、交流会でもらった名刺や検索して出てきたウィキペディアンらしき人物をＳＮＳで追ってみたり、Facebookのメッセンジャーで質問してみたりして、とにかく情報を集めるところから始めることにした。

もともと顔の見えないインターネット上の個人活動だからだろうか。当時のウィキペディア日本語版は、毎月1万5000人もの人が編集に参加していた巨大コミュニティとは思えないほど、その世界への入り口がわかりづらかった。ウィキペディアンのなかには閉鎖的というか、警戒心が強い人も多く、中世の要塞都市のように堅く門扉が閉ざされているような雰囲気も感じた。

連絡の取れたウィキペディアンでも、質問した以外の情報はまるで教えてくれなかったり、逆にほかのウィキペディアンの名を挙げて、「伊達さんは○○さんと仲良しなんですか？」なんて探りを入れられたりもした。そんな気をつかわないといけないような派閥があるの?! と、一匹狼気質の私は途端にめんどくさい気分になったりもして、情報集めはとにかく苦労したと記憶している。

いま思うと、なんでもいいからウィキペディアの項目を閲覧して、ページ内にある「メニュー」をクリックすれば話は早かった。ウィキペディアは、どの項目にも、ウィキペディア内にどのようなコンテンツがあるのかをナビゲートするメニューと、そのページの他言語版へのリンクなどを含む「ツール」がある。懇切丁寧に編集方法を教えてくれる「ヘルプ」や困ったときに相談できる「お問い合わせ」ページもリンクされている。そこを閲覧すれば、当時の私の悩みの大部分は瞬時に解決したと思うが、その頃の私にとってはまだ、ウィキペディアは記事を読むものであって書くものではなかったので、本文以外のリンクはまったく眼中になかったのである。

なお、当時の私が悪戦苦闘したページの仕様は、2022年にリニューアルされて現在は「ベクター（2022年版）」となった。この新しい仕様のデスクトップ版では画面左上にある三本線を左クリックするとメニューが開き、ヘルプやお問い合わせなどへのリンクが表示され、本文画面の右上に各種ツールへのリンクが置かれている。

ウィキペディアについて知りたいのにウィキペディアそのものを調べるという最短のステップをすっ飛ばした私が、SNSを駆使してなんとか接触できた幾人かのウィキペディアンから、記事を編集したいなら「まずアカウントを取ったほうがいい」と教わり、上部の「アカウント作成」をクリックして、利用者名とパスワードを設定。晴れてアカウントを取得して試しに誰の迷惑にもならなそうな項目にちょっと加筆してみて、ぼんやり編集の仕方がわかったような気分になった頃には、すっかり年が明けていた。

案ずるより産むが易し。細かいことはやりながら覚えていけばいいさと、とにかく何か書きはじめてみることにした。

見よう見まねのウィキペディア編集

まずは、それまでの学校図書館司書としての経験から、最も問い合わせが多く、最も提供できる資料が少なく授業支援に苦労していた、郷土の題材に的をしぼる。書架を眺めつつ、生徒みんながが知っていて（つまり課題に選びそうで）、私でも書けそうな題材を探した。

私が高校生の時って、どんなことに興味があったかな……。調べ学習の授業で郷土が課題になることが多いのは、身近なテーマのほうが興味を持って調べるのでは？　と考えて課題を出す先生が多いからで、その発想でいえば、生徒の出身町村や日常生活のなかで接点の多いスポットなどをまずは攻略すべきだろう。

高校生の行動範囲は自宅から自転車で行けるところか、駅から歩ける範囲だよね。あとは市バスの通学定期券の範囲内？　京丹後市の高校生に馴染みの場所はといえば、やはり市の中心地であり、ショッピングセンターなどもある旧峰山町だろう。峰山の中心といえば丹後文化会館！と、私自身が子ども時代からたまに通っていた場所がパッと頭に浮かんだ。

文化会館では、プロアマ問わず様々な発表会や、映画上映なども行われる。中学3年生向けの高校説明会も文化会館で行っているので、ほとんどの生徒が1度は足を運んだことがあるはずだ。隣に地域公民館もあるから、特に峰山の生徒は馴染みがあるよね。峰山駅からも近いし……。何より、そこに併設されている京丹後市立峰山図書館には仕事柄よく通っていたから、調査をするのも手軽に思えた。

でも、文化会館が調べ学習のテーマになるかな？　建築系の専門学校ならともかく、文化施設や図書館の建物の成り立ちそのものは教科学習で取り上げなさそうだし……。しかし、この着眼点は捨てがたい。

ほかに何かポイントはないかと、丹後文化会館の関連情報を検索していて、ふと「扇谷遺跡《おうぎたに》」が目にとまった。文化会館が建つ丘にある、古代の環濠《かんごう》集落跡地である。そういや、丹後地方には、邪馬台国に匹敵する古代王国が存在したなんて説があったっけ。歴史系のネタなら地歴・公民科の先生が課題にするかも？　調べてみると、丹後地方には古墳や古代遺跡の類いが5000以上もあるといい、扇谷遺跡はそのなかでも代表的な遺跡のひとつだった。

さらに、その場所は現在、芝生が広がるちょっとしたピクニック場のようになっていて、一角には「白い花の咲く頃」などの戦後歌謡で知られた峰山出身の作曲家・田村しげるの石碑があり、押すとメロディが流れるので親子連れにも人気らしい。

うん。扇谷遺跡、いいかも。よく知らない分野ではあるけど……。当時の私の考えとしては、とりあえず学校図書館にこの題材についての本があるよ！　ということが、生徒がインターネットで検索したときにわかればいいという程度だったので、書架にあった分厚い『扇谷遺跡発掘調査報告書』（峰山町教育委員会）を参照しながら、概要がわかる程度の記事を書いてみることにした。ついでに、現在その場所には丹後文化会館や峰山図書館があるということも書いておいたのは、少しでも現代につながる単語が入っていたほうが興味を持たれやすいだろうと思ったからだ。

正月休み明けの最初の休業日。学校図書館から持ち帰った『発掘調査報告書』をパラパラめくりつつ、文章を練る。

たったの350文字程度の新規項目だったが、ウィキペディアに書いたあとにGoogle検索してみたらちゃんとヒットした。それを確認して「やった！」という感覚になった。しかし――えっと……このあとはどうしたらいいのかな？　ウィキペディアのほかのページを見てみると、どの記事も文章の最初にある記事名は太字になっているし、目次もあって全文を読まなくても概要をつかめ、写真が入っていたりして、全体に読みやすくスタイリッシュである。しかし、私の書いた項目はWordで書いた文章をそのままコピー&ペーストしただけなので、いかにも貧相だった。

これ、どうしたらこういう見た目になるの……？　いま思うと、なんでもいいからほかのウィキペディアの記事の見出しの右横にある「編集」をクリックして、ソース編集の画面と閲覧画面を見比べてみればよかったのだが、当時の私にはその発想がなく、そもそもほかの編集者の存在を記事から感じとれるほどには、読者としてもウィキペディアに親しんではいなかった。

その日は結局、ほかの記事の編集画面や更新履歴に学ぶという手段を思いつけず、小一時間、ああでもないこうでもないと〈扇谷遺跡〉の画面のあちこちをクリックしていた。そうこうするうちに、メニューにある「アップロード（ウィキメディア・コモンズ）」をクリックすると写真を入れられるということはわかったが、肝心の文章については文字の大きさや太さを変えたり、目次を入れる方法はわからず、すっかりお手上げ状態となってしまった。

こうなると、モチベーションもダダ下がりである。しかし諦めるのは早すぎる。ひとまず美味しいものでも食べて気分を変えて再挑戦するかと外出し、隣の市の公共図書館で開催されていた絵本作家のライブを鑑賞したり、カフェをはしごしたりと、めいっぱい時間をつぶしてから夕方に帰宅した。

何をどうしたらほかの記事みたいな見た目にできるのか。対処法のさっぱりわからないウィキペディア編集に再挑戦せねばならぬというのは、そんな現実逃避をしてしまうくらいには気が重かったのである。

もうちょっとだけがんばってみて、今夜にでもウィキペディアンの誰かに頼ってみようかな……。しかし、交流会やSNSで知り合った誰かにお願いして、この項目を整えてもらえたとして、まさか毎回、作文だけして、あとはよろしくというわけにはいかないだろう。どうしたものか……。

その気鬱《きうつ》は、パソコンを立ち上げて再びウィキペディアを開いた途端に吹き飛んだ。なんということだろう。誰が見ても「これ、Wordか一太郎で作文したのを貼っただけだよね」だったあの記事が、私が拗《す》ねて遊び歩いていたたった3時間ほどのあいだに、ちゃんとウィキペディアっぽい見た目に変わっていたのである！　この短時間に名も知らぬふたりの編集者が、私の立項に気づいて手直しをしてくれていたのであった。

すごいな、ウィキペディア！　頼まなくても、誰かがやってくれるんだ！

長年、すべてのことをひとりでこなすのが当たり前の小さな学校図書館で働いていた私には、自分だけでがんばらなくてもいいというのは、新鮮な驚きと喜びだった。

単純にもすっかり舞い上がった私は、「ないならば自分で書いちゃえウィキペディア」と、新年らしくSNSで所信表明。〈扇谷遺跡〉のウィキペディアを作成したことを報告し、「週に1、2本上げれば年間60本ちょっと、まあできない週もあるだろうから年50本くらいできるといいな」と、無謀な目標を立てた。

この目標は、生来のぐうたらな性格が災いして、翌週には頓挫《とんざ》した。次の題材をハレの日の郷土料理〈ばらずし〉と定めたところまではよかったが、ウィキペディアに載せるための写真を撮ると称してばらずしの食べ歩きなどをしていたら、おおむね満足してしまったのである。さながら問題集を買い集めただけで勉強した気になってしまう中高生のごとく。

これはいけないと気合いを入れなおしつつも、できる範囲でいいやと早くもスローダウンして、ほぼ趣味の延長のようなウィキペディアン人生を歩みかけていたその頃、事態は思いもよらぬ方向から急展開した。

さらなる衝撃

それから数日後のある日、〈扇谷遺跡〉の記事になんとなく書いていた「京丹後市立峰山図書館」という単語が、青色の文字に変わっていることに気がついた。ウィキペディア上で文字が青い部分には、ほかのウィキペディア項目へのリンクがある。はて？　と疑問に思い、それをクリックして、私は驚愕した。

「京丹後市立峰山図書館」、私がその単語を書いた当時はなんの説明もなく、ただの10文字の単語でしかなかった言葉が、〈扇谷遺跡〉の十数倍ものボリュームをもったウィキペディアの新しい項目として新規作成され、〈扇谷遺跡〉からリンクされていたのである。

私が〈扇谷遺跡〉を立項してから、わずか9日後のことだった。

私の立項に便乗して、「沿革」から「歴史」「特色」「立地」まで素晴らしく内容の濃い〈京丹後市立峰山図書館〉の記事を作成したのは、図書館総合展で名刺交換していたウィキペディアンの

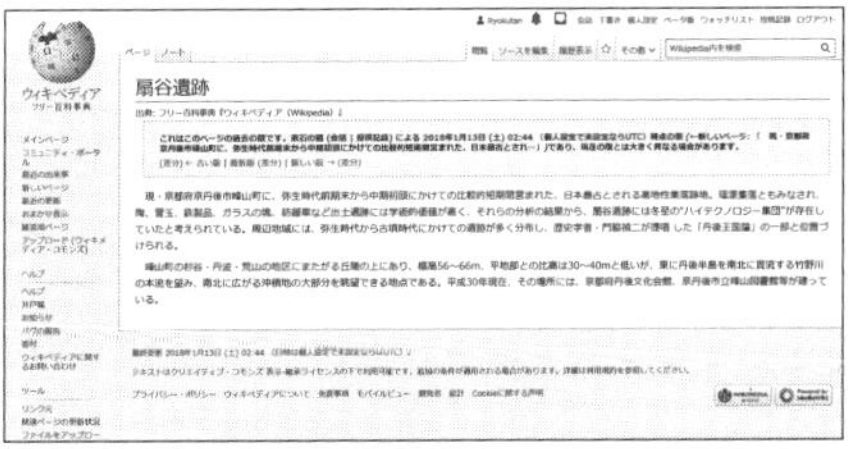

立項したばかりの〈扇谷遺跡〉の記事（2018年1月13日2時44分時点。時刻表示は世界標準時間）

ふたりの編集者が整えてくれた立項から約3時間後の同記事（同日5時55分時点）

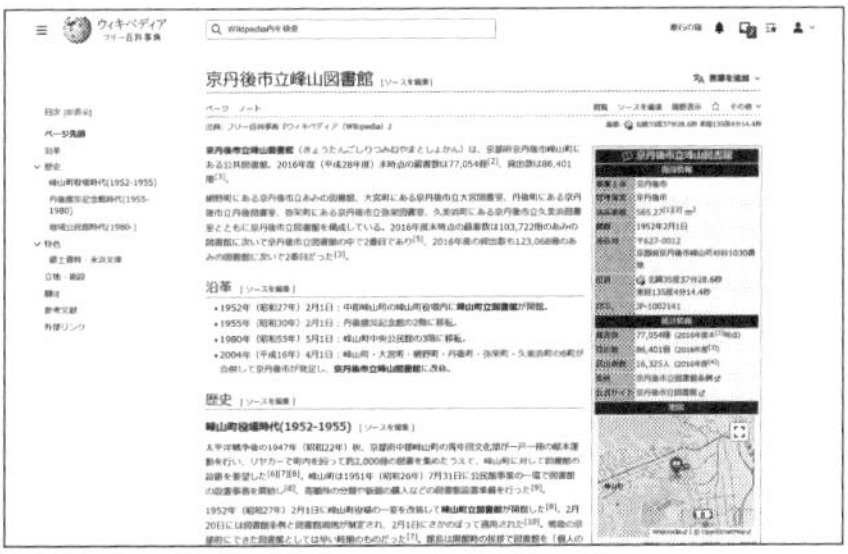

2018年1月22日14時55分に立項された〈京丹後市立峰山図書館〉の冒頭部

ひとり、Asturio Cantabrio（アカウント名）こと、通称かんたさんだった。ウィキペディア日本語版に良質な図書館記事を多数作成し、県立長野図書館が主催する図書館員向けイベント「WikipediaLIB@信州」では講師をつとめ、『司書名鑑――図書館をアップデートする人々』（岡本真編著、青弓社）にも名を連ねるほど、図書館業界と密接に関わってきたかんたさんは当時、イベント主催者あるいは資料提供者としてウィキペディアに関わる図書館員に多く出会ってきたものの、自分でもウィキペディアを書いてみようとする図書館員はあまりいないと感じていたらしい。

「伊達さんが初めて作成した項目を見て執筆することに興味がある図書館員は珍しいから、面白いと思って、乗っかってみたんですよね。懐かしい」

後年、この時のことを彼はそんなふうに話してくれた。

かんたさんは全国の図書館で住宅地図を調べては、閉館した映画館の跡地を探すという調査活動をライフワークにする傍ら、出向いた先の図書館についてもウィキペディアに項目を作成していた。その活動の一環で、京都府北部の図書館に関しても、すでに調査を進めていたらしい。その下準備があってこその便乗だったわけだが、私にとっては、様々な人が関わり、様々な視点から関連する項目をリンクでつないで知の世界を広げていく、ウィキペディアの面白さを実感した衝撃の出来事であった。

ウィキペディアには編集の記録がすべて残る。各項目の「履歴表示」や各アカウントの「投稿記録」を見れば、誰がどういう分野に興味・関心があるのか、また、文体の癖や好みなども見えてくる。似たような題材で充実した内容の項目をいくつか読んでみると、各分野で執筆力を発揮している編集者は意外なほど少ないことにも気づき、直接は面識がないウィキペディアン同士でも、自然と親近感が生まれたりもする。

そんなふうに、ウィキペディアのなかでは接点があり、よく知っているような錯覚を覚えつつも、現実には本名もどこに住んでいるかも知らず、会うこともそうそうない人々――それが、多くのウィキペディアン同士のつながりである。私は偶然にも図書館総合展の交流会で、数名のウィキペディアンと面識を得たが、まさか半年も経たずに再会する機会が訪れるとは、その場にいた誰もが思っていなかったにちがいない。

私と、図書館総合展で出会ったウィキペディアンたちとの最初のリアルな再会は、私がウィキペディアの世界に足を踏み入れた1か月後の2018年2月にやってきた。京都府綴喜《つづき》郡井手町。私にとって最初のウィキペディアタウン参加となったその場所で驚きの再会の一方、私は文献があればなんでも書けるわけではないという現実と、正しい情報を発信することの難しさに直面することとなる。

日本の歴史上、最大級の偽文書とされる〝椿井文書《つばいもんじょ》〟との遭遇である。

column 06

ウィキペディアのアカウントを取得するときに大切なこと

ウィキペディアを編集するときに使うハンドルネームを「アカウント」という。任意の「利用者名」と「パスワード」だけで誰でも簡単に取得できるが、これはひとりひとつが原則であり、ひとりで複数のアカウントを併用することや、何人かでひとつのアカウントを使うことは認められていない。

ボランティア・コミュニティであるウィキペディアでは、多くのことが、参加者同士の話し合いで決められていく。しかし、参加者は互いの顔が見えない。ひとりが複数のアカウントを使って議論や投票に参加すると、ひとりの意見が多数の意見のように見えてしまうのが禁止の理由だ。一度作成したアカウントは基本的に削除できないので、理由なく何度も変更することは好ましくなく、変更した場合も「利用者ページ」などで紐づけることが推奨されている。アカウントを取得するときは一度決めた利用者名は基本的には変更できないものと思って慎重に考える必要がある。

といっても、みんなそんなに深く考えて決めていないのが、実際のところ。「投稿記録」から趣味嗜好が透けて見えてしまうだろうから、本名やそれに近い名称は避けたほうがいいかなとは多くの人が考慮すると思う。でも、あとで人からそのアカウント名で呼ばれることは想定していないことが多いので、ウィキペディアタウンなどイベントに参加するようになると、読み方がわからなくて困ってしまう名前の人もいる。

本章に登場した「Asturio Cantabrio（アストゥリオ・カンタブリオ）」こと「かんた」さん。Asturio Cantabrio はスペインのふたつの地名を少し変えて組み合わせた意味のない言葉だそうで、アイコンにはスペインのロバのイラストを愛用されている。そのため彼は覚えにくいアカウント名ではなく、記憶されやすいアイコンで「ロバの人」と呼ばれてきた。アカウントを取得した頃、スペインサッカーが好きでスペインの項目をウィキペディアに充実させたいと思っていたので、なんとなくそんな名前にしたのだそう。イベントのたびになんて読むの？　と皆が聞くので、ある時、別のウィキペディアンに「ややこしい！　略して『かんた』でいいよね！」と言われて、その後はかんたさんと呼ばれるようになり、今では名刺にも「かんた」と記載されている。

発音は簡単でも、呼ぶには困る名前の人もいる。テレビでよく見る〈スタッフが美味しくいただきました〉というテロップの初出などを解説したユニークな題材をはじめ良質な記事を多数執筆されている「逃亡者」さんは、人柄も素晴らしい好青年だが、知らない人の前では呼びかけにくい。町歩きイベントでご一緒したとき、商店街で呼びかけるのには躊躇してしまった。

ちなみに私のアカウント名は「漱石の猫」という。「漱石」はアカウント取得当時、私が飼っていた猫の名前だ。深い意味などまったくないが、読書好きな人が多そうなコミュニティで「漱石」なんて名乗ると怒られそうな気がしたので、猫であることを主張してみただけである。しかし、いま思うと、匿名性が高く、自分の執筆した記事にも権利を主張しないこのウェブサイトでは、有名な「名前はまだない」猫という呼び名はぴったりだったなと思い、気に入っている。

でも、たまに困るのが、自治体などで講師をするときや、メディアの取材を受けるとき。「漱石の猫」という名前ではうさんくさいと使用を渋られてしまうことがある。これからアカウントを取得される皆さんには、人間の名前のように読むことができ、発音することができるアカウント名にしておくことを推奨したい。

〈Wikipedia: チュートリアル アカウント登録〉参照

07 偽文書〝椿井文書〟が立ちはだかる——地域情報を〝正しく〟発信できるか

２０２１年、ウィキペディア誕生から20年を期に、ある市民メディアがウィキメディア財団にインタビューを行った。対応した同財団の当時のＣＥＯキャサリン・マーは、ウィキペディアについて次のように述べている。

「私たちは政治的な見解や社会が対立している問題について、特定の立場をとっていません。人々が自分で結論を導き出せるよう情報提供しようとしているだけなのです」（『ビッグイシュー』４０２号、２０２１年３月１日）

不特定多数の一般人によって編集され、発信された情報は「正しい」のか。多くの人が一度は疑問に思うだろうこの問いは、たとえウィキペディアの項目すべてに詳細な出典が付される未来がきても、なくなることはないだろう。

実際のところ、ウィキペディアの正確性は、多くの人に信頼される紙の百科事典、例えば『ブリタニカ百科事典』と比較してもほとんど差がないと２００５年にイギリスの科学誌『ネイチャー』（12月14日号）が独自調査の結果を発表している。もちろんこれは英語版についての20年近く前の調査で、ブリタニカ側からも反論は出たが、ウィキペディアがその都度、様々なガイドラインを設けて、信頼される百科事典を目指してきたことは間違いない。

しかし、知り得た物事に対して「正しい」と判定を下すことは、同時に危うい可能性を秘めている。それが正しいと信じた瞬間に、人は「疑う」ことをやめてしまうからだ。

膨大な情報があふれかえり、誰もが気軽に情報を発信し、コピーし、改変することもできる現代。私たちは誰もが情報を発信することを期待されながら、同時に情報の精度を見極める「目」と、正しさを追求する「心」を求められている。

関西圏のウィキペディアタウン

2018年2月4日、日曜日。購入したばかりのノートパソコンを手に、私は京都府の南部、綴喜郡の井手町山吹ふれあいセンター（井手町図書館）を訪れた。京都府地域力再生プロジェクト支援事業「井手町ウィキペディア・タウン」に参加するためである。

この企画の主催者は、「Code for 山城」の青木和人さん。「Code for」とは、ICT（情報通信技術）でみんなの暮らしをよくすべく活動する市民ボランティアで、「Code for JAPAN」を筆頭に全国にその名を冠する個人や組織がある。青木さんはオープンデータ京都実践会の創設メンバーであり、初期の頃からウィキペディアンと組んで関西各地でウィキペディアタウンを推進されていた。オープンデータ京都実践会はどちらかというと地図情報など基礎データの作成と利活用を専門とする人が多いコミュニティという印象があるが、関西各地にウィキペディア編集イベントを普及させたという点において、功績が大きいグループである。

関東圏にはイベントがあると聞けば一般参加するウィキペディアンが多数いる。そのため、個人でも企画を立てて関係者に周知できれば、容易に複数人のウィキペディアンの協力が得られ、質の高いウィキペディア項目を複数作成できる土壌がある。

しかし、関西圏は事情が異なり、長らくオープンデータ京都実践会とその関係者くらいしか、継続的にエディタソンを開催したり、企画に参加するウィキペディアンがいなかった。そのため、ウィキペディアタウンを開催したいと希望する関西圏の図書館や自治体関係者の多くが、青木さんらを頼りにした。

２０１８年の私も、オープンデータ京都実践会を当てにしたひとりだった。自分自身もまだまだウィキペディア編集について勉強しなくてはならない段階だったが、私ひとりで丹後地方の項目をすべて作成することなど一生かけてもできるわけがない。地元でもウィキペディアタウンを開いて編集者を集め、丹後に関係する項目を充実させたい、そのための協力者を見つけたいと考え、図書館総合展の時に初めて作った名刺を増刷して、ＳＮＳでたまたま見つけた初めてのウィキペディアタウンに駆けつけたのだった。

縦に長い京都府を北から南まで移動するには、それなりに時間がかかる。京都縦貫自動車道で約2時間、余裕をもって早朝に家を出たので、順調に現地に着いてみると会場の図書館はまだ開いてもいなかった。天気はよかったがまだ肌寒い2月、駐車場に停めた車の中で開錠を待ち、主催者っぽい人の車で送迎されてきた講師と思しき男性にねらいを定めて、玄関先で名刺を出した。

「初めて参加します。京都府北部から来ました、伊達と申します。本日はよろしくお願いします！」

「はい。よろしく〜。あれ？　この名刺、なんか見たことあるな」

「……私も見覚えがある気がします」

お互いに、交換したばかりの名刺を眺めて首をかしげる。3か月前、図書館総合展の交流会で名刺交換をしたウィキペディアンのひとり、Miya.m（アカウント名）さんだったのだ。

「そうや、伊達さんやった。いらっしゃい」

思い出していただき、膝を打って笑うMiya.mさんのうしろで上履きに履き替えていた青年が、「ええっ、伊達さん?!」と声をあげた。かんたさんだった。〈扇谷遺跡〉のウィキペディア項目の作成に際して、ネット上では接点があったが、お互いここで会うとは思ってもいなかった。

初参加のウィキペディアタウンで出会ったウィキペディアンがまさかふたりもすでに知り合いだったとは！　それだけ関西圏にはイベントに関わるウィキペディアンが少ないということでもあるのだが、当時の私はまだそのことに気づいていなかったので、天が自分に味方しているとしか思えなかった。

これは、いわゆる運命ってやつよね！　すっかり舞い上がり、まだ彼らの講習すら一度も受けていないというのに、午前の町歩き中から「丹後でもウィキペディアタウンがやりたい！」「お手伝いしてほしい！」と、ナンパしまくった。いま思うと、相当おかしな参加者だったにちがいない。

現地では、「井手町ふるさとガイドボランティアの会」にお世話になった。歴史的な名所を中心に案内してくださった町内在住のガイドさんは、もとはサラリーマンで、定年後の趣味としてボランティアガイドを始めたという。サラリーマン時代には自宅と職場を往復するだけの毎日で、住んでいる町のことを考える余裕もなかったが、退職後に故郷のことを知れば知るほど、井手町の歴史や文化の奥深さに感銘を受けて、その素晴らしさを地元の若い世代や町の外の人々にも伝えたいと思ったのだと語ってくれた。

ウィキペディアタウンのシミュレーション

そんな地元ガイドの熱い想いを聞きつつ、この日の私の頭の中と手元のメモ帳は、8割方「もし地元でウィキペディアタウンを企画するなら？」というチェックリストで埋まっていた。

この日のスケジュールはこうだ。午前中に町歩きをしながら地元ガイドの説明を受け、ウィキペディアに使う写真を撮ったり、題材となる場所の概要や地理的な関係を把握する。午後は図書館に戻り、項目ごとに班に分かれ、文献を調査し、分担してウィキペディアを編集する。ごくふつうの、よくあるウィキペディアタウンのスケジュールである。

町歩きは3時間と予定されていた。ウィキペディアタウンにしては、かなりゆったりめの時間設定である。町歩きだけのイベントなら3時間はわりと一般的だろうが、ウィキペディアタウンはその後に頭脳労働が控えているので、疲れすぎてしまうと、昼食後の編集時間に眠くなってしまい、集中できない。後年、私がプロデュースするときには「町歩きは2時間以内」を推奨している。各所で参加者たちが写真を撮ったり質問したりメモをとったりするので、当初の見積もりより時間が押し、2時間以内といっていても2時間半くらいかかったりもする。あらかじめ余裕をみておき、町歩きは詰めこみすぎないほうがいい。

09:50	会場準備、受付開始
10:00	開会、趣旨説明
10:30	インプットトーク（例：まちの歴史等）
11:00	ウィキペディアに関する説明や資料の説明等
12:00	懇親も兼ねて昼食
13:00	出発・フィールドワーク(例：学芸員に話を聞く・写真撮影・見学等)
14:30	全チームの戻りを確認、休憩、文献調査・ウィキペディアの編集
16:00	成果発表
16:30	クロージング・感想等
17:00	解散、会場片付け、文献返却

ウィキペディアタウンのタイムテーブルの一例（デジタル庁「オープンデータ研修テキスト　ワークショップカタログ集」2023年、CCBY4.0）

「井手町ウィキペディア・タウン」の町歩きの行程（©Asturio Cantabrio, CCBY4.0）

この日、歩いた距離は約3キロ。会場の図書館が高台にあったので、ちょっと疲れる町歩きにはなったが、道中に高低差がなければ歩行距離として手頃だったろう。

イベントのテーマは、井手町の歴史と説明された。

聖武天皇の時代に右大臣・左大臣などを歴任した政治家・橘諸兄《たちばなのもろえ》は、井手町のシンボル・井堤寺《いでじ》などを建立したとされ、地域繁栄の礎を築いた。その時代の絵図「山城国綴喜郡井堤郷旧地全図（1143年、模写1326年、1803年）」の説明板を前に、熱くガイドさんが語っていたこの時、もし私がもう少し注意深く話を聞いていたら、多少は記憶の底から危険信号が出て、その後の題材選びでは別のものを選んでいたことだろう。

あるいは逆に、まったくその分野に通じていなかったら、なんの警戒心も抱かず、用意された文献をベースに井手町の人々や主催者らの期待する内容を書いて、よい地域貢献をしたとウキウキしていられたかもしれない。

実は私は、大阪で過ごした大学生活の前半2年間は日本史学科に属し、中世史を専門とする教授のもとに学んでいた。とはいえ、3年目には児童文学科のある大学に編入してしまうくらい歴史よりも昔ばなしや伝承の類いが好きなエセ歴女であり、授業の内容もたいして記憶にとどめていない。旧地全図を前にしても、どこかで見たことある気がするけど、授業で見せてもらったのかな……と、学生時代を懐かしく感じただけだった。

その懐かしさが、いくつか用意されていた題材から、この絵図に描かれているとガイドさんが力説された〈小野小町塚〉を選ばせたともいえる。京丹後市大宮町にも五十河《いかが》という集落に小野小町終焉の地という伝説が残っているので、親近感がわいたのもある。

参加者がそれほど多くなかったため、この日のウィキペディア編集は1〜2人でひとつの項目を担当することになり、私は適宜Miya.mさんにサポートいただきつつ、ひとりで〈小野小町塚〉を書くことになった。

正しい情報を見極める難しさ

小野小町はいわずと知れた平安時代の歌人である。六歌仙のひとり。世界3大美女。才色兼備と逸話には事欠かない女性だ。一般的には、小倉百人一首に収録された「花の色は移りにけりないたづらにわが身世にふるながめせしまに」の和歌が有名だろうか。

井手町では、9世紀後半に成立したとされる小野小町の私家集『小町集』や、『新後拾遺和歌集』に「色も香もなつかしきかな蛙鳴く井手のわたりの山吹の花」と詠まれていることから、この地を小野小町が訪れたことは間違いないとされている。

この時、私が執筆することになった〈小野小町塚〉は、井手町では小町の墓と伝えられてきたもので、小町が晩年に住んだとされる井堤寺の礎石《そせき》を積み上げた塔だった。

しかし調べはじめてみると、井手町が出している文献以外にこの塔についての記述が見つからない。ローカルなネタだし、そんなものかと思って、とりあえず山城地域（井手町を含む京都南部の

7市7町1村）の観光情報サイトや観光案内を見て、要点をまとめていった。それだけだとウィキペディアの出典としていささか心もとないので、町史や一般的な出版物もあたった。なるべく第三者が言及したものがいいんだよね。この場所に確かに〈小野小町塚〉があった証拠になっている旧地全図の解説文とかで言及されていないかな……。

この「山城国綴喜郡井堤郷旧地全図」に学生時代、わずかに中世史をかじっただけの私が、なぜ見覚えがあったのか。ほぼ文章を書き終わり、編集時間も半分を切ったあたりで、内容の裏づけとなる文献をネット検索していて、気がついた。

気づいた瞬間、ゾッとした。これは椿井文書では?!

椿井文書については新書大賞で3位に輝くなど話題になった1冊『椿井文書――日本最大級の偽文書』（馬部隆弘著、中公新書）がのちの2020年に刊行されるが、その正体はこの副題のとおりで、この偽文書の存在自体は同書刊行前から日本中世史の研究者のあいだでは常識だった。私がその存在を知ったのは大学1年生だった20年ほど前、「椿井文書のせいで、摂津や近江、山城地域の中世史はまともに研究できない」と史学の講義で教わった。その時、教授が見せてくれた椿井文書の一例が、まさにこの旧地全図だったように思う。

椿井文書は、江戸時代に生きた椿井政隆（1770〜1837年）なる人物によって創作された偽史が大量に混ぜこまれた中世文書の総称である。コピー機など存在しない時代、劣化する古文書を後世に伝える方法は唯一、「模写」だった。この時、模写する者が意図的に虚構を混ぜれば、後世の人にそれを検証する術《すべ》はない。

椿井は自身に関係があるとされる興福寺の官務家などに伝わる資料を「写した」と称して創作し、それらを本物のように偽装するため、関連するありとあらゆる古文書や絵図にも模写に創作を混ぜたと考えられている。その範囲は、現在の滋賀県南部から京都、大阪、奈良あたりまでの広域に及び、罪深いことに、それらの地域を語るうえで重要な歴史的資料を総なめしている。

のちにそうと知れたときにはもとの中世文書はほとんど現存していなかった。史実と虚構を見分ける材料がなく、結果としてこの地方の中世史は解明できなくなったのだ。

井手町のウィキペディアタウンでいくつか用意されていた題材のうち、「山城国綴喜郡井堤郷旧地全図」を典拠にした〈小野小町塚〉は、そのようなものがこの地に存在したこと自体も疑わしいと考えざるを得なくなってしまった。

急いで用意されていたほかの文献から〈小野小町塚〉に言及した記述をあらためて探したが、なんらかの記述を見つけても、喜ぶのも束の間、手が止まってしまう。

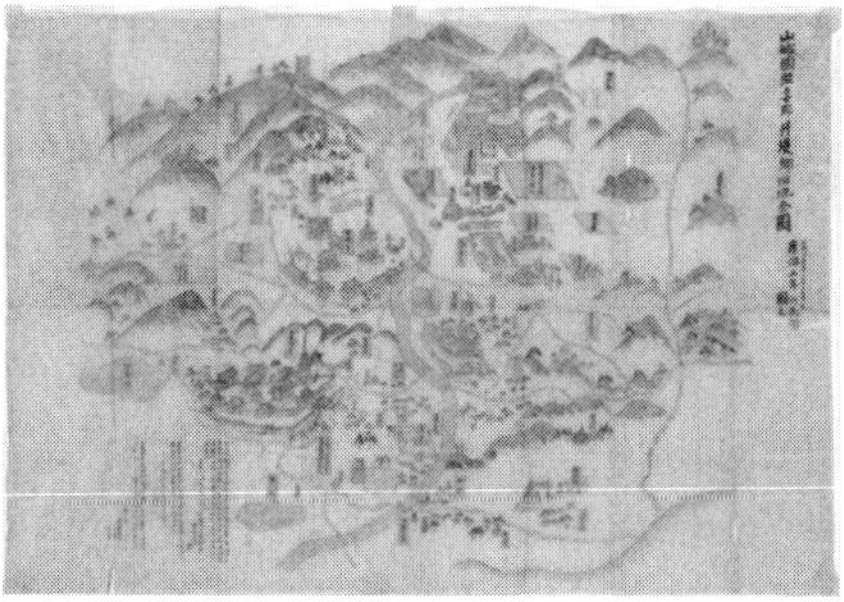

椿井文書（偽書）であることが明治時代には指摘されていた「山城国綴喜郡井堤郷旧地全図」

図書館で永年保存されるような、布張り製本された立派な郷土史誌――これも椿井文書に基づいているかもしれない。大手出版社の地名事典――この情報も椿井文書からかもしれない。京都府立図書館や井手町図書館所蔵の研究書――この研究者たちの論拠も椿井文書かもしれない。

何も、書けない……。呆然とするほかなかった。

もちろん椿井文書の内容すべてが偽りなわけではない。大部分は正しいはずだ。だから、この石塔が「小野小町の墓」である可能性も、頭ごなしに否定されるものではないのだが、そうと言及している文献すべてが、偽書を典拠にしている可能性があると気づいてしまった今、これが小野小町の墓である可能性すら私自身が信じられなくなっていた。

何かはっきりと信じることのできる出典がほしかった。

ならば小野小町のほうから攻めてみるかと、いくつか文献をあたり、井手町の小町塚が「小野小町の墓ではない可能性」につながる記述を複数確認したが、ここでまた手が止まった。

井手町ふるさとガイドボランティアの会の方々は、これが〈小野小町塚〉と信じている……かどうかはともかく、少なくとも、平安の著名な歌人の墓が我が町にあるということを誇りにしている。それをウィキペディアに書くことで、井手町の魅力を世間に広く伝えたいのである。「実は小町の墓じゃない可能性があります」と証明されて、嬉しいだろうか。嬉しいわけがない。

こんなこと、成果発表で言えないよ……。結局、その日のイベントでは、現地の観光案内に書いてある程度の内容でおざなりに立項したものの、関係者に喜んでもらえるような発表はできなかった。題材に思い入れのある地域の人と一緒に、ウィキペディアに正しい情報を発信することの難しさを痛感した出来事だった。

歴史と創作の狭間で

個人的な感想をいえば、私はけっこう椿井政隆が好きである。だから、学生時代にわずかに聞きかじった程度の話を、なんとなくでも覚えていたのだろう。

歴史研究者の立場からみればものすごく迷惑だろうが、史実に創作を交えて同時代の者により好まれるように書き換えるという発想は、ある意味で歴史小説か、ファンが勝手に書き散らす二次創作のようなものだ。坂本龍馬を一躍人気者にした司馬遼太郎の『竜馬がゆく』（文春文庫ほか）にもフィクションが織りまぜられているが、さらにスケールの大きな創作者のひとりが椿井政隆だと思う。ほんとうの歴史はどうだったのか。それを検証する方法がない以上、正しい史料として扱われてしまうこともまあるわけで、偽書が人知れず正史として世の中に広まっていくと思うと、ミステリー小説のようでもある。

こうしたことは郷土史では珍しくなく、現代においても歴史愛好家の妄想が観光サイトなどで有名になってしまい、史学の専門家が頭を抱える……なんて話はわりとよくあることなのだと今は私も知っている。

そんな時、ウィキペディアは両方を書くことを方針（〈Wikipedia：中立的な観点〉）としている。正しいと思われる内容と、一般に流布する虚構。単純に諸説あるというだけでなく、虚構は虚構である可能性も含めて書いておかないと、いつかどこかの段階で真実を誤解してウィキペディアを書き換えてしまう人がいるかもしれないから、その背景や評価を正確に書いておくのが正解だと私も思う。のちに〈小野小町塚〉についても伝承は伝承として、偽書に基づく可能性も記した。

このイベントを機に、いつか〈椿井文書〉という項目もウィキペディアに作成しなくてはとも思うようになったが、私自身に正しく偽書について書くだけの専門知識がないのに手を出すのは怖くも思えた。

検索上位に表示され、多くの人に閲覧されるウィキペディアは、影響力の大きなコンテンツである。よく知らない題材について安易な編集をしてしまうのは、私自身が第2の椿井政隆になってしまう危険を孕《はら》んでいるということでもあった。

中公新書の『椿井文書』刊行後の2021年2月、そんな〈椿井文書〉の項目が、ウィキペディアに新規作成された。長文のけっこうな分量のそれを見て、ついに！　どなたか知らないけどありがとう！　と感謝の気持ちを抱いたのも束の間、私はその内容が、学生時代に聞きかじった話とあまりに違うことに困惑せざるを得なかった。気になってSNSなどで情報を集めていくうちに、どうやら新書の著者の研究成果を否定したい歴史愛好家による偏った説のようだということがわかり、こんなことになるなら、簡潔にでも立項しておいたほうがマシだったか？　と後悔したりもした。

椿井文書が実際どのようなものだったのか、研究者でもない私にはわからない。だが、理論とその実証を適切に繰り返し研究されてきた専門家の著書よりも、一般の目に触れやすいインターネットの百科事典が、ある種の歴史修正主義者の道具にされる危険性があることはわかる。とはいえ、そんな編集者はごく一部で、多くのウィキペディアンは善良で、自らの主張を交えず、世界最大の優れた百科事典を構築するというコミュニティ本来の目的を実現するため、正しい情報を記録しようと調査と検証を怠らない。〈椿井文書〉の項目も複数の編集者の手を経て、少しずつ手直しされ、立項当初よりは偏りが少ない内容へと改善されていっている。

ウィキペディアに完璧な記事は存在しない。けれど、多くの人が誠実な編集を繰り返すことで、一般的な項目であれば、ほとんどの場合、少しずつでもよい方向へと変わっていく。

イベント最後の成果発表で、井手町ふるさとガイドボランティアの会の方が、自然災害のような広域の事象を解説した加筆項目〈南山城水害〉について、「この内容は井手町の視点に偏っていて、項目名と齟齬《そご》があるのではないか」と指摘された。

この問いかけに、講師のMiya.mさんは、「今回は井手町図書館の文献を使ったので、井手町に偏った記述になっています。しかし、今後はまた別の人が、別の地域の図書館の資料で、他地域の状況を加筆するでしょう。その繰り返しで記事が次第によくなっていく。それがウィキペディアです」と回答された。

指摘した方は、しばらくじっくり考えて、次のように答えていた。

「ウィキペディアは、いいシステムですね」

不特定多数の人が編集に参加してこそ機能するシステム。ウィキペディアを読んでいて、内容に問題があると思った人は、自ら編集をしてほしいと強く思う。もちろん、きちんと出典を付して。

そうした情報を求める様々な利用者のためにも、図書館をはじめ美術館や公文書館、博物館といったアーカイブ機関（ＧＬＡＭ）はある。

column 07

ウィキペディアの検証可能性——情報を発信することの影響と責任

ウィキペディアを編集するとき、最も重要とされる方針のひとつに2章のコラムでも触れた「検証可能性」がある。

ここでいう検証可能性とは、ウィキペディア編集者が自分で検証できたことを書く、という意味ではない。広く信頼されている情報源からすでに公開されている内容、つまり誰でも確認することができる「事実」「表明」「学説」「見解」「主張」「意見」「議論」のみ書いていいという意味である。

仮にひとつの問題に複数の説があったとして、どちらが正しいとウィキペディアン自身が判断すること（「独自研究」）はできない。出典に基づいて、複数の説があれば複数の説を、それぞれ出典を示して記載するのが基本とされる。

時には、その説に偏りがあったり、事実ではないこともある。しかし、ウィキペディアの内容は、あくまでその情報源を読者が「検証可能かどうか」が重要であって、「真実かどうか」は重視されていない。ウィキペディアに書かれている内容が、事実かどうかを読者ひとりひとりが自分で考えることができるよう、もとの情報源に容易にアクセスできるようにすることが第一に求められている。

しかし、出典に書かれたことが正しいかどうかの検証までは書き手に求めず、読者に対しても責任を負わないのが方針とはいえ、ウィキペディアは多くの人が閲覧する影響力の大きなコンテンツである。もし、誤った情報や偏った情報を安易に記載してしまったら、それが世の中に拡散されてしまう危険性がある。そのリスクを知りつつ、「ウィキペディアはそういうもの」と考えるようなら、そもそも情報を発信すべきではないだろう。

ウィキペディアの方針がどうであるという以前に、ひとりの人として何かを書くとき、自分の編集が様々な読者に与える影響について、考えることを怠らずにいたい。

どのウィキペディアタウンでも、ウィキペディアンや各地の図書館員や関係者は、文献と現地の情報とを照らしあわせるなど、一連の検証に参加者の人々と誠実に取り組んでいる。

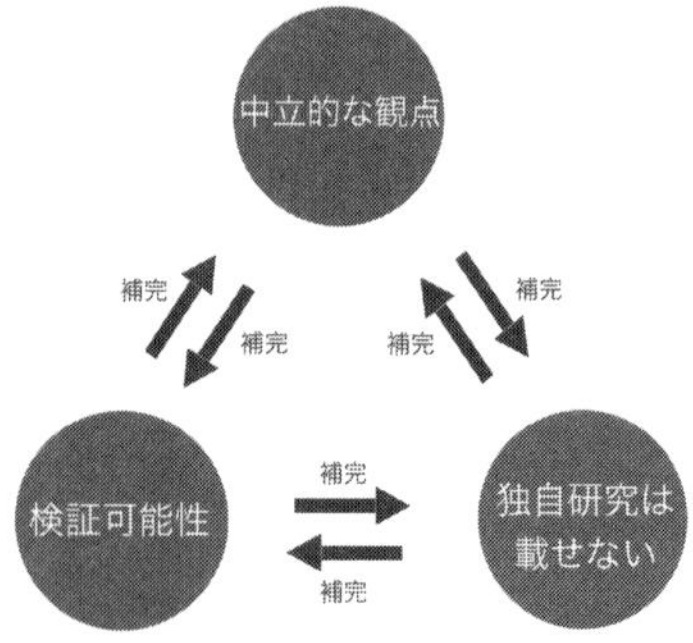

ウィキペディアの3大方針と相互の関係

しかし、資料があり、その題材に詳しい人がいても、そのまま鵜呑みにするのはよくないケースも多々あるものだ。あらかじめ用意した文献で題材について詳しくない参加者に記事を、特に歴史的項目を書いてもらうなら、主催者や講師はまず、題材のほかにざっくりとでも「偽史」についても学んでおくべきかもしれない。郷土史や地誌など、ウィキペディアタウンで重要な柱となる文献を、どこに気をつけて扱わねばならないのか、少なくとも把握しておく必要がある。

とはいえ、題材についてある程度の知識がないと、その情報源が信頼できるものかどうか見極めることは難しい。ウィキペディアタウンで、出典に基づき、かつ、正しい情報を発信するためには、その分野について様々な角度から緻密な研究を重ねてこられた研究者や当事者など、題材について把握し、かつ、ウィキペディアの方針を正しく理解している方の協力が重要である。

〈Wikipedia：検証可能性〉参照

08 〝定住促進協議会〟からお声がかかる——地域コミュニティとの協働

どんな百科事典にも必ずある項目には、どのようなものがあるだろうか。

２００１年に誕生したウィキペディア。日本語版は当初、ローマ字表記だった。日本語が使えるウィキペディア日本語版が誕生したのは２００２年９月１日。項目数は翌年９月には１万に達し、およそ1年半後には10万項目に到達した。

立ち上げの頃、日本語版全体の方針などの整備に関わり、百科事典として当然あるべき基本的な項目の作成など、まっさらなところからコツコツとこのインターネット百科事典を作り上げてきた編集者のひとりにSuisui（アカウント名）さんという方がいる。私がこれまでの人生で出会ったことのある人のなかで、「天才」という言葉を贈るにふさわしい努力の人だ。

２００３年2月にアカウントを取得した当時、彼が百科事典にあるべき項目として注目したもののひとつが、「年月日」だった。どんな項目でも必ず本文に登場する西暦の各年や３６６日分の日付など、何千何万項目にもなる〝穴を埋めていく〟気の遠くなるような作業に、彼は嬉々として取り組んだという。もちろんSuisuiさんひとりでこれら全項目を作成したというわけではなく、何人ものウィキペディアンが同様に「百科事典に必要な項目は何か」と考えて、その充実に取り組まれたのだろうが、創成期にこれほどの貢献をされたウィキペディアンを私はほかに直接には知らないので、Suisuiさんに会う機会があると、いつも彼にこの時代のウィキペディアンたちの姿を重ねて感謝している。

年月日と同様、百科事典に必ず登場するものに「地名」がある。国名、都道府県名、市町村名、旧国名……これらもまた、創成期から今日にいたるまで多くの編集者が心血をそそいできた項目のひとつだ。

ウィキペディアでは、すべてのページで過去の版が保存されていて、誰でもその項目の進化の過程を知ることができる。2002年9月24日に初めて作成された〈日本〉という項目の説明文はわずか3語、「日本国 Nippon, Nihon」だけだった。その後、何人かの編集者の手を経て、2003年1月末には、「日本国（Nippon, Nihon）はアジアの東の島国です。面積は37・8万平方キロメートル。本州、北海道、九州、四国の4つの島が大きさのBest4です。日本語を話します。日本国には、以下のような都道府県があります」という説明のあとに、47都道府県名が列挙され、各都道府県の項目への内部リンクが貼られた。それから20年のあいだに、何百人もの編集者により何千回もの編集が重ねられ、2023年9月22日時点では、「日本国（にほんこく、にっぽんこく、英 Japan）、または日本（にほん、にっぽん）は、東アジアに位置する民主制国家。首都は東京都。全長3500キロメートル以上にわたる国土は、主に日本列島および……」等々、詳細な見出し文に始まり、あらゆる分野から出典を示して解説された長大な項目となっている。

そしてその〈日本〉で言及される各都道府県の項目も、それぞれ長大な内容になっており、そこに登場する各市町村の項目もまた同様である。２００３年には数名のウィキペディアンによって「プロジェクト：日本の市町村」が立ち上げられ、日本の各市町村名の項目をどのように整備していくべきか、基本の型が検討されてきた。

ウィキペディア日本語版には、こうした特定のジャンルの項目を整備するための有志のプロジェクトが無数にあり、それぞれ、そのジャンルの項目を作成したい人向けのガイダンス・ページのような役割を担おうとしている。プロジェクトの決定事項は強制力のあるものではないが、その内容に同意できない編集者も、これを無視するよりは適切な方向へ進むよう提案を行うことが望ましいとされる。そうして日々進化していくプロジェクトは「この項目について立項したいんだけど、どう書いたらいいんだろう？」と悩む人には助けになり、また、自分と同じような分野に興味を持ち、孤独な編集作業を励ましあうことができる「仲間」の集うミニ・コミュニティともいえる。

２００９年には、市町村のなかの単位である町・字の項目を整備するための「プロジェクト：日本の町・字」も誕生した。京丹後市の町・字は大字だけで１７０以上あるが、私がウィキペディア編集をするようになった２０１８年までに単独記事が作成されていたのは、わずか３つだけ。２０２３年現在は25〜26項目くらいまで増えただろうか。網羅できる日はまだまだ遠い。だが、町・字名の単独記事があれば、公式サイトも予算的に作れず、単体ではウィキペディアに項目を作成できるほどには出典情報のない地域の歴史や文化、名所旧跡などもある程度詳細に、あるいは逆に簡潔であっても記録しておく場所ができる。ありふれた小さな町の人々の営みを残しやすいのが、町・字項目である。

そんな膨大な項目数に及ぶ町・字の項目をすべてカバーした市町村に、名古屋市や鹿児島市などがある。項目を網羅するそのモチベーションはどこから来るのか、名古屋市の町・字項目を網羅することを目指したウィキペディアンのひとり、円周率3パーセント（アカウント名）さんに質問してみたことがある。ちなみに彼は、町・字の前には数名のウィキペディアンとともに名古屋市のすべての小中学校の項目の作成に取り組んでいたという。

「なんで作ったかって聞かれても……『なかったから』ですよ。あっちの学校の項目はあるのに、自分の学校はなかったら、寂しいでしょう。自分の学校はウィキペディアに載せてもらえないようなつまらない学校なのかとか思っちゃう。学校とか地区とか、その地域の人間みんなに関係するような基本的な項目があるかないかは、特筆性のありなしじゃない。書く人がいたかいなかったか、です。だから、なんでこの項目がないんだよと思ったら『お前が書けよ』って、いつも自分に言っています」

なお、名古屋市の高校の記事は、円周率3パーセントさんが手掛ける前にすでに網羅されていたそうだ。

そのように一定範囲の情報をひとまず網羅するために大量に執筆された地区記事には、地名事典の内容をパターン化しただけのスタブ記事も多く、〝町ゴミ〟と呼んで馬鹿にするウィキペディアンもいる。だが、ウィキペディアは誰かひとりのものではないから、作成された項目の内容が不十分だと思ったら、そう思った人が調べて加筆すればいいというのが、ウィキペディアの基本的な考え方でもある。

それが百科事典にあるべき項目だと感じたら、出典を付けて簡単にでもいいから、まずは書く。書くことでその存在が世に知られ、記事の充実がはかられることも、時にはその存在を広く世に知らせる第一歩となることもある。

買い物ができない町

京丹後市丹後町の東にある丹後半島の突端。2023年現在、14の地区で構成されるこの地域を、宇川《うかわ》という。数十年前には19あった地区は、60年前の三八《さんぱち》豪雪や高度経済成長により人口流出が進み、5つが廃村になった。

残る14の地区は、東西に広く集落が展開し、東を「下宇川」、西を「上宇川」に大別される。このふたつを合わせた運営組織を「宇川連合区」といい、2021年には農林水産省の農山漁村振興交付金により「スマート定住促進協議会」が結成されていた。

その定住促進協議会でウィキペディアタウンをという話が舞いこんできたのは、こまねこまつり以降、ウィキペディアタウンの開催実績を積み重ねてきた2020年の終わり、いつもどこからそんな人脈が？　とびっくりするくらい活動範囲の広い、廣瀬啓子さんからだった。

「このあいだ、出かけた先で雑談していたら、上宇川区長のOさんがエディット丹後の活動に興味を持ってくださって。宇川についてウィキペディアに残したいそうです。例えば廃村となった小脇集落のお地蔵さんのこととか……」

「それは嬉しいですね。ぜひ協力したいけど、宇川に編集会場に使えそうな場所があるかな」

「会場には宇川加工所が最適です！」

宇川加工所？　ウィキペディア編集と加工所という単語のイメージがマッチせず、私は首をかしげた。その場でざっとGoogle検索してみても、関係者のものと思しきFacebookをわずかに見つけられた程度で、どこのどんな組織なのか、よくわからない。

「宇川のおばちゃんたちが地産地消の取り組みをしている、食品加工所です。以前は保育所だった建物をそのまま使っています。毎週金曜日に市を開いてお弁当を売ったりして、けっこうな賑わいですよ。住民みんな来てるんちゃう?!　ってくらい」

２０２２年度に総務省の「ふるさとづくり大賞」で総務大臣表彰を受け、現在はホームページも開設されている宇川加工所だが、この当時はほとんどウェブ情報がなかった。口コミでそれだけの人を集めていたということだろうか。

「下宇川保育所」とあらためて検索してみると、２０１０年に閉鎖されたその保育所は、Googleマップ上では「宇川アクティブライフハウス」という名になっていた。施設としての正式名称はそっちらしい。しかし、現地に行ってみるとピンク色の大きな看板には「宇川加工所」とあり、地元ではもっぱら加工所として認識されているようだ。

聞くところによると、地元のおばちゃんたちがこの廃保育所の厨房を利用して起業したいと市に交渉したが、個人では認められなかったので、宇川連合区長会が代わって市から建物を借り受け、2014年に地区の様々な活動の拠点とすべく宇川アクティブライフハウスとして再生したうえで、その一部に宇川加工所が誕生したという。その後、コンビニもないこのエリアに唯一あった老舗スーパーが惜しまれながら撤退、週に1度、移動販売車が来るだけのこの地域で、ここで開かれる「金曜市」は命綱ともなってきた。

「食品販売以外にも保育所の教室や体育館だった部屋がそのままカフェとかいろんなワークショップができる場所になっていて、Wi-Fiもあります。ウィキペディアの編集もできると思いますよ！　宇川加工所は地元の人たちが今いちばん力を入れている地域活性化の取り組みなので、宇川の区長さんたち一押しの題材です。ぜひウィキペディアに立項して、宇川の特産品を箇条書きでもいいから書いておきたい、と」

その話を聞いて以来、道の駅などで売っている地産の加工品をよく注意して見てみると、宇川加工所の商品はパッケージに統一感があり、丹後町産の食料品のかなりの割合を占めていた。「地元食材で宇川を元気に！」を合言葉に、宇川の女性たち十数人が、それぞれ独自に生み出したり共同開発したりした特産品を共通のブランド名で販売している。そのクオリティと品揃えであれば、コロナ禍の、かつ京丹後市でもとりわけ僻地という地理的条件においては、地元商店に卸すよりもネット通販で販路開拓をしていないのが不思議なくらいに思えた。

「みんな、ええ年のばあちゃんらやから、パソコンなんて、よう使えへんのや。だから、あんたらで書いてくれへん？　ウィキペディア。会場と資料は用意するし。ガイドもなんとかするし」

２０２１年を通して全5回。エディット丹後が総力を挙げて取り組んだ「ウィキペディアタウン宇川」は当初、上宇川区長で定住促進協議会の代表もつとめるOさんのそんな言葉からスタートした。

丁寧な文献調査を行ったうえでウィキペディアに立項することを信条としてきたウィキペディアンたちが聞けば、書いたことのない人ほど簡単に「書いて」って言うんだよね……と、ちょっと鼻白んでしまうかもしれない。むしろ身体の自由が利かなくなってくる高齢者こそ、インターネットの便利さに馴染んでもらったほうがいいのではと思ったりもするが、何年経ってもテレビ番組の録画予約ができない自分の母を思い出し、それは言わないでおいた。

ウィキペディア編集はボランティア。できない・やらないを責めるのはお門違いなのだ。できそう！　やりたい！　と思ってもらえるまで、できるだけの協力をしてもらえたらいい。

このくらいならできそう！　やりたい！　と宇川の人たちにウィキペディア編集に興味を持ってもらえるように、第1回目のウィキペディアタウン宇川は、地域の人々に最も関係しそうな題材、地区記事〈宇川〉と〈宇川加工所〉を立項することにした。

きっかけは何だっていい

ウィキペディアの編集会場となる宇川アクティブライフハウスは、宇川のほぼ中心部の丹後町久僧《きゅうそ》にあるが、最寄りの図書館である市立丹後図書室が併設されている丹後庁舎のある丹後町間人《たいざ》までは約10キロ、車で20分ほどの距離があった。間人は丹後町の玄関口なので、町外から参加する人たちは全員ここを通ってイベント会場に向かうことになる。

どうせ近くを通るならと、イベントのスタート地点を丹後図書室にして、午前中は参加者みんなで資料集めをすることにした。

通常、丹後地方のウィキペディアタウンでは、私が仕事帰りに立ち寄りやすい峰山図書館に市内各館からの文献を集めてもらい、前日までに借りて会場に持ちこんでいたのだが、用意された資料だけで編集しているうちは、参加者が自分で編集活動に取り組むまでには、あと一歩、及ばない。特に小さな地域の題材はインターネットだけで必要な情報を網羅することはほぼ不可能なので、「図書館の様々な分野の書架から必要な情報を探し出す」ことも、重要なスキルなのだ。

とはいえ、そもそも「ウィキペディアって、何?」というところからスタートするだろう地域の皆さんに、いきなりエディット丹後のメンバーと同じモチベーションを求めるのは難しい。

仕事などの都合で午後しか参加できない人には、ごく簡単に写真の1枚、文章の一部でも編集してもらって、こういうふうにできるんだ！　というのを気軽に体験してもらうのがよさそうだ。だが、そもそもウィキペディアを編集してみよう！　と思ってもらうには、イベントで作成した項目を読んだ地元の人がそれに価値を感じ、参加した人が取り組んでよかったと思えるくらい充実させる必要もある。

「宇川加工所の関係者は、ウィキペディアに項目を作ることをどんなふうに考えていらっしゃるのでしょう？　もしかすると、宇川のなかでも温度差があるのかも」

「参加は前向きに考えてはもらってるみたいですけど、いきなり編集まではなかなか難しいんじゃないかな」

「立項を機に、広報力のある宇川加工所の人たちに、ウィキペディアタウンを前向きにとらえてもらえるようになるのを期待したいですね」

パイプ役の廣瀬さんとそんな話をしながら、迎えた2021年2月13日。「ウィキペディアタウン宇川・プレ」の開催日である。

「ひとまず〈宇川（地名）〉と〈宇川加工所〉については、エディット丹後メンバーが骨格を作成するとして……そこに、参加者の皆さんそれぞれが『特にこれについては書きたい！』という部分を編集してもらいましょう」

このウィキペディアタウンには、Oさんのほか継続的に宇川地域の振興に関わる活動をしていた龍谷大学の教授や学生、市の職員ら、なかなかの顔ぶれが参加することになっていた。この全員がモチベーション高くウィキペディア編集に取り組んでいくのなら、強力な布陣と思われたが……。

「ちなみにOさんは何について書きたいですか？」

「えっ？　わしは書かへんで」

「……」

「この資料、すごいなあ！　丹後図書室には、こんなんもあったんか。わしらが行っても、そこで読むだけで貸してもらえへんで」

キラキラと目を輝かせ、分厚い郷土史のページを慣れた手つきでめくりながら、なにやら大学

ウィキペディアタウン宇川・プレにて丹後図書室で資料を探す参加者たち（2021年）

ウィキペディアタウン宇川・プレにて映画のロケ地にもなっている景勝地・筆石《ふでし》で足を止める（同）

ノートに書きつけたりスマホで調べたりと忙しく手を動かすOさん。

「そうですね。私たちも個人でふらっと行っただけでは、禁退出の資料は借りられませんが、ウィキペディアタウンの時は『地域振興事業への貢献』ということで協力依頼書を事前に提出して、柔軟に対応してもらっています」

「地域振興への協力な！　こんな資料を貸してもらえるだけでもイベントする価値があるなあ」

「……まあ、確かに」

図書館では本を1頁コピーするにも時に申請書を書いてお金を払ってと手間と時間がかかるが、借りてしまえばタダである。気持ちはわかる。

「今、京丹後市は小学校も中学校もあちこち統廃合でなくなっとるやろう。宇川も他人事やあらへん。現に宇川中学校はもうないしな。あと残った宇川小学校は、宇川の教育の最後の砦《とりで》や。個人的にいろいろ調べてはおったんやけど、この『丹後町史』はいいな！　詳しゅう書いてあるで、今のうちに必要なところを全部写しておこうと思って」

「じゃあ、Oさん、〈宇川小学校〉のウィキペディア項目を作りますか？　とりあえず立項中の〈宇川〉の教育の節にも書くといいですね」

「いや、わしは区報とかに書くし。ウィキペディアはあんたらにまかすで？」

キョトンとした無邪気な眼差しと目が合い、「ははは」と空笑いしながら私の目は泳いでしまった。

強制してはいけない。何度もいうが、ウィキペディア編集はボランティアなのだ。

「じゃあ、またの機会に」

とりあえず、そんなふうに流しておいた。

確かに地域情報を発信する手段はひとつではない。ウィキペディアタウンの利点もひとつではない。「面白い話が聞ける」「町歩きが好き」「みんなでワイワイしたい」等々、常連参加者の目的も様々だ。稀少な資料を閲覧できるからというのが参加理由でもいいではないか。

「ウィキペディアタウンは、ウィキペディアの普及活動（アウトリーチ）だ」と言うウィキペディアンもいるけれど、実際のところ、ウィキペディアの発展を主目的としてウィキペディアタウンを開催している人はどのくらいいるのだろう？　あまり多くはない気がする。もちろんウィキペディアが発展し、多くの人々の社会的信頼を獲得することで、ウィキペディアタウンの協力者や参加者も増えて、編集イベントもますますやりやすくなっていくわけで、そういう意味では私たちの活動のねらいにもウィキペディアのアウトリーチという側面がないわけではないのだが、それがいちばんでないことは確かだ。

自ら主催したイベントでは、ウィキペディアに自分で項目を作成する意欲は全然なさそうなOさんだったが、後日、書き上げた記事を読んでもらうと「参考文献に誤字がある」と指摘してくれたので、「じゃあ、それ、直してみましょうよ！」と、とりあえず一文字だけ修正してもらった。「う～ん……そのくらいならやってみようかな」とパソコンの前に座ったOさんは、初めてのウィキペディア編集に「えっ、これだけ?」「これでいいの?」とその簡単さに驚きながらパソコン操作をし、正しい情報に更新されたのを見て、「おお、ちゃんと直ったわ」と嬉しそうにしていた。

ウィキペディアタウン宇川は結局、このプレイベント開催以降も、主催者や地域の方たちに直接ウィキペディアを編集してもらうことはあまりなかったが、編集活動に必要な資料を一緒に探したり、書いた内容のチェックや修正といった部分で協働した。必要に応じてウィキペディアを編集できることを知ってもらえたことは意義深いことだったと思う。

このプレイベントで作成された〈宇川（地名）〉は、立項から2か月後には、龍谷大学のゼミ生が作成していた宇川地域の紹介パンフレット『うかわたび』に二次元バーコード付きで紹介され、〈宇川加工所〉の情報も、その後、ウェブ上に開店した宇川百貨店「うかわの実」に役立てられている。

衆力功をなす

「さて、次からの4回はどうしましょうか」

農林水産省がバックアップする宇川スマート定住促進協議会のプロジェクトは、2021年4月から翌年3月までの単年度。2月のプレイベント開催でひとまずウィキペディアの認知度を上げ、本番はいよいよこれからの1年間である。主催者側のOさんを中心に「ウィキペディアタウン宇川実行委員会」を立ち上げ、地元・宇川や京丹後市職員の方々には運営に必要な予算や会場の準備、ガイドの手配、参加者の昼食やおやつの差し入れまで、事務方の面倒ごとを引き続き一手に引き受けていただけることになった。

一方、共催という形で協力する私たちエディット丹後は、宇川の何をいつウィキペディアに立項すべきか、オンライン上で検討を重ねた。

「回数が4回というのは決定？」

「決定でいいんじゃないかと。それなりにいい記事を作成するには当日だけでは不可能だから、月々のエディット丹後の勉強会でブラッシュアップしていく時間も必要だし、宇川まで頻繁に通うのはみんなも大変でしょう。主催のOさんにしても毎回、その時々の題材に関係する地元の人たちとの調整が必要だろうから、3か月に1回くらいが精一杯だよね」

「うん。1月の初顔合わせの時には全7回とかにして、地区ごとに名所旧跡を網羅していくのもありかなんて話もしていたけど、下調べとかいろいろ考えたら1年で4回が体力的に限界だと思う。ほかの地域でもウィキペディアタウンをやりたいって声があるから、そちらも対応したいし」

「〈袖志《そでし》〉を編集候補にする可能性はありますか？　あそこは気になるものが多いから、イベントで扱わないなら、私が地区記事を作成します」

「気にせず、じゃんじゃん作っていいですよ！　仮に重複しても、イベントの短時間で初心者が編集するには既存記事があったほうが取り組みやすいし」

「宇川って範囲が広いのよね。宇川小学校の通学圏という定義はできそうなんだけど、行政単位では、明治中期の町村制度のくくりが今も強くて、地区行事の7割くらいが旧村単位で動いているみたい。それがそのまま下宇川区と上宇川区になっている」

「でも実際、区の中の各地区にもいろいろなコミュニティがあって、一地区だけでもネタが多い袖志とか中浜とかに的をしぼろうかって相談したら、あっちを書いてこっちは書かないのかみたいなことになるから、上下の地域から少なくとも3か所ずつくらいはやらないとダメだとか」

地区によっては郷土研究をしている人もいるので協力してもらえないか相談したが、「よそ者に講習する気はない。書いた本があるからそれを読め」と断られた例もあったという。Oさんたち主催者サイドも苦労の末にこぎつけたプレイベントだったのだ。

「なら、プレイベントみたいに地域全体に関わる題材を取り上げていくのが妥当かな」

各々で宇川地域の情報を集めては、どんなテーマでウィキペディアタウンをするのがいいか、知恵をしぼる。

「河川の〈宇川〉は、すでにあるんでしたっけ?」

「うん。宇川地域に関係する題材だと川の項目だけはもともとあった。地名の由来になってる二級河川だし、アユの生態研究で国際的にも有名なので」

「でも、宇川のアユについては、まだ書かれていないんだよね。研究論文とか文献はたくさんあるだろうに」

「〈宇川のアユ〉、ぜひ取り上げたいです！　夏ですね！」

「いいですね。アユ漁の写真とか撮りたい」

年4回のウィキペディアタウンなら、春夏秋冬で題材を決めて開催するというのもいい。宇川は豪雪地帯だが、少し早めの雪の少ない時期をねらえば、冬もできなくもないだろう。

丹後杜氏と呼ばれた酒造り集団発祥の地である宇川では、かつて冬に出稼ぎに行く伏見などの酒蔵への手土産に「アユの粕漬」を持参したという。プレイベントで立項した〈宇川加工所〉のウィキペディアでは、この特産品のアユの粕漬やアユ飯などについても触れていた。

「面白そうですね。〈宇川加工所〉にもリンクするし、〈宇川（地名）〉の特産品の項目にも書ける」

「加工所の看板商品なら、〈宇川のアユ〉のほかにも、袖志の棚田のお米を使ったケーキもありますよ。加工所のウィキペディアからつながる地理や文化の項目なら、他地区の人にも注目してもらえそう」

「袖志の棚田は、『日本の棚田百選』に選ばれていますね。これは単独記事にできそう。棚田ならやっぱり、春か秋かな」

「稲穂がきれいなシーズンは稲刈りもあって農繁期だから、地区の人に参加してもらうのは難しいと思いますよ。春がいいんじゃないかな」

「袖志でやるならやっぱり地区記事も作りたいですね。あそこは宇川でもとりわけ特筆性の高いネタが多いから……」

話題は尽きない。

ウィキペディア編集の面白さに目覚めると、地元のみならず旅先で見つけたものや出来事などについて、ウィキペディアで検索する癖がつく。検索してみて記事がなかったり、記事はあっても写真がなく、「画像提供依頼」が出ていたりすると、よっしゃ、やったるで！　という気分になるウィキペディアンが多いという。

その地に暮らす人々が毎日当たり前に接しているものについて、人々の心にそんな小さな火をつけることができたなら、その町のウィキペディアタウンは成功ともいえるし、形はどうあれ定着していくだろう。

column 08

日本語話者人口減を見据えたウィキペディアのアウトリーチ活動と機能追加

ウィキペディアの発展に伴い、その補完機能として誕生した姉妹プロジェクトのひとつに、「ウィキデータ」がある。ウィキペディアが人が参照・編集するものであるのに対し、ウィキデータは人とコンピュータの双方が参照・編集する「知識データベース」となっていて、例えば市町村の名称変更など、単純ながら膨大な数の記事に影響するデータの書き換えなどは、ウィキデータを編集するだけで、ウィキペディア全言語版のその項目のインフォボックスの情報を書き換えることができるなど、編集作業にかかる労力をある程度、省略することができる。

近年、文章生成機能を備えた人工知能チャットポットの進歩により、「ＡＩがこれだけ進化したらウィキペディアはもういらなくなるんじゃないか」と考える気の早い人もいるようだ。しかし、ＡＩはインターネット上の膨大な情報を処理することには優れているが、ひとつひとつの情報が正しいかどうかまでは吟味してくれない。どんな情報ももとをたどれば発信したのは人間であり、その情報をどう活用して何を成すかも、私たちひとりひとりにかかっている。そもそも各地方の図書館や資料館でのみ所蔵されているような郷土資料は、デジタル化されていないものが非常に多く、そのような情報を当然ながらＡＩは読むことができないため、地域の項目を作成・発信し、そうした資料の存在を知らせるウィキペディアタウンはますます重要になるだろう。

そうして私たちがウィキペディア日本語版に作成した記事を、ＣｈａｔＧＰＴ（チャット生成ＡＩ）を介して、ほかの誰かが利用する、そういう未来は、今この瞬間にも始まっているかもしれない。また、日本語版にしかない項目を、優れたＡＩが翻訳して英語版など他の言語版でも展開していく、そんな未来も遠くはないのかもしれない。

これからのウィキペディアは、どうなっていくのだろうか。

ウィキペディア日本語版の立ち上げ期から様々な機能の実装や、関連プロジェクトの立ち上げに協力し、近年はウィキデータを中心に活動されているウィキペディアン Suisui さんに、これからのウィキペディアとウィキペディアタウンなどのアウトリーチ活動について、見解を語っていただいたことがある。以下に紹介する。

ウィキペディアタウンをはじめ、ウィキペディアのアウトリーチは、編集者の裾野《すその》を広げる活動であり、編集者の人的リソースを増やす、もしくは維持する活動です。一方で、ウィキメディア財団は共同作業と文書作成のためのプラットフォームとなるソフトウェア「メディアウィキ（Mediawiki）」の活用促進や、補助プロジェクトの立ち上げなどによって、使えるリソースを増やす（活動するユーザーが増えなくても、同じ時間でできる内容を増やす）活動をしています。ウィキデータもそのひとつであり、ウィキペディアからは独立して知識データベースの作成を目指す一方で、ウィキペディアの記事メンテナンスに必要な作業の一部を削減する機能も持ったプロジェクトです。ウィキデータにとっては、ウィキペディアの補助は本来の目的ではなく副次的な機能ですが、アウトリーチ活動と同じ方向を目指した意図を持っているといえます。

日本語はほぼ日本国内のみで使用されている言語で、その話者人口は今、歴史上で最も多い時期を過ぎて緩やかに減少中です。しかし、日本はほぼ全家庭に安定した電力があり、誰でもインターネットを契約して使うことができ、識字率が高く、自治体ごとに図書館の整備がされており、世界的に見ると比較的情勢が安定した国です。ウィキペディアのようなプロジェクトを進めるにあたっては恵まれた環境といえます。

とはいえ、現状、ウィキペディア日本語版のアクティブな利用者数は、日本語話者数に対して人口の0・0014%ほどです（国の人口：ユーザー人口ではなく、言語話者人口：ユーザー人口）。細かな計算式は省きますが、これは100万項目以上あるウィキペディアのプロジェクト内では上限に近い割合となっています。ここ10年、その数字はほとんど動いておらず、言語・文化・情勢・環境などによらず、少なくとも現在のウィキペディアのあり方では、話者人口の0・01%を超えるアクティブユーザーを維持するのは難しいと考えます。

さて。今後30〜50年、もしかするとその後も日本語話者数は減少していきます。状況が変わらないかぎり、ウィキペディア日本語版の活動はこれから編集者が緩やかに減りつづけることを受け入れる必要があります。人口の減少とともにユーザー人口の割合も減っていくと考えられるため、アクティブな参加者数を話者人口の0・001%程度維持できるかどうかが今後の指標のひとつになると考えています。

また、作業人口のリソース減だけでなく、記事編集にはやりすたりがあります。今、頻繁に編集されているものでも、数十年後、ほとんど編集されることがなくなる記事が大量に出てくるでしょう。すでに、2005年頃に頻繁に編集されていて、現在はほぼ編集されなくなった記事群があり、それらが今以上に積み重なっていきます。そうした記事を大量に抱えている状態となったときに、広い範囲をある程度の頻度でメンテナンスしていくことができなくなれば、今のように、問題がありつつも魅力的であるウィキペディアを保つことは難しくなるでしょう。大量の情報には人を呼び寄せる力がありますが、メンテナンスされていないことが明らかにわかる大量の情報が持つ廃墟感は人が離れていく原因ともなります。

いちばん人口が多いはずの現在でも、ウィキペディアはすべての記事のメンテナンス、あるいは運用の手が十分に足りているとはいえない状態です。編集人口減を受け入れたうえで今後の戦略を考える場合、手が回らない記事のメンテナンスを諦めるか、記事のメンテナンスやアップデートをより少ない人数で回せるよう省力化・システム化、可能なかぎり共通化していく必要があります。そして後者の方法については冒頭で触れたとおりウィキメディア財団が様々な支援を行っています。（略）

ウィキデータがどんな性質のものかというと、ウィキメディア・コモンズのデータ版と考えると理解しやすいでしょう。コモンズは各プロジェクトごとにアップデートしていた画像を集約し、サーバリソースを減らすと同時に、人的リソースも激減させる効果がありました。それと似て、ウィキデータは、記事で使用するデータを数値に限らず、個々の記述、それぞれの出典の記載などをすべてのプロジェクトで使いまわすことができます。（略）ウィキペディアで小さな記述を積み上げて大きな記事を作っているのと同じように、小さな省力を積み上げてその分の労力を別のことのための大きな力とする、そういった方向での活用をこの先もしていけるといいでしょう。

今後どうなるか、未来のことは実のところ誰にもわかりません。ただ、これから確実に起こる話者人口の減少は、できるうちにできることをして備えておかないと、撤退作業すら人が足りなくなる可能性があります。それを食い止める手段のひとつとして、アウトリーチ活動とともに、ウィキデータをぜひとも使いこなしてほしい、そう考えています（図書館総合展ONLINE plus「ウィキペディア展覧会」、2022年11月。ja.wikipedia.org/wiki/プロジェクト：アウトリーチ／図書館総合展2022/紹介／6Suisui, CCBY3.0を一部改変して転載）

09

うちの町には何もない？——地域の何を項目に加えるか

ウィキペディアに項目を作成し、リンクする二次元バーコードを関係する場所に設置して、そこを訪れた人が自分の携帯端末から容易にアクセスできるようにする。２０１２年にモンマスで始まったとされるウィキペディアタウンの実践例を日本で最初に公的に実現したといわれるのが静岡県沼津市である。２０１９年3月21日、沼津市文化振興課は市指定史跡である〈神明塚古墳《しんめいづか》〉の案内板に、ウィキペディアにリンクする二次元バーコードを設置するセレモニーを行った。

名所旧跡に案内板を設置している自治体は多い。だが、文字数の制限があるため限られた情報しか載せられず、また、研究の進展があったときにすぐ書き換えられないという問題がある。その点、ウィキペディアは、字数制限がなく更新も容易なため、常に最新情報を提供することが期待できる。

沼津市で２０１７年から連続開催されていた「Wikipedia Town in 沼津」に私が初めて参加したのは、２０１８年7月。江戸時代に築城された〈沼津城〉を題材とする回だった。明治時代に解体され、その後の大火や空襲で痕跡のほとんどが失われた〈沼津城〉だが、市の職員のガイドで地図を片手に町を歩いてみれば、幹線道路や住宅が密集する区画にも、当時の地形や石垣や堀の一部を見ることができ、こんな住宅地にも数百年前のものが残っているんだ！　と新鮮な感動を覚えた。

私は特に城下町について調べたのだが、ウィキペディアに書ける沼津城下町の特筆性を探して読んだ文献に、「沼津城は港町→宿場町→城が郊外にできて城下町、という歴史をたどっており、城→城下町の順番でないので城下町の特徴はない」といったような記述があった。特筆性はないのかと落胆しながら、ほかに城下町について言及したものが見つからなかったので、とりあえずそのことをウィキペディアに書いたのだが、成果発表でそう言うと、ほかの参加者たちから「城下町の特徴がないのが沼津城の特徴」と感心したふうに受け止められて、目から鱗が落ちた。

「うちの町には何もない」——ウィキペディアタウンをしていると、地域の人々は、よくそんな言葉を口にする。ほんとうにそうだろうか。

ウィキペディアに項目を作成する基準となる、特筆性。ほかにはない特徴的な何かと考えるとき、私たちはつい珍しいものを探してしまいそうになる。だが、特筆性がない町は、ない。一度そんなふうに思ってみると、それまで見えなかったあなたの町の特筆性も見えてくるかもしれない。

僻地だってネタの宝庫

宇川には鉄道駅も図書館もない。生鮮食料品を購入できるスーパーやコンビニもない。

ほかの地域には当たり前のようにあるそれらの代わりに、宇川にしかないものもある。例えばドクターヘリが離着陸する元・中学校。明治期に建造された白亜の経ヶ岬《きょうみさき》灯台。航空自衛隊の分屯基地。ミサイル防衛用の早期警戒レーダー「Xバンドレーダー」を配備した米軍の通信所。

「このフェンスの向こう、あそこに見える米軍施設のちょっと左手の崖の下に、穴文殊《あなもんじゅ》がある。昔、文殊菩薩が天竺《てんじく》から海を越えて日本に渡ってきたとき、最初に到着した場所が袖志の経ヶ岬やった。文殊さんはそこの海食洞《かいしょくどう》にしばらく逗留したあと、天橋立で暴れる龍を説得しに九世戸《くせど》に行った。それで、あそこは智慧の文殊さんゆかりの場所やいうて、天橋立の智恩寺に文殊菩薩を祀《まつ》った。ま、伝説やけどな」

「『九世戸《くせのと》』って、謡曲にもなっているエピソードですね」

「そう。その文殊さんが最初に逗留していた洞窟を穴文殊と呼ぶようになって、昔は実際に洞《ほら》の中に像が祀られとったらしい」

「聖地ですね！」

「そうやで。その聖地の真上に米軍がトイレなんか作りよったもんやから、みんな激怒してな。猛抗議してすぐに撤去させることになった」

「まあ、そうなりますよね」

「今は空き地になっとるな」

無知とは恐ろしいものだ。米軍もまさかそういう場所だと知ってトイレを設置するわけはない。

しかし地元住民の反発は当然である。

「米軍の施設内ってことは、今は穴文殊には地区の人も近寄れないんですね」

「そや。誰も入れへん。まあ、もともと断崖絶壁の海面ぎりぎりに入り口があるから、おいそれと近寄れん場所ではある。そやから祀っとった像もずっと昔に地上に移されて、そこに寺が建っとるんやけどな」

その穴文殊の菩薩像を遷座《せんざ》した九品寺《くほんじ》は、米軍施設を取り囲むフェンスと航空自衛隊の施設を取り囲むフェンスに挟まれた幅わずか数十メートルの、細長く海際まで延びた松並木の参道の奥にあった。

「変な場所にあるやろ？　ここは、袖志村と尾和《おわ》村のちょうど狭間で、もともとは寺だけ建っとった。戦前は、夏祭りの日にここに牛市が立って、丹後一帯から牛飼いが買いつけに来るからすごい賑わいやったらしい」

「だから参道に『宇川牛発祥地』の石碑があるんですね」

次の場所への移動中にそんな話が出て、慌てたのはとりあえずなんでも記録しておくのが性のウィキペディアンだ。

「あ、待って。ちょっと戻って、その石碑の写真を撮っておきたい」

「そうだね。私の車で戻ろう。ほかの皆さんは先に会場でお昼休憩に入っててください。少し押してますけど、午後の編集開始は予定どおりで」

「ウィキペディアタウン宇川 vol.1 袖志編」。2021年4月10日、晴天のもとでも少し肌寒く、田んぼの水もまだ入る前の棚田から、町歩きはスタートした。

丹後半島の最北端にある丹後町袖志は、与謝郡伊根町との境でもある東端に〈経ヶ岬（ウィキペディアには2005年立項）〉があり、日本最大級のレンズを持つ第1等灯台である経ヶ岬灯台が立つ。一方、西端には航空自衛隊の〈経ヶ岬分屯基地（07年立項）〉と米軍の〈経ヶ岬通信所（14年立項）〉を抱え、そのあいだの海岸線に集落が展開する。その背後の丘陵地一帯には現在耕作されている

第1回ウィキペディアタウン宇川にて米軍施設のフェンスの前で説明を受ける参加者たち（2021年）

袖志の棚田にて。ガイドの指さす先に自衛隊と米軍の施設が見えている（同）

部分だけでも約400枚の棚田が広がる半農半漁の地区である。

農の中心である棚田は、京都府内では2か所しかない「日本の棚田百選」に選ばれた景勝地で、特に日本海に沈む夕日に照らされる時間帯は絶景だ。また、漁の中心を近年まで担ってきた海女は丹後半島の他村には存在せず、北陸から山陰地方までの広域の海を漁場にした。昭和30年代にこの袖志の海女を京都府が調査した過程で、漁獲物を入れるスマ袋が絶えたと思われていた藤織りであると確認されたことが、自然布の民俗学的な調査研究が全国で行われるきっかけになったといわれる。

どこを向いても特筆性の塊《かたまり》のような地区である。しかし、ウィキペディアには灯台のある〈経ヶ岬〉や軍事施設の項目が早々に作成されていた半面、この地区そのものやこの地に生きてきた人々に関わる産業や文化については何も書かれていなかった。鉄道やサブカルチャー関連の項目の充実ぶりと比して、日本の伝統文化や伝統産業の分野が極端に弱いのは、丹後地方に限った話ではなく、ウィキペディア日本語版全体の課題のひとつだ。

町歩きガイドを買って出てくれた下宇川区長のKさんは、もともとは中学校で理科を教えていたという。道案内をしがてらの地区紹介は、沿岸の地質や地形にも話が及ぶ詳細さだったが、袖志を初めて訪れた私たちにも理解しやすい解説だった。Kさんはこの当時、編集会場となった宇川アクティブライフハウスの管理責任者でもあり、Oさんともども一貫してこの企画に協力してくださっていた。

「午後には、穴文殊さん（九品寺）を預かっとる萬福寺の住職も来てくれることになっとるし、歴史的なことはあの人に聞いたらええと思うで。もともと社会科の教員だった人で、研究をまとめた本も何冊かある。丹後図書室にもあったやろうけど、ほかの資料や古い写真も持ってきてくれることになっとる」

「それはありがたいです。地区の題材を複数立項すると、どうしても必要な文献がかぶってしまうので」

全5回を通して会場となった宇川アクティブライフハウス

ウィキペディア編集の前に、参加者に企画趣旨を説明する定住促進協議会代表兼上宇川区長のOさんと下宇川区長のKさん（2021年）

全地区に関わるテーマを取り上げることになったウィキペディアタウン宇川だが、そこにしかない貴重な地域資料を活用できる機会でもあり、予定している棚田だけしか書かないというのももったいない。〈袖志〉という地区記事と、そのほかできるだけ多くの題材をついでに立項するつもりだった。

「地名の読み方とか位置関係がわかる人がいてくれると、郷土資料を読むのも楽になります。Kさん、午後もよろしくお願いします」

皆でウィキペディア編集をするのだ！　みたいな直球の依頼だと、責任感の強い人ほど難しく考えてしまって、その気になればできる人も引いてしまう。まずは同じ空間で、一緒に作業をしつつ理解を深めてもらうところからだ。

「まあ、資料探しや漢字の読み方を教えるくらいやったら、私らでも手伝えるかな」

図書館にあらかじめ文献を用意してもらう都合もあり、作成する項目は〈袖志〉〈袖志の棚田〉〈袖志の海女〉〈穴文殊〉の4つと決めていたが、実際に現地を訪れて歩いてみると、気づいていなかった題材候補を見つけることもある。昼食休憩中も、経験者のあいだではウィキペディアに書きたい宇川のあれこれについての話題でもちきりだった。

例えば穴文殊の参道に発祥地の石碑があった宇川牛は、山を跨《また》いだ隣の伊根町の筒川牛と並び、かつては全国にその名を知られたブランド和牛であったという。現在は但馬牛《たじまうし》との混血が進んでしまっているが、宇川牛の歴史は1500年遡るともいわれ、文献も多い。

「宇川は、なかでも袖志は、ウィキペディアに項目を作れる題材が多いですよね。〈宇川牛〉についてはそのうち碇《いかり》高原牧場でステーキを食べながら記事を書くウィキペディアタウンとかやりたい」

「碇っていう名前の地区はあるんでしたっけ？」

「廃村ですが、大字として地名は残っています。丹後町碇。廃村関係もウィキペディアにきちんと書いておきたいような項目がたくさんありますよ。〈丹後縦貫林道〉に〈三八豪雪〉……」

「そういえば、Oさんがウィキペディアタウンをしたいと思われたきっかけは、廃村の記録をインターネット上にも残したいからだって言っていましたね」

「廃校も今ある学校もな。廃校になると、途端に学校の公式ホームページもなくなってしまうから。その点、ウィキペディアは貴重や」

「廃村や廃校は全部は難しいにしても、いくつかは書けるだけの資料がありそうですね」

「廃村は書かなあきません。宇川だけの問題やないけど、今書いておかんと、もう何年かしたらどこに村があったか、どんな資料があるかもわかる人がいなくなってしまうかもしれん」

「そうですね。秋か冬の回では、廃村をテーマにしましょうか」

これは絶対、4回じゃ終わらない……。悩ましいと同時に使命感のようなものもわいてくる。それくらい宇川は探究心をくすぐられる魅力的な地域だった。

ほかにはあるのに〝ない〟ものを数え上げれば何十項目にもなるだろうに、ほかにはないものが〝ある〟というのを数え上げるだけでも相当数ある。宇川に限らず、今現在ウィキペディアに項目が全然ないような地域は、特筆すべきものがないのではなく、単純にウィキペディアを編集する趣味を持つ人がいない地域。日本全国にそんな地域がたくさんあるのだが、いずこもまだ世に広くは知られていないお宝が山と眠っていそうだ。全国の地方自治体は、地域おこし協力隊の任務のひとつにウィキペディア編集を義務づけたらいいのに、なんて思ったりする。

かつて保育所の体育館だった編集会場には、午前中は地区内の田んぼの整備を手伝っていたという龍谷大学の学生たちと市の職員、宇川出身の市議会議員や地元住民ら10名ほどが集まっていた。エディット丹後メンバーも加えると、ウィキペディア編集の経験者・未経験者の比率は1対1といったところか。なるべく多くの時間を文献調査と編集にあてて もらうため、イベントの概要と写真の掲載方法だけは全体に説明し、出典情報の入れ方などについては必要に応じて個別に対応することにした。

文献調査をして新記事をばんばん作っていくのは時間や手間もかかるが、写真を撮ってアップロードするのは初心者にも短時間で簡単にできる。また逆に、文献調査をしてウィキペディアに項目を作成するのは図書館を活用すれば他地域の人間にもある程度、可能だが、日本海に面した景勝地の宇川の四季折々の写真を撮ってウィキメディア・コモンズにアップロードしていくのは、地域の住人でないと難しい。

参加していた地域住民のなかには、日々海岸の写真を撮ってはブログで紹介している人もいた。

ご自身の撮影した写真を人類の共有財産とする理念に共鳴してもらえるようであれば、そのライフワークに、コモンズも加えてほしい。ついでに、折に触れ読むだろう新聞や自治体広報誌に紹介された記事に記録しておくべき地区のニュースがあったら、ウィキペディアに書き足してくれたりすると、もっといいと思う。

しかし、「アカウントを取得して」「著作権に気をつけて」「出典は必ず付けて」と、大事なことはいえ、いろいろ条件を説明していると、なんだか面倒くさいと思われてしまったりするのも、まだまだ世間的に理解者の少ないウィキペディアあるあるだ。

「そのうちがんばってみますわ」と、逃げを打つ地元の人々に、「そんな難しゅうないで。わしでも編集できたくらいやしな」と胸を張るOさん。

「あんたが?! ほんまかいな」

「ちょっと誤字を直しただけやけどな」

そうなのだ。ウィキペディアを編集するといっても、とりたてて構える必要は何もない。ウィキペディア日本語版には毎月1回以上なんらかの編集活動をしている編集者がこの当時、1万4000人くらいいたが、その編集活動の大部分は、ちょっとした誤字脱字やソースを修正したり、その日の新聞で読んだニュースをすでにある項目に短く書き添えたり、旅先で撮った写真を1枚加えてみたりといった、ひとつひとつは数分でできるような作業で占められている。

1回あたりほんのわずかな編集活動。でも、それを多くの人々が何かに気づいたその都度、するようになったら。ウィキペディアは、今よりさらに多くの人の役に立ち、信頼される百科事典になっていくだろう。

どうする？　改名・分割・新規立項……

「袖志の有名なところいうたら、棚田と、あとはなんといっても灯台なんやけど……。灯台の記事を作るのは難しいんか？」

4項目の編集が中盤にさしかかったあたりで、〈袖志〉班のフォローに入っていたOさんが発言した。歴史ある灯台であり、映画のロケ地としても多くの観光客を集めた丹後半島有数の観光地を、今回ウィキペディアに立項しないのが不思議であり、惜しくも思っていたようだ。

「〈経ヶ岬灯台〉については〈経ヶ岬〉の項目にけっこう書いてあるんですよね。というか、この項目がほとんど灯台の記事みたいになっちゃっていて、これとは別に新規立項するのは少々悩ましいところです」

「というと？」

「単独記事にする方法としては、3つ考えられます。まずひとつは、今の〈経ヶ岬〉の項目の内容がほとんど灯台についてなので、これを〈経ヶ岬灯台〉という記事名に『改名』する（〈Wikipedia：ページの改名〉）。ただし〈経ヶ岬〉は百科事典にあるべき地理項目として、このまま残したほうがいいと思います。むしろ地質とか植生とか経ヶ岬そのものについて加筆が必要かと。

ただ、今日のイベントではそういう文献は集めていないんです。

ふたつ目の方法は、〈経ヶ岬〉の記事から〈経ヶ岬灯台〉について書かれている部分を『分割』する（〈Wikipedia：ページの分割と統合〉）。ウィキペディアの項目は、不特定多数の編集者に常に修正を繰り返されているので、理想とは違う方向に進んでしまうこともあって、そうした場合に軌道修正をはかるひとつの手段として、ページを分割したり統合したりといったことができます。多くは分量が多くなりすぎて項目全体の見通しが悪くなったとか、一部の内容についてだけやたら詳しく記述されているとか、読者にとって不便な場合ですね。ただ、この記事の場合、長すぎて可読性に欠けるものではないし、地理についても灯台についてもそれほど詳しく書かれてはいないので、このまま分割すると内容の薄い項目を2本作ってしまうことになります。そういう、項目の劣化につながる分割は歓迎されません。

3つ目の手段は、今ある〈経ヶ岬〉の項目はとりあえず置いておき、この数倍の分量で内容の充実した新規項目として〈経ヶ岬灯台〉を立項する。これがいちばん現実的な手段ではあるのですが、それだけきちんと書くには文献を徹底的に集めることはもちろん、編集にかかる時間もそれなりに必要です」

「その、改名とか分割いうんは、すぐにできるん？」

「今すぐは無理です。どちらもまずはこういう理由で改名ないし分割するのが適切であるという『提案』をウィキペディアのガイドラインにのっとって行って、1週間はほかのウィキペディアンの意見をもらう期間を置いて、賛成多数の票を集めるか、特に反対意見がなければ実行するという手順を踏まないと……。でも、今の記事の状態ではその必要性が低いので、ほかのウィキペディアンも賛成しないんじゃないかなあ」

「そうなんか……じゃあ、今回は無理として、また今度やな。ちゃんと書いて新規立項っちゅうのを、次かその次か。いつかは書くんやんな？」

「そうですね。書きたいですね……」

期待いっぱいの眼差しに見つめられ、「いや、次回はアユが」とか「ほかの地区のほかの題材も」といった言葉はぐっと飲みこんだ。

〈経ヶ岬灯台〉……。とりあえず資料集めはしておこうかな。袖志には新規作成したい題材が多くあり、多少でも書かれている灯台についてはまあいいかと思っていたのだが、地元の人々にとって大切なものなら、きちんと手をかけたほうがいいだろう。イベントで扱うタイミングは逃したが、エディット丹後で毎月1回行っている勉強会で取り組んでみるのもいいかもしれない。

結局、調べはじめたら面白くなってしまったので、〈経ヶ岬灯台〉は後日、私が立項した。このウィキペディア項目はトントン拍子に注目を集め、メインページの「新しい記事」に掲載され、「良質な記事」にも認定されたのだが、なんと立項から1年と数か月後の2022年12月には、経ヶ岬灯台そのものが国の重要文化財に指定されるというビッグニュースが飛びこんできた。府や国の登録有形文化財もすっ飛ばし、一足飛びでの重要文化財指定である。

重要文化財になったのはウィキペディアが理由でないことはもちろんだが、多くの人に閲覧されやすいこのコンテンツにそこそこ詳しく紹介し、ありとあらゆる文献から拾い集めた情報を出典とともに載せておいたことが、もしかしたらどこかで何かの役に立ったかもしれない、と妄想することは自由である。

高校生と学ぶ地道な調査研究

当初予定していた〈袖志〉〈袖志の棚田〉〈穴文殊〉〈袖志の海女〉の4項目に、〈経ヶ岬灯台〉と、〈袖志の海女〉の執筆過程で浮上した〈袖志海苔〉、合わせて6本をウィキペディアに立項した「袖志編」から3か月後の7月下旬。

プレイベントから数えて第3回目となる「河川・宇川編」は、夏休みに入った市内の高校生や、貸切の大型バスで京都からやってきた数十人の大学生とともに、上宇川の平地区《へい》を流れる二級河川・宇川の川岸で開催された。

〈宇川のアユ〉を題材と決めたこの回では、上宇川漁業協同組合の漁師ふたりに協力いただき、実際にアユの巻き網漁を見せてもらった。初夏の日差しを受けてキラキラと輝く宇川の水は澄みわたり、くるぶしほどの深さしかないため、川を泳ぐアユの姿を岸辺からも見ることができる。

上宇川漁業協同組合は海での漁業権を持たず、河川つまり宇川でのみ漁を行う、全国的にみても珍しい漁業組合である。しかも現在ではアユ漁の解禁日のほかは、親類縁者が集まるときくらいしか漁をしない漁師が多く、生業として成立しているとはいえないようだ。それでも毎年多くの稚魚を買いつけては放流し、加えて天然アユが遡上する稀少な宇川の自然を彼らは守ってきた。

天然アユが遡上する河川として、宇川が注目されたのは1950年代に遡る。戦後の食糧難の対策として「漁業生産力を発展」させることを目指した1949年の漁業法改定を受け、水産庁の委託により京都府から依頼を受けた京都大学理学部の宮地伝三郎らによる国内初のアユの生態研究河川に選ばれたのがきっかけだった。1955年から始まった調査は、宇川橋のたもとにあった民宿を拠点に、アユの縄張りと生息密度の関係などについて研究を深め、これをきっかけに宇川は淡水生物の研究河川として全国にその名を知られるようになる。

当時の宇川は稚魚放流をほとんど行っていなかったにもかかわらず、小学生が学校帰りに川に入り、足を開いて座っているだけで、そこに入りこんでくるアユを手づかみで捕まえては夕食のおかずに持ち帰ったとか、橋の上から川面を見下ろすとアユの大群が空に浮かぶ雲のように巨大な黒い塊になっているのが見えたとかいったエピソードがあるほど、多くの天然アユが生息していた。その数は年により変動はあるが、1年あたり数万とも数十万とも記録される。

しかし、その豊かな環境は、1980年代に激変する。

京大の研究を一部引き継ぎ、宇川で生まれた天然アユの仔魚《しぎょ》が海へと下る数を数えてその生息数を記録していた地元の中学・高校の教諭ら「宇川アユ研究会」が行っていた調査では、上流域の山崩れで土砂が宇川に流入すると、アユの産卵に適した川底の環境が損なわれ、天然アユの数が減少することがたびたび確認されている。なかでも大きくその数を減らした1980年前後には宇川上流で道路工事が行われており、その後7000尾程度まで回復するも、1987年に上流域で大規模な国営農地開発が始まったことが追い打ちをかけた。泥が大量に流入したことで宇川の水が濁り、川底に数か月にわたり汚泥がたまったこの年、宇川で生まれた天然アユの数はわずか300尾程度であったという。もはや調査をすることも無意味なほどに数を減らしたことを受けて、半世紀にわたって引き継がれてきた宇川での研究はその後、打ち切られた。

巻き網を手にした宇川の漁師たち（2021年）

アユ漁を見学する「河川・宇川編」の参加者たち（同）

ウィキペディアタウンが開かれた当時、その宇川を含む丹後半島の尾根に、風力発電のための大型風車を建設しようという計画が進められていた。山の尾根まで巨大な資材を運搬するため、再び宇川上流域の山が削られる予定だという。

「工事を請け負っとる建設会社は今後、箇所によっては宇川に濁水《だくすい》が流入したりして一時的な影響が生じる可能性を認めとる。にも関わらず、重大な影響はないと彼らは言う。けどな、影響がないなんてことは絶対にない。それは過去の歴史のなかでアユたちが証明してきたことだ」

午後のウィキペディア編集に先立って行われた講習で、宇川アユ研究会の研究者・瀬川信一さんは、長年の研究成果についてざっと紹介した最後に、風力発電の建設計画と、その予定地に生息するクマタカなど数々の稀少生物の絶滅の危惧に触れた。

「夏だからアユがいいね」と、私たちが単純に決めたこの題材は、はからずも多くの高校生や大学生など若い世代が多数参加した夏休みのこの回に、ぴったりの題材となった。多くの研究者がバトンをつなぎ半世紀以上にわたって明らかにしてきた環境問題。地道な調査研究活動の意義や、現在進行形の社会問題について、学生がこれほど身近に学ぶ機会はそうそうない。環境問題に関心があって参加していた高校3年生のうちのひとりは、このウィキペディアタウンでの体験から得た学びを、のちに大学の推薦入試の面接で語ったと後日、伝え聞いた。

どうやら学生が多く参加するようだとわかった時点で、ウィキペディアの事前講習も、学生たちのその後の学びにつながることを意識してプログラムした。〈宇川のアユ〉という項目を全員で新規作成するにあたり、どのような観点で何を書くべきか、その資料は図書館の本ならどの分野の書架をあたるべきか、図書館の基本的な分類法である日本十進分類法（NDC）に照らして、瀬川さんの講習内容をもとに検討させたのである。参加者全員で、それぞれ思いついた「この項目に書くべきこと」を付箋に記し、それがNDCのどの分類にあたるか考えて整理し、その分類ごとに節を分けるところまでをワークショップとして行ったあと、各々が特に気になった内容の節ごとに2〜3人でチームを組んで、文献調査に移行した。

ウィキペディアの記事構成をNDCに照らして分析するワークショップの様子（2021年）

近年では、NDCに拠らない独自分類で整備されている図書館もあるが、学校図書館や大学図書館で学ぶ学生たちが必要な資料を探すときの考え方の基本は、やはりNDCによる体系的なつながりをまずはきちんと把握するところから始まる。参加した高校生は、イベント後のケーブルテレビ局の取材に対し、「大学生と協力して先行研究を調べ、情報を整理して分析し、まとめた。大学に進学したら、そういうことをずっとやっていくことになると思う。高校生のうちにそれを経験できて、よかったです」と、この企画に参加した意義を語ってくれた。その言葉どおり、彼ら自身が今後続けていく学業のなかで、その前段階にある調査活動に欠かせないだろう図書館での文献調査を意識する学びの機会になっていたことを願う。

ＮＤＣを意識してウィキペディア項目の節を検討することは、特に地区記事のように多分野から題材を取り上げる必要がある項目で、編集者が見落としている観点を自覚しやすいというメリットもある。

上宇川・平地区を訪れたこのウィキペディアタウン宇川では、川に焦点をあてたが、この地区にも当然、アユのほかにも見るべきポイントはあるので、それらすべてを内包する項目として私たちはあと1項目、〈平〉という地区記事も作成した。袖志の〈経ヶ岬灯台〉同様、単独で詳しく書きたいような題材もそのなかにはあるが、それはまた後日となるだろう。

さて、〈宇川のアユ〉を題材にしたこのウィキペディアタウンは、夏の川遊びに始まって土産に鮮度抜群のアユもいただくという、各地でウィキペディアタウンに参加しても滅多にない体験を伴い、私にとってはひたすら楽しく嬉しい時間だった。新規作成したふたつの項目はいずれもウィキペディアで「良質な記事」に認定された。ウィキペディアン的には大成功といっていいところだが、小山元孝さんのような郷土史家の目から見ると少々やり残したところもあったらしい。

「次回は『京丹後市史資料編　京丹後市のまちなみ・建築』（京丹後市史編さん委員会編）もご活用ください。中浜とか海辺の集落を調査しています。袖志でもあったと思いますが、海沿いの集落は真水をためる『イケ』が共同の水くみ場になっているところが多い。あとは遺跡では平《へい》遺跡、お寺では上山寺《じょうざんじ》が有名どころです。廃村ですが、関西電力の小脇発電所も歴史があるので、いいのではないでしょうか。宇川地域は、各地区についてもっと掘り下げる必要性を感じています。参考にしてもらえるような論文を出せるようにします」

研究者らしい、力強い決意表明に、私も素人ながらせめてウィキペディアはがんばらないとなあとあらためて思った頃……。

宇川の教育の最後の砦とOさんがずっと気にされていた、京丹後市立宇川小学校の閉校を含む市の学校再編計画を新聞各紙がいっせいに報じた。

column 09

ウィキペディアの「特筆性」とは——項目削除の憂き目にあわないために

ウィキペディアに項目を立てるにあたり、最も重要なのは、題材に「特筆性」があるかどうかである。

特筆性……あまり聞きなれない言葉だが、ウィキペディア日本語版のガイドライン〈Wikipedia: 独立記事作成の目安〉では、「立項される対象がその対象と無関係な信頼できる情報源において有意に言及されている状態であること」をそう呼び、これを項目作成の基準としている。ただし、特筆性のあるなしは、作成された項目の出来不出来とは、まったく別の問題である。

京丹後市大宮町に「つねよし百貨店」という名の個人商店がある。かつては常吉村営百貨店と呼ばれ、日本におけるソーシャルビジネスの先駆けとして高く評価された商店だ。その歴史や事業内容を詳しく解説した現在の同項目は「良質な記事」に認定されている。

しかし、実はこれ以前の2012年、その前身の〈常吉村営百貨店〉と題した項目は特筆性なしとみなされ、削除されたことがある。当時すでに、この百貨店は地域農業の支援や過疎地域の買い物難民対策に取り組んでいたことなどにより全国で数々の賞を受賞し、NHKで特集もされていた。特筆性の高さは疑うまでもない。なぜ、削除されてしまったのだろうか。

削除された当時の記事は読むことができないので正確なところはわからない。だが、削除に同意したウィキペディアンたちのコメントは読むことができる（w.wiki/6XRR）。それによると、当時のこの項目は、店をたまたま訪れた人が見たまま、ただの農産物直売所のようにしか書かれていなかったようだ。そのため、そんな店は全国どこにでもあると、誤解されてしまったらしい。

4章でも書いたように、郷土史になるほど昔ではないものの、インターネットがそれほど身近でもなかった時代の情報を探すのは、実は難しい。1冊の本にまとまっているわけでもなく、デジタル化もされていない雑誌や地方紙などに細切れに紹介されていた情報を、当時のウィキペディアンたちが見つけ出すことは、ほとんど不可能だったろう。

しかし地元の私たちは、つねよし百貨店が特別な活動をしている場所だということを詳しくではないが知っていた。この題材についてどういった刊行物をあたれば情報を見つけることができるのか、文献を探す手がかりを自分の知識として持ってもいた。また、関係者に直接インタビューして、資料の記述の背景にある事情や、資料には書いてあってもプライバシー保護の観点からウィキペディアには掲載すべきでない内容などを確認して、項目に反映することもできた。

結果、一度はウィキペディアから存在自体を消されてしまった常吉村営百貨店こと〈つねよし百貨店〉は、現在では毎月数百回は閲覧され、たまにメインページの「選り抜き記事」にも掲載されている。

さらにこの項目では、当事者から聞いた間違いない情報であっても出典にできる文献がなく、記事本文には反映できなかった情報も、各項目の見出し語の下にリンクのある「ノート」という議論ページなどに残してある。後年、この店について詳しく知りたいという人がいても、その時には、店を知る人から直接話を聞くことはできないかもしれないし、店自体が存在していないかもしれない。だからこそ、このウィキペディア項目のみならずノートに残した情報が役に立つこともあるはずだ。

地域にとっては当たり前の価値ある物事も、地元の人や当事者でないとそもそも知らず、場合によってはそのまま注目されることもないまま、いつの間にかなくなり、記録も残らないものが、日本にも世界にもたくさんある。

ウィキペディアタウンは、そうした各地の人々の営みのなかにある価値あるものの存在を、誰かの目にとまるように記録することで後世に残す、ひとつの手段でもあるように思う。

この百貨店のように、特筆性があっても、それがウィキペディアの項目にすでに書かれているとは限らない。今現在は特筆性がないように思えるものも、この先の未来によってはウィキペディアの項目となる潜在的な価値を持っている可能性もある。

そのため、今あるウィキペディア項目に信頼に足る出典が明示されていないことが、すなわち特筆性がないと即座に断定されるものではないが、新しく項目を作成するときは、できるかぎり初期の段階から、その題材の特筆性を明記し、出典を付けておくことが望まれる。

誠実に探しても、その題材の特筆性を証明する出典を見つけることができなかった場合、ウィキペディア・コミュニティは、この百科事典全体の質を維持するため、先のノートなどで協議を提案し、問題があるとみなされれば項目そのものを削除することがある。

時折、項目を消された立項者がこれに憤慨して、SNSなどでウィキペディアそのものや削除したウィキペディアンに対して批判を始めることがあるが、ウィキペディアの項目が削除される場合、その判断の責任を誰かひとりが負うことはない。削除を提案されたすべての項目は、あらかじめ定められているコミュニティの方針に基づいて議論され、多数のユーザーによって「存続」か「削除」かが判定される。実際に削除の手続きをする「削除者」あるいは「管理者」は、このコミュニティの決定に基づいてボタンを押すだけである。削除された項目の履歴だけ見れば、そのウィキペディアンの名前があるので誤解されがちだが、批判は筋違いである。抗議したいのであれば〈Wikipedia：井戸端〉などでコミュニティ全体に対して問題提起をしてほしい。そうすれば誰かが、あなたが望む項目存続のための適切な方法を記したガイドページへのリンクを教えてくれるだろう。

それでは、実際に項目が削除されるのが妥当なケースには、どのようなものがあるのだろう。〈Wikipedia：削除の方針〉では、削除すべき項目を次のように規定している。

B　法的問題がある場合（著作権やプライバシーに関して）
C　ページ移動の障害になる場合
D　ページ名に問題がある場合
E　百科事典的でない記事

F　投稿者本人から依頼がある場合

G　他言語・翻訳についての問題がある場合（翻訳・日本語に問題のある記事や、機械翻訳の濫用が疑われる記事など）

Z　その他の問題がある場合

特に、プライバシーなど権利侵害が生じている場合は、審議を省略して緊急削除の対象となる。このほかにも即時削除の対象になるケースがあり、「内容が全く意味を持たないページ（意味不明な書き込み）」「投稿テストと思われるもの」「荒らしに分類される投稿」「宣伝・広告が目的であるページ」「ウィキペディア（他言語版を含む）内ページのコピー＆ペーストによって作成され（略）ペースト後に意味のある加筆が行われていないもの」などが対象だ。

あるウィキペディアタウンでは、イベント参加者へのガイダンスの都合から主催者が前日のうちに項目名だけの記事を作っておいたところ、当日にはすでにページが削除されていて困惑していたことがあった。一度削除された項目は、次にその項目を立項しようとしたときに警告が出るため、「もうこの項目は作ることができない?!」と誤解し、真っ青になったという。

また、あるウィキペディアタウンでは、初めて編集する参加者が確認のため、複数人で立項作業中の記事に「とりあえずテスト」と書いて投稿したことにより、その項目自体が数分後に削除されてしまい、編集会場がちょっとしたパニックになってしまったこともあった。幸い、その編集班にはコミュニティ事情に通じたウィキペディアンも参加していたため、誤解である旨を「要約欄」に記載してあらためて立項し、イベントとしてはことなきを得たが、作成中の項目がわけもわからず削除の憂き目にあうのは心臓に悪いので、イベントの主催側は気をつけておきたい。

自分の作りたい項目がウィキペディアに作成していいものなのかどうか迷ったときは、〈削除の方針〉同様、すべての編集者が従うべきと考えられているウィキペディア日本語版の方針〈Wikipedia:ウィキペディアは何ではないか〉を一読するのをおすすめする。

10 「亡び村」から「消えない村」へ——消えた集落の記憶を記録する

町をめぐる様々な物事についてインターネット百科事典ウィキペディアの充実とその活用をはかる取り組み、ウィキペディアタウン。「タウン」という言葉からあなたがイメージするのはどんなものだろうか。一般的には○○市○○町といった住所が示す地名だろう。ウィキペディア日本語版の「プロジェクト：日本の町・字」でも、地区項目の記事名はこれら行政地名を基準とすることを推奨している。

しかし、この定義が通用しない町がある。京丹後市網野町尾坂《おさか》がそのひとつだ。尾坂は、網野町北東部の山裾《やますそ》に、1964年まで存在した集落である。当時、ここに暮らしていた7世帯45人が先祖代々の土地を離れることになった直接的なきっかけは、1959年秋の伊勢湾台風だった。東海地方で特に猛威をふるったこの台風は、列島を縦断する過程で丹後半島にも甚大な爪痕を残し、尾坂集落の生活基盤だった道路を激しく損壊した。山深い里を孤立させた自然の恐ろしさを目の当たりにした尾坂の人々は、1年以上の協議の末に、全住民がそれぞれ安住の地を求め転出していった。

悲しく重い出来事ではあるが、このような話は珍しくない。丹後半島では特に1963年の三八豪雪や高度経済成長が引き金となり、安全で便利な暮らしを求めて住民が次々と山を下りた。これまでに丹後半島から消えた集落は、個人の調査で判明しているだけでも74を数えるという(梅本政幸著『丹後の国』)。しかし、尾坂の人々は、土地は棄てても集落の歴史や文化を継承することは諦めなかった。

離村後、散り散りになった人々は、新天地での慣れない暮らしのなかで尾坂維持会を結成し、年に一度はかつての故郷に集い、草刈りや水路の補修など土地の維持管理を続けた。そうした活動や元住民たちの動向、さらには市長選の行方や震災、オリンピックなど、国内外の世情も書きとめた尾坂の「記録簿」は1941年に書きはじめられたというが、離村後も1年ごとに交代する4人の維持会長によって書き継がれ、すでに半世紀以上となる。

「記録簿があることで、廃村後も歴史的継続性が保たれている」と小山元孝さんら研究者も高く評価する、この尾坂というコミュニティの有り様は、「〝まち〟という形を失っても、〝まち〟は消えない」という、日本全国に山とある限界集落が夢見るひとつの希望の形だ。

2004年、6町が合併して京丹後市となったとき、尾坂のようにすでに住民がいない集落は数多くあった。それらは「京丹後市網野町尾坂」のように、旧町名を冠した名前で新市に引き継がれた。そのうちのいくつかでは、尾坂のように移住した先はバラバラであっても、かつてそこに生きた人々やその子孫がコミュニティとしてのつながりを求め、先祖伝来の文化や歴史を次の世代へとつないできた。そうしたコミュニティを、かつての名で呼び表さないとするなら、ほかになんと呼ぶべきだろうか。

人が去った土地が自然に還るのは早く、その多くが山深い土地にある丹後半島の廃村は、半世紀も待たずに形を失い、今日すでにそこに村があったと意識して探さなければ、わずかに残る石垣や墓石すら見つけることは難しい。けれど人々の記憶は、文献やウィキペディアを通してであっても、それを語り伝えようとする人がいるかぎり続いていく。

「亡び村」の廃小学校

2021年秋、プレイベントから数えて4回目のウィキペディアタウン宇川当日。秋晴れの日差しが心地よかったこの日、私は京丹後市丹後町鞍内《くらうち》の「集落の入り口」という、番地すらない集合場所を目指して車を走らせていた。

入り口って……どこ?! イベント開始時間に参加者全員が集まれるのだろうかと不安を覚えながら、丹後半島では唯一、「関西百名山」に選ばれた・依遅ヶ尾《いちお》山の山麓を流れる宇川の支流を遡るように比較的広い1本道を進んでいくと、だいたいこの辺とカーナビが指すあたりに、少し路肩が広がった場所があった。ここかな? と車を停めて降りてみる。すると、時をおかず、見慣れたOさんの軽トラックが同じ道を走ってきて近くに停まった。

どうやら、ここでよかったらしい。

軽トラから降りてきたOさんと挨拶をかわすと、ほかの参加者の到着を待つあいだ、話題はおのずと目の前に広がる鞍内集落や依遅ヶ尾山の話になった。

「あの山のてっぺんあたりにも集落があったんやで。江戸時代の終わり頃までだったかな……離村の時に移した社が、麓《ふもと》のほうに残っとる。依遅神社いうてな」

「もとの集落の場所は、わかりますか？」

「それはちょっとわからんなあ。移った先もその神社が残っとるからわかるようなもので、そっちももう廃村になってしまったしな」

うーんとうなりながら尾根を眺めつつ、Oさんは「たぶん」と前置きして、依遅ヶ尾山の滑り台のような特徴的な山頂を指さした。

「あの山頂から、ちょっと右下あたりのなだらかなところにあったんやないかな。そんな気がするけど何も残っとらんから、わからんわ。前回、宇川アユ研究会の瀬川さんが話しとったゼネコンの風車は、この鞍内から山の上まででかい資材を運ぶためだけの道路を作って、依遅ヶ尾山系の尾根沿いに何十本も風車を建てようという計画なんや。環境への影響がないなんてことはありえんやろ」

嘆かわしいと空を見上げたOさんにつられて、私も天を仰ぐような恰好になった。

「大きく山を削るとなると、仮に集落の名残りを示すような石垣がどこかに残っていたとしても、わからなくなっちゃいますね」

そんな話をしているうちに、次々と参加者たちの車も到着した。皆、降りてくるなり挨拶もそこそこに、「集落の入り口ってどこ……?! って不安だったんですけど、合流できてよかった!」と、すでにひと仕事終えたような感想を漏らしている。考えることは皆、一緒らしい。場所を指定したOさんだけが、ひとりきょとんと「わかりやすいやろ?」という顔をしていた。

参加者が揃ったあとは、いつもどおり主催者のOさんから今日のスケジュールを説明してもらい、町歩きに出発する。山間部の廃村をテーマとしたこのウィキペディアタウンでは、目的地までの道が朽ちかけているようなところもある。私たちは3台の軽乗用車や軽トラに便乗して、まばらな紅葉が美しい廃墟の村々や、村とともにその歴史を閉じた小学校を訪ねることになった。

この日の参加者は、私たちエディット丹後のメンバーと離村・廃村集落出身の人々、総勢10名ほどである。それまでと異なり、学生の参加はなかった。京都市内から来るだけでも片道数時間、大学との日程調整が時期的に難しいという事情もあったが、若い世代へのアウトリーチと地区の記録を確実に残すこと、どちらかを優先するなら後者だと、宇川に関しては皆が思いはじめていたことも大きい。

「学生にはウィキペディアを書こうと思うたら書ける、ちゅうことはわかってもらえたやろうし。廃村や宇川の学校のことはきちんと書くことが大事やさかい、記事を書ける人に来てもらえる日程でやろう」

いつもおおらかで各所との調整役を担ってくれていたOさんも、秋回の日程をどうするかと確認したこの時ばかりは迷いなく即答された。

プレイベントを含め全5回で開催した「ウィキペディアタウン宇川」の方向性が、この中盤にきて、よりはっきりと「地域の記録を残す」アーカイブ活動の方向へと向いたことには理由がある。噂はかねてよりあったが、京丹後市立宇川小学校が統廃合の対象になったとはっきり報道されたことが、Oさんをはじめ宇川の人々の心に多大な衝撃を与えていたのだった。

宇川の教育の歴史をウィキペディアに書き残し、多くの人に――のちの世の人々にも伝えたい。そのためにまず選ばれた題材は、この鞍内集落とすでに廃村となった4つの集落の子どもたちが通った〈丹後町立虎杖《いたどり》小学校〉である。

『枕草子』から名づけられたこの雅《みやび》な校名の廃校は、標高100メートルほどの山間部にあった。「空鳥うたら我が宇川」と校歌にあるとおり、宇川の流域にあり、背後には緑豊かな山林が広がる。

校区のひとつ丹後町乗田原《のたがはら》は標高300メートルのところにあったため、雪深い季節になると児童は父親が手作りしたスキー板で山肌を滑り降りて通学したという。その児童の家まで遠足に出かけて、集落の分布から標高差による離村傾向を分析したり、野山で児童が摘んだ春の山菜を市場に並べて商業を学んだり、目の前の宇川を泳ぐアユを学校の池で飼育し照度を調節しながら正月料理に使える時期まで延命させたりと、今でいうフィールドワークを中心とした教科横断型の探究学習を本格的に実践していたこの小学校の子どもたちの様子は、同校の教師であった詩人・池井保の著書『亡び村の子らと生きて――丹後半島のへき地教育の記録』（あゆみ出版）に、まるで昨日の出来事のようにいきいきと綴られている。

「まがりくねった峠道を／いっぱい荷を積みトラックが三台ゆっくりおりて行く／曲がり角で鳴らす警笛が山に木霊《こだま》し／また亡びがはじまる」――そんな言葉で始まるこの本は、高度経済成長のなかで次々と校区から消えていった村々の悲鳴の記録でもある。本書の解説者はこれを「日本地図に茶色くぬられた地域が、高度経済成長のいけにえにされたときの、たたかいの記録」と評した（渋谷忠男「あとがき」）。池井は、児童の暮らす村の住民が土地を離れてもコミュニティの形を失うことのないよう、ともに行政と交渉して全国でも稀な好条件での集団移住（挙家《きょか》離村）を実現するなど、地域社会と学校の協働に尽力した気骨ある教師でもあった。

しかし、亡びは避けられないものとしてやってくる。

1872（明治5）年に第3大学区第9中学竹野郡鞍内校として創立され、5つの村の児童が通った虎杖小学校は、戦後には4村が相次いで離村し、1975年以後は鞍内の児童だけが通う小学校となった。そして、1991年3月をもってついに閉校し、丹後町立宇川小学校に統合されたのだ。

その宇川小学校も、遠くない未来には終焉の時を迎えるだろう。丹後半島の北東部、総面積約65平方キロの地域から学校が消える。

虎杖小学校の跡地はその後、校庭にキャンプ場が整備されるなど、観光地化がはかられたこともあったが、それもやがて途絶えたという。少し手を入れれば、まだ十分使うことができそうな佇まいの廃校舎は、通常立ち入り禁止なのだが、ウィキペディアタウン宇川では、許可を得て入った。校舎2階の教室の黒板にはつい1か月以内くらいにも誰かが書き残したらしい「虎杖、来たよ♡」といったメッセージが複数あった。

卒業生か廃校めぐりの観光客か、はたまた、この頃、世間で空前のブレイク中だった漫画の主人公の名前がたまたま「虎杖」だったことによるファンの聖地巡礼か。そこだけ見ると微笑ましいが、不法侵入にあたるので真似はしないほうがいい。

そして、いかなる理由であれこの山奥の廃小学校まで足を運ぶのなら、ぜひこの僻地の小学校の輝ける日々を記録した『亡び村の子らと生きて』にも目を通してもらいたい。きっとその目に映る景色が、より輝きを増すことだろう。

学校と地域の深い連携

池井保が虎杖小学校に勤務したのは、期間としてはそう長くなく、1967年からの5年間だけだった。私たちは当時、池井先生から直接学んだ教え子の男性にお話をうかがうことができた。

山菜を摘んで市場に売りに出したが、不揃いで見栄えが悪かったので全然売れず、悔しい思いをしながら市場経済を学んだ話。足を骨折した児童を見舞った感想を聞かれて「痛そうだった」「かわいそうだった」と答えたら、何を見てきたのかと叱られ、「あいつはどうやってトイレをしとるのか、気にならんかったか?」と、あらゆる物事を観察し、暮らしに結びつけて考えることを教えられた話。

小学生にずいぶんと無茶を言うなあと思ったが、すでに老齢の元教え子が語る虎杖小学校と池井先生のエピソードは、亡びに向かう故郷の現実にいかに立ち向かうか、思考停止することなく生きることを教える、いつの時代にも切に求められる指導であったようにも思う。

ウィキペディアタウン宇川では最終回となる次回も合わせ、この〈丹後町立虎杖小学校〉と〈池井保〉〈丹後町の離村・廃村〉のほか、〈京丹後市立宇川小学校〉と〈京丹後市立宇川中学校〉もウィキペディアに新規立項することになった。

「学校」という題材は、地区記事と同様に、ウィキペディアのなかでは地味で軽視されやすい。だが、その地域のおおよそすべての人にゆかりがある題材が重要でないはずがない。

特に小学校の変遷は、地域の若年人口の変動と密接に関係している。地域経済史などを研究する人にとっては、開校年や閉校年といった情報から分析できる小学校の増減も、貴重な情報になるだろう。もちろん、そうした情報が網羅されていなければ、ウィキペディアが研究に役立つと断言できるものではないが、なんらかのヒントにはなるはずだ。

また、市町村立である小中学校と地域の連携は、少なくともここ丹後半島では他地域の者が想像するよりもずっと深い。虎杖小学校で、通常、秋に産卵すると死んでしまうアユを越冬させて出荷時期をずらすことで付加価値をつけ、地元漁業の振興につなげられないかという学習がなされたように、宇川中学校では一時期、杜氏を養成するための醸造部という部活動があったりした。

学校史のなかにも、土地の文化や産業、人々の営みが息づいている。

「消えない村」を目指す人々

鞍内を訪れる数日前、ひょんなことから私はこの宇川で始まり、宇川杜氏とも呼ばれた丹後地方の酒造り集団〈丹後杜氏〉をウィキペディアに立項していた。ウィキペディアタウン宇川での立項も考えたが、分量的にイベントで扱うには規模が大きく、しかし書いておきたい題材だったのだ。

かつて、雪に閉ざされた丹後の冬の数か月に稼ぎを求め、宇川地域をはじめ丹後半島の一帯から、男衆が伏見などの酒蔵へと出稼ぎに出かけたことは先にも書いた。丹後杜氏と呼ばれた彼らは、一時は伏見の酒造業界を牛耳ったとまで評され、京都市内にはその功績を今も称える酒造会社がある。

それがいつ頃から始まったのか、丹後地方のどの地域まで及んでいたのか、正確な記録が残されているとはいえない。しかし、江戸時代以前の各地に伝わる昔ばなしに、酒蔵に出稼ぎに出た力自慢のエピソードがぽつぽつと残されているので、丹後地域にとって酒造りは人々の暮らしに根差した生業であったことは間違いない。高度経済成長期以前の丹後の女性の仕事を代表するものが丹後ちりめんの女工であるなら、男性を代表するものは丹後杜氏だった。

その丹後杜氏組合も後継者不足のために2005年に解散した。

亡びは今も私たちの身近にある。

廃村をテーマとしたこのウィキペディアタウンには、その丹後杜氏の発祥の地に石碑を建てることで、そこに生きた杜氏たちの記録を残そうと志す研究者・林保之さんも参加していた。林さんとの出会いと彼が長い時間をかけて収集してこられた、丹後杜氏の古い記録のおかげで、のちにこのウィキペディア項目も、私が書いた初稿よりうんと充実した内容に成長させることができた。

それまではまったく縁がなかった土地でも、人々の話を聞き、文献を調べ、そこで育まれた歴史や文化を知れば知るほどに愛着が生まれる。知ることで生まれる想いは、先住者も移住者も私たちのような一時の縁であっても、そんなに変わりはしないのだろうと思う。私にできるのはウィキペディアに書くことくらいだけれど、どんな方法であっても、この土地の人々の営みや素晴らしさを、誰かに伝え残したいという志は同じだ。

インタウン・アカデミシャンを自称する小山元孝さんが、2015年に発表した編著書に『消えない村――京丹後の離村集落とその後』がある。京丹後市内の6つの離村集落の元住民に、無居住化に至った経緯やその後について聞き取り調査を行った報告書だ。冊子はすでに絶版だが、国立国会図書館などに納められているほか、ウェブ上でも読むことができ、このウェブ版は2022年までに1000ダウンロードを記録したという。どんな人がこのタイトルに惹かれ、読んだのだろうか。

今の日本が人口減少社会であることは誰もが知りつつも、実際に離村や廃村といった現実に直面する人は少なく、他人事のように思われがちだ。だが、気がつけばその足音はすぐうしろまで近づいてきている。それに気づいたとき、押し寄せる時代の波に流されすべて諦めてしまうとそこは「亡び村」でしかなくなり、抗えば「消えない村」となるのだろう。

「消えない村」——このワードをYouTubeで検索すると、丹後半島の廃村探訪動画が何本もヒットする。京都以外の地域、全国各地の廃村や、遠からず廃村となるかもしれない限界集落を紹介した動画もある。多くは、その土地の人ではない人々による発信のように思われる。長年その地域で暮らしてきた人が知るそこは、地元の人々にとっては、なんら特筆するような場所ではないかもしれない。しかし、地方の中高生が漫然と都会に憧れることがあるように、あるいは農村漁村の暮らしが都会の人には豊かに見えることがあるように、たまにしか見ない、触れないからこそ、私たちはそのありふれた何かにも「素晴らしい」と感動することができるのかもしれない。

今はまだそんなふうに注目する人もいないまま、限界を迎えつつある多くの集落も日本各地にある。人の記憶はやがて失われる。紙に記録を残しても、人々の記憶から完全に失われてしまえば、それを探す人はいなくなり、やがてはその記録がどこにあるかも、そのような記録があったことさえも、誰も気づかないままに過去の遺物となってしまうだろう。

けれど、その町の記録が、アクセスしやすいインターネットのなかに、五感に訴える映像や、ウィキペディアのように現代の様々な物事にリンクされる形で記録されることで、誰かがどこかでそれを知り、眠る記録がひもとかれ、町の歴史や文化があらためて人々に受け継がれていく可能性がある。

人々の記憶と町の記録をつなぎ、伝える、ウィキペディアタウン。失われた町の記録を永遠に残す——たとえ小さな取り組みであっても、ゼロではない以上、行動することには意義がある。そう信じて今日もパソコンを開く。

２０２１年を通してのウィキペディアタウン宇川について、主催したOさんは地域にとって意義深い企画であったと評価し、次のような言葉で報告書を結んでいる。

今後、地域コミュニティによる持続可能な取り組みとして、地域の魅力や文化財に関する情報や多様な分野とつながった調査結果が、発信でき共有できるよう、Wikipediaを活用したワークショップが、行政・地域・文化団体が協力・連携して展開できる事業として創出されることを願っています。（元宇川スマート定住促進協議会代表・上宇川連合区長・小倉 伸）

column
10

「消えない村」づくりに挑む人々

ありふれた町の営みを後世に伝え残すことができる手段としてのウィキペディアタウン。ウィキペディアのその側面に気づいた人は、丹後地方の私たちだけではない。現在、かつては「亡び村」と呼ばれただろう離村・廃村集落や、間もなくその時を迎えようとしている限界集落の「消えない村」への転生を目指して、全国各地で様々な人が地域の情報をインターネット上に残そうと試みている。そのひとりに、新潟に拠点を置き、全国の限界集落の記録を続けるウィキペディアン、スティーブ・ミズキ（アカウント名）さんがいる。

東京出身のスティーブさんは、仕事で赴任した限界集落での暮らしのなかで「地域おこしは現実的でない」と実感し、記録を残す方向へと舵《かじ》を切った。2021年、縁のあった新潟県小千谷《おぢや》市真人町《まっとちょう》の集落〈若栃《わかとち》〉をウィキペディアに立項したところ、地域の人々がとても喜んでくれたことが嬉しく、その活動を全国に広げるようになったという。人口統計を参考に、今、記録しなければ遠からず消滅しそうな世帯数の地区を各都道府県から数か所選び、地元の小千谷市立図書館を介して現地の図書館から郷土資料を取り寄せては、その土地を紹介する記事を書かれている。彼が2022年11月までに執筆した地区記事の項目数は、新潟・群馬・栃木・茨城・福島・山形・宮城・岩手・秋田の9県44集落に及び、さらに執筆後は毎回、現地に赴いてフィールドワークを行い、その様子をYouTubeやnoteでも紹介されてきた。

現在では、そうした各集落の歴史や文化などのテキストに加え、写真や映像、音声データなどを、「集落データベース（fromvillage.org/）」としてまとめ、公開されている。

スティーブさんがウィキペディアに初めて立項した

〈若栃〉は、「地理」「歴史」「教育」「文化・暮らし」「産業」「交通」といった必須の項目に加え、「伝説・言い伝え」や「地域おこし」といったその地の様々な側面にも目を向け、理解しやすい文章と豊富な写真で詳細に解説している。人口100人にも満たない小規模集落でこれだけの情報量と魅力ある地区記事を執筆できるのも素晴らしいが、全国をフィールドとしていることがまたすごい。

「極端な話」と前置きしつつ、スティーブさんは語る。

「すべての地域の歴史が1か所にまとまったら、下位概念からみた新しい日本史ができるんだろうなと思っています」

全国に先駆けて廃村化が進んだ地域のひとつに数えられる私たちの地元・丹後地方では、すでに失われて久しく文献もほとんどないため、ウィキペディアに項目を作成することは難しい集落もある。しかし、そうしたなかでも集落のわずかな痕跡をたどり、動画によって記録し、YouTubeに公開しようと試みる人々もいる。例えば、「廃村探訪（nacre tango）」や「丹後の廃村めぐり（おっさんのソトアソビ）」といったシリーズだ。いずれも、私たちエディット丹後とは無関係のユーチューバーによるものである。きっとそんなふうに地域を思い、その記録を残そうと活動している人は、気づいていないだけでほかにも大勢いらっしゃることだろう。

2016年に東京大学の博士課程教育リーディングプログラムのワークショップ「過疎地における『消えない村』の作り方」に、講師のひとりとして登壇した小山元孝さんによれば、京丹後地域を例とした講演のあと、学生たちのディスカッションは、ソーシャルICT（情報通信技術）をこうした集落でどう活かすかという観点から進められたという。

「人里離れたお堂から仏像が盗まれるということが発生している」→「センサーをつけられないか」→「電気が来ていないところが多い」→「それなら泥棒の歩く振動

で発電させ、センサーを動かしては」

そんなことがほんとうにできるのか？　というようなことも含め、様々なアイデアが飛び出し、活発な議論が展開されたとか。実現するには、コストや運用面など様々な問題があるとはいえ、小山さんは「未来を担う学生たちに地域の現実や『丹後』というキーワードが少しでも残ってくれたら、私の拙《つたな》い講義も少しは役立ったことになるだろう」と感慨深く述べていた。

「消えない村」は実現するのか。それは誰にもわからない。けれど、どこかで誰かがその試みを続けているかぎり、可能性があるということはできる。そんなどこかの誰かの試みの記録が残されているかぎり、例えば5年後、あるいは100年後であっても、それがまた別の誰かの試みの原動力となるかもしれない。

ウィキペディアタウン宇川で住民が集団離村した三山を歩く（2021年）

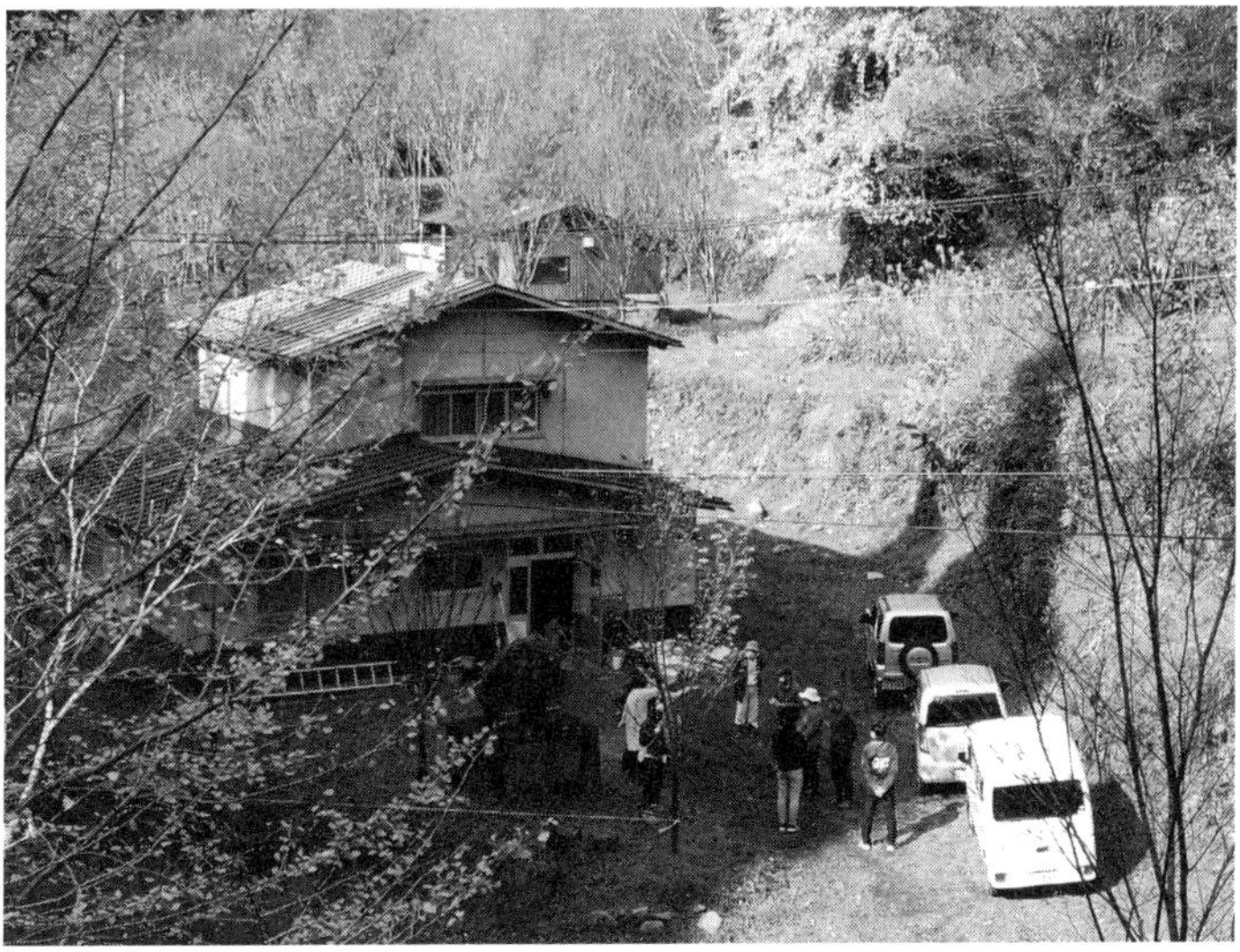

第3部

イベントから日常へ

ウィキペディアタウンの課題と可能性

11 誰もが町づくりの当事者へ——見本市と情報の整備

2023年1月、デジタル庁は地方公共団体に向けて、外部と協働してオープンデータを利活用することを目的とした市民協同型ワークショップの事例集「オープンデータ研修テキストワークショップカタログ集」を公開した。筆頭に挙げられたのは、「ウィキペディアタウン」である。10年前、有志によりスタートしたこの取り組みは、いまや国が後押しするものとなったのだ。

それに先立つ2022年秋、文化庁の委託で、メディア芸術のアーカイブの利活用に向けたパイロットモデルのひとつとして、熊本でウィキペディアタウンが実施された。市民や学生、研究者ら十数名により、地元の名所や、地域に伝わる妖怪の項目が作成され、実施後の分析調査ではいくつかの課題——参加者間の知識のすり合わせや、作業内容の絞りこみ、書きこむ内容の精査など——も挙げられたが、総じて「参加者が、地域の当事者意識を抱けたことが効果的」、「まち作りのためのワークショップと意義や手法において共通する部分もあった」など、ウィキペディアタウンそのものが、市民の主体的な活動の可能性を拓くという点で、高く評価された（メディア芸術コンソーシアムJV「令和4年度メディア芸術連携基盤等整備推進事業実施報告書」）。

既存の社会構造を個人の力で変えることは容易ではない。しかし、ウィキペディア編集は、誰もが取り組め、それが一瞬のうちに「世界中に低いハードルで発信される」。この情報社会では、たったひとりの編集活動が大きな影響力を発揮するケースも少なくない。一度それを経験すると、一般人にすぎない自分でも何かを変えられるのではないかと、社会に対して当事者意識が芽生え、ウィキペディア以外の様々な場での行動につながる意欲が生まれたりもする。

ひとりから始まる――「よさのWikipediaプロジェクト」

Ｋａｙと書いて、「ケイ」。本名のなかの一字「圭」と、「空気が読めない（ＫＹ）」とを掛け合わせたニックネームを名乗る青年と私が出会ったのは、２０１８年の終わり頃だった。

当時、京丹後市の隣町・与謝野町を拠点に発達障がい者などマイノリティの居場所づくりに奔走していた青年は、その一途な性格から多くの理解者に恵まれていた一方で、ともに活動を続けられる仲間にはなかなか出会えずにいた。地方での暮らしやコミュニティのあり方など、世間の様々な物事に批判を恐れず発言することを常としていた彼は読書家で、文章を書くことももともと好きだったという。２０１９年春、エディット丹後の編集イベントに参加すると、ケイ君はたちまちのうちに「何かを文献で調べて、情報を整理し、ウィキペディアに書く」一連の作業に馴染んでいった。同時に「なんで京丹後市ばかりでウィキペディアタウンをやってるんですか。丹後って、京丹後市だけじゃないでしょう！」と、地元愛あふれる意見を私にぶつけてきた。

「丹後」と一般に呼ばれる地域は、広域では京丹後市・与謝野町・伊根町・宮津市あたりを指し、少し歴史を遡れば舞鶴市や福知山市大江町のあたりも含まれる。

「そりゃ、与謝野町でもやれたらいいだろうけど、今のところ伝手《つて》がないんだよね」

そういう私自身も住んでいるのは与謝野町なのだが、地元といっても寝に帰るだけの生活では縁はできないものだ。

「地元の人がやりたいと思ってくれないと、ひとりでは時間も労力も限られているから、まず自分の書きたい記事とか協力者がいてイベントを開催しやすい地域を優先するのは当然でしょう？」

「与謝野町民は、ウィキペディアタウンに興味なしですか。与謝野町だって丹後ちりめん発祥の地で、ちりめん街道には日本遺産（丹後ちりめん回廊）に含まれるものがいろいろあるし、加悦鉄道にも文化財指定されているものがたくさんあるのに」

「興味のあるなし以前に、ほとんどの人はまだウィキペディアタウンなんて知らないと思うし、〝知っている人〟と〝やりたい人〟と〝やれる私たち〟がつながっていない。ケイ君、つないでよ。町民でしょ」

「えぇ?! 無理ですよ、そんな知り合いいないですよ」

「私もいない。京丹後市にはいる。だから京丹後市でやってる。以上」

「はい……」

その時の私は手いっぱいで、曖昧に答えて期待させてもよくないだろうからとビシッと断ったら、青年は目に見えてしょげてしまった。

「もしケイ君がほんとうに与謝野町でやりたい！　ってときには、京丹後市の事例を伝えて与謝野町立図書館に口添えしたり、ウィキペディアンのサポートを募ったりは、私もできるからさ。気軽に相談してよ」

不親切だと思われるだろうが、私の手は2本しかないから、どこかで線引きは必要だ。そのまま縁が切れてしまう可能性もちらと脳裏をよぎったが、ケイ君は私が思っていたよりずっと真面目な青年だった。彼は与謝野町立図書館に直談判して「よさのWikipediaプロジェクト」の名義で貸出カードを作成すると、市民参加型イベントへの協力という特例で、通常は館外貸し出しをしていない郷土資料を借りることに成功。重要伝統的建造物群保存地区に指定されているちりめん街道にほど近い加悦鉄道資料館にも掛け合い、編集会場の無償提供もとりつけてきた。

たとえひとりでも、お金がなくても、まずは自らが動く。期待が叶わず落ちこむ日もあるというケイ君だが、彼はその類い稀な行動力で、私に諦めないことの大切さを教えてくれた。

ちりめん街道でのウィキペディアタウンは、２０１９年9月から12月にかけて4か月連続で開催された。初回に町歩きと資料の下見、2回目に講師を招いてマッピングパーティで地図（ＯＳＭ）を描き、３・4回目でウィキペディアに〈ちりめん街道〉と街道にある旧家や神社、そして会場となった〈加悦鉄道資料館〉の項目を新規作成した。この4記事はいずれもウィキペディアのメインページの「新しい記事」に掲載される質の高い内容となった。

伝手もほとんどないなかでのプロジェクトは、町民が多く参加する華々しい企画とはならなかったが、図書館や資料館の協力のほかにも、町歩き中に出会った地元住民が進んでガイドを買って出てくれたりと、人々のあたたかさに触れる機会ともなった。そしてこのイベント後も、〈ちりめん街道〉とその関連項目は、ケイ君らウィキペディアンによって継続的に加筆修正され、常に正確な情報が世に公開されている。

「村外村民」で輝く村

ちりめん街道でのウィキペディアタウンから2年後。ケイ君の新たなプロジェクトは、与謝野町から大江山を越えて、反対側の山麓の村で産声をあげようとしていた。

福知山市大江町毛原《けはら》。住民の大半が70歳以上という超高齢化の12世帯25人（2022年）が、大小の棚田600枚を守りながら暮らす集落である。

過疎の村・毛原だが、住民たちはこの先も1000年続く里づくりを目標に掲げ、「毛原の棚田ワンダービレッジプロジェクト」を組織し、移住者を増やそうとしてきた。しかし、集落のキャパシティを考えても、移住できる人間は限られる。そこで、毛原では、都市部に住みつつも週末などに毛原に帰ってくる「村外村民」をまずは増やそうと、地域通貨や棚田オーナー制度の導入など、様々な取り組みを行ってきた。ねらいは当たり、いまやそうした活動に惹かれた全国の毛原ファンが村の広報を担当し、田植えや稲刈りには親子で集う。村の会議はＺｏｏｍによるオンラインで、興味があれば誰でも参加できるというおおらかさ。月に１度のコミュニティ・カフェ「縁側喫茶」に京阪神から遠路はるばる足を運ぶ人も少なくない。

いつの間にか、そんな毛原ファンのひとりになっていたケイ君のお誘いを受け、私が初めて毛原に足を踏み入れたのは、２０２１年12月。その年最後の縁側喫茶の日だった。迎えてくれたプロジェクト代表のＭさんは、会社員暮らしを経て生まれ故郷にＵターンしたという64歳。「地区で３番目くらいの若造です」と朗らかに自己紹介された。

「ケイさんから話を聞いて、これはいいなと思いました。うちの地区は年寄りばっかりやさかい、パソコンやスマホに慣れてない人も多いけど、動画を撮ってＹｏｕＴｕｂｅに上げたりとか、研修は皆でやってるんです。この地区が続いていくためには、外から人に来てもらわんといかん。そのためにはまず毛原を知ってもらわないと。移住を考えている人はインターネットで情報集めをするでしょう。そこでウィキペディア

よさのWikipediaプロジェクトで通りすがりにガイドをしてくれた町の人。丹後の「丹」が建具にデザインされた家の前で（2019年）

みたいな有名なサイトに〈毛原〉の項目があれば、関心を持つ人が増えるやろう、って」

縁側喫茶を手伝っていた、地元の70代の男性も「うん、うん」と横で頷いた。

「これまで、今の毛原を発信してきた。でも、毛原の歴史は、地元住民もそれほど知らない。ウィキペディアに載せてもらって、私らにも簡単にわかるようになれば嬉しいな」

雪に阻《はば》まれることもある冬の終わりを待ち、翌2022年。6月から10月にかけて「毛原ウィキペディア勉強会」の開催が決まった。

その年初めての縁側喫茶でウィキペディア編集をしようと決まりはしたものの、この日はサポート要員で具体的な計画は何も聞かされていなかった私は、果たして参加者は何人いるのかといささか不安を覚えながら毛原を訪ねた。すると会場の古民家の前には10〜15名もの人が集まっていた。

会場のキャパいっぱいに人がいる！　しかも、みんな若い！　集まった人の半数以上が、平均年齢70代の村にはいないはずの大学生世代に見える。住民やエディット丹後から参加するメンバーも入れれば、20人以上になるだろうか。本格的なウィキペディアタウンの人数だ。

「ちょっと、ケイ君！　この人たち、どこから来たの？　すごいじゃない！」

「福知山公立大学のゼミ生みたいです。毛原の地域おこしに情報学部のゼミが関係していて、毛原の地域通貨もそのプロジェクトから生まれたんですよ」

「この人たち、全員が参加するの？」

「どうなんでしょう。Mさんから誘ってみるとは聞いていましたが。でも、みんなパソコンは持ってきていないように見えるんですよね……」と、首をかしげるケイ君。

しかし、参加者の心配をしている余裕は私たちにはなかった。地元側の参加者はせいぜい数人、ウィキペディアンたちとマンツーマンでなんとかなるだろうと甘くみていたが、これは講習からきちんと組み立てないと、教える手が足りなくなる。「さて、どうしましょうか」と、同じく遠路サポートに来てくれたウィキペディアンのMiya.mさんやケイ君と相談しようとした矢先――

「お〜い、今からウィキペディアに〈毛原〉を書こうっていう勉強会をするんだが、君ら、ちょっと参加せえへん？」と、エプロン姿のMさんが縁側でくつろぐ学生たちに声をかけるのが聞こえた。

えっ……今？　ここで参加者募集?!　驚いて顎《あご》がはずれそうになった私の隣で、ケイ君も「いや、びっくりですね。声をかけてみるとは聞いてたけど、まさか今とは」と、やや動揺している様子。

学生たちも目をぱちくりさせつつ、しかし以前からともに活動していた縁は大きいようだ。全員が素直に座敷にあがり、ウィキペディアやウィキペディアタウン、文献についてなど座学を受けて、この日はひとまず集落を歩いてスマホで撮影した写真をウィキメディア・コモンズにアップロードし、関連するウィキペディア記事に挿入しようということになった。

あとで聞いた話によれば、ゼミ生たちはこの日の午前中、レクリエーションで近くの川で魚釣りをしていて、その帰り、教授のすすめでたまたま縁側喫茶に立ち寄っただけであったという。いいのか、それで。イマドキの大学生がせっかくの休日に?!　と、私の心はクエッションマークでいっぱいになったが、幸い学生たちはそれなりに楽しそうに夕方の成果発表まで取り組みに参加してくれた。

残り3回の毛原ウィキペディア勉強会では、地区記事〈毛原〉や地区のシンボル〈毛原の棚田〉のほか、棚田に恵みをもたらす河川や、氏神の神社、地区の全盛期を支えた〈河守《こうもり》鉱山〉など、毛原の歴史や文化を語るうえで欠かせない題材を、順次立項していった。ほぼケイ君とウィキペディアンたち、地区の関係者による編集であり、大学生の参加は初回のみだったが、ウィキペディアタウンの意義深さを大学が察するにはこの1回で十分だったようで、後期授業が始まった同年の秋から冬にかけて、毛原のウィキペディア勉強会に偶然参加した教授の担当する講座で、ウィキペディアタウンが開催された。59名の学生を対象としたこの講座では、12班に分かれて福知山市に関わるウィキペディアの項目の充実が目指された。数のパワーは偉大だ。この時、ウィキペディア日本語版に新たに8項目を立項、3項目が加筆修正され、福知山市に関するウィキペディアが、1か月足らずのうちに一気に充実する結果となった（コラム03参照）。

さらに毛原では、周辺地域を巻きこんでの地域おこしプロジェクトも始まっていた。近隣地区にある廃校・美鈴小学校の跡地を利用して、様々な人々が交流する一大イベント「みすずフェスタ」の開催が計画されていたのである。

「もう日程だけは決まっています。来年の6月4日、空き教室をひとつ借りて、できたらウィキペディアタウンをやろうかと。大江山の鬼伝説にちなんだ『鬼ペディア』とか、すごくいいと思うんですよね」

そうケイ君に聞いたのは、毛原での勉強会の最終回、2022年10月のことである。ひとつ終えるときには、次のスタートを見据えて動く。活動を続けていくための秘訣かもしれない。

そうして迎えた第1回みすずフェスタでは、毛原での勉強会の様子をリピート再生の動画で紹

福知山市大江町毛原の縁側喫茶

毛原ウィキペディア勉強会初日の様子（2022年）

介しながら、会場の廃小学校の項目がその場で新規作成された。来場者にウィキペディアタウンの紹介冊子を配り、気軽に質問してもらい、それに答えるスタイルの、名づけて「ウィキペディア見本市」である。

来場者1200人を数えたという同フェスタの次回の予定は未定ながら、継続を見越して第1回と冠していたのは「とりあえず第1回にしておけば、第2回もあるやろって、みんなが期待してくれるし、主催者もやろうかなって気になるやろ?」とはMさんの弁だ。同様に、ケイ君の鬼ペディア計画も、決して潰えることなく、次なる開催のチャンスをうかがっていくことだろう。

開かれた世界へ――「ウィキペディア展覧会」

実はウィキペディア見本市という形式はみすずフェスタが初めてではなかった。事前申しこみ制の特定少数で開催するいわゆるエディタソンではなく、不特定多数の通行人に足を止めてもらい、ウィキペディア編集に親しんでもらう――このスタイルのエディタソンを開催したのは、おそらく私たちエディット丹後が最初だろう。

当初は、近日開催するウィキペディアタウンの参加者募集など活動のPRを目的に4年ほど前に始めたのだが、徐々に予約不要の編集相談会の性格を帯びるようになった。それほど深い考えがあって始めたわけではなかったが、この取り組みは、創成期からウィキペディアタウンに関わってきたある図書館関係者に「画期的」と評された。思えば、匿名社会のウィキペディアで、素性を明らかにして活動している人はわずかしかおらず、オフラインのイベントに参加していても本名は非公開というウィキペディアンも少なくない。そうした世界では、不特定多数の前に顔を出したり、アカウント名を公開したりするというのは、勇気がいることなのかもしれない。

しかし、ウィキペディア編集が、素性を隠さなければできないような活動であるなら、それを一般化することなどとうてい不可能といっていい。

２０２２年秋、私は図書館総合展の公式サイト上にウィキペディア編集やウィキペディアタウンの一般化を目指す「ウィキペディア展覧会」を展開する機会を得た。これは、有象無象のウェブページのなかに埋もれたウィキペディアタウンの開催情報や、協力者となりうるウィキペディアンの情報を一堂に集めることで、参加や企画のハードルを下げることをねらったもので、頼るあてもなく手探りで迷走したかつての私やケイ君のような人々に宛てた取り組みであった。

ウィキペディアのサイトのなかには、有志が収集したエディタソンの開催記録や、個々のウィキペディアンが活動を記録した「利用者ページ」がある。雑誌に寄稿したり、ブログやｎｏｔｅに記録を残しているウィキペディアンも何人かいる。しかし、そのすべてが検索で簡単に見つかるかというとそうではなく、しかも、ウィキペディアタウンを開催したい人にとって必要な情報は、個々のウィキペディアンによる発信だけではまったく足りない。ウィキペディア展覧会で特に重視したのは、それまで学会や報告会などクローズドな場以外ではあまり語られてこなかった、〝主催者側の声〟だった。

主催者の多くは、企画開催を通してウィキペディア編集に親しみこそすれ、いわゆるウィキペディアンではない。その彼らに素性を隠したアカウント名を名乗り、情報提供を呼びかけて、誰が信用してくれるだろうか。匿名性の高いウィキペディアは新しい人が参入しにくく、一般に広く公開されている情報が少ない。もう少し多様化・多角化して、担い手も増えてほしい……。

私がFacebookに書き散らしていた展覧会の趣旨に賛同し、それをメールマガジン（「ACADEMIC RESOURCE GUIDE」921号）にCCBYで掲載して、数万人が閲覧するだろう図書館総合展の公式サイトなどに転載できるようにしてはどうかと、運営委員の岡本真さんから提案いただいたとき、ウィキペディアと同じく一定条件を守れば自由に転載可能なクリエイティブ・コモンズ・ライセンスのCCBYで文章を発表することに、ほんの少し恐ろしさを感じた。それでも本名と素性を明かして、各地のエディタソンの企画や、グループの活動紹介に加え、講師やファシリテーターとして活動できるウィキペディアンの自己紹介ページの作成や登録を呼びかけることを選んだのは、アカウント名では広く協力を得られないと考えたからだ。

素性を明かしたことで、案の定、一部の人によりSNSに歪曲された個人情報が流れたりもしたが、まっとうな場でまっとうな活動をしていれば他人の妄言を真に受ける人はいない。むしろ多くの賛同を得たことが、全国各地の図書館やウィキペディアン個人から多くの事例が寄せられた事実に表れている。

出る杭を打とうとする人は、ウィキペディアタウンの創成期にもいたことだろう。「ウィキペディアには闇がある」――そう言って言葉をにごす古株もいる。どんな社会にも、負の感情にとらわれて、他人の足を引っ張ろうとする人はいるものだ。だが、私はこの言い方は好きではない。ウィキペディア・コミュニティから志ある人を遠ざけてしまう言葉だから。

光を当てれば、影は生まれる。けれど、全方向から同じだけの光を当てれば、影は見えなくなる。現在、そして未来の、すべての人々のための百科事典には、志ある人を遠ざけるのではなく、そうした人々で満たされ、いかなる不正や利己主義やヘイトの温床にもならない、明るく健全なコミュニティであってほしい。

図書館総合展では、先述のような見本市を展開したほか、期間中に週1回、オンラインで編集相談会も実施した。そこに集まったのは、多くがすでに1度は自発的に、あるいはウィキペディアタウンに参加して、ウィキペディアを編集したことがあり、しかし、ちょっとした躓《つまず》きで先へ進めなくなっていた人々だった。寄せられた相談は、次のようなものである。

・新規立項のやり方がわからない。
・出典が複数あり、どれを使うべきなのか、わからない。
・アカウントの作り方を教えてほしい。
・動画は出典にできるか。
・ウェブ上のニュースは出典にできるか。

・内部リンクで目的の記事にリンクできない。
・表を作成したいがデザインが崩壊する。どうしたらいいか。
・他言語版で項目を作る場合、出典はどの言語がいいのか。
・英語版を翻訳して日本語版に載せたい。著作権はどうなるのか。
・好ましくない内容の既存記事を修正したい。どう構成したらいいか。

ウィキペディア編集に慣れた人が聞けば、「そんなところで躓くの?」と驚かれることだろう。だが、多くの初心者は、「そんなところで」悩むのだ。Zoomを使った相談会では、画面を共有して参加者の編集画面を見ながらアドバイスした。多くは、リンクの見落としや、半角と全角の入力間違い、不必要なスペースが挿入されているなどのごく些細な原因によるものだった。

ウィキペディアのなかには初心者向けの「ヘルプ」ページがある。けれど読み手の予備知識の程度によっては理解できなかったり、そもそもヘルプページの存在に気がつけないこともある。そうした人々は単にウィキペディアの記法に不慣れなだけであって、百科事典の項目を書く力がないわけではない。時には、ウィキペディアのある分野の項目を飛躍的に充実させうる専門家だったりすることもある。

もっと気軽に、わからないことを質問できる場を日常のなかに持てないだろうか。思い返せばエディット丹後で毎月開催している勉強会も見本市も、そんなところがスタートだったような気がする。

そうした小さなオフラインのコミュニティは、私たち以外にも全国に複数ある。例えば、福井県立図書館が関係したウィキペディアタウンをきっかけに有志の司書が集い、福井の項目を編集・発信する活動をゆるく続けている「チーム福井ウィキペディアタウン」。例えば、名古屋の基本的な項目を黙々と作成していたウィキペディアンが、情報交換や交流などを目的に呼びかけた「Wikipedia 名古屋編集部」。例えば、SNSを中心に全国の大学生らの編集活動をサポートする「早稲田 Wikipedian サークル」などがそれにあたるだろう。

コミュニティの存在は、技術的なサポートばかりでなく、精神的な支えとなることもある。2010年代、何人かのウィキペディア編集者に声をかけ、食事会などを企画したことがあるというウィキペディアンののりまきさんが、以前こんな話をしてくれた。

「これまで優れた執筆者の多くがウィキペディアを去っていったのは、結局のところ書くモチベーションが保てなくなったからです。その主な原因は孤独な執筆作業に飽きたり疲れたりしたことにあるのではないかと、私は考えています。執筆者同士の横のつながりは、各執筆者のモチベーションの維持・強化にも大きな意味があります」

私が、ウィキペディア編集を始めて1年経つか経たないかの時期に聞いた話だ。私はこの時、ウィキペディア・コミュニティとは、まるでフランスの文豪・バルザックの名言のようだと思った。バルザックは、孤独について次のように語っている。

「『孤独は良いものだ』ということを我々は認めざるを得ない。しかし、『孤独は良いものだ』と話し合うことのできる相手を持つこともまた、ひとつの喜びである」

ウィキペディアは、基本的に個人が、個人の意志で編集活動を行うものとされる。アカウント名でしかお互いが見えないこのコミュニティでは、ひとりひとりの意志が明確であることが期待され、判断を他者に委ねるような組織的活動は固く禁じられている。ウィキペディアタウンのようなオフラインのエディタソンが、一部の人に「闇がある」と言われたりするのは、その実態が傍目にはわからないことから、組織的活動の温床になっているのではないかと、邪推されやすいことも理由のひとつだろう。

しかし、たとえ身近にウィキペディアンがいなくとも、世界最大の優れた百科事典を作るという大きな柱を見失わないかぎり、私たちは孤独ではない。様々な考えを持つ利用者が、目的は違っても、一定の方針に基づいて関与し、結果として多様性を内包した優れた百科事典が形成される。このウィキペディアというコミュニティの本質が、私はとても好きだ。そして私の好きなこのコミュニティの真価は、当事者意識を持って社会に貢献しようとする、ケイ君のようなまっとうな個人が多く参加し、協働することにより維持されるものだと思っている。

ウィキペディア展覧会は2023年にも図書館総合展に出展した（www.libraryfair.jp/booth/2023/167）。東京ウィキメディアン会や多くのウィキペディアン、図書館員が協力し、ウィキメディア財団の公式Tシャツを着た数十人が、10月下旬の2日間、パシフィコ横浜の会場を練り歩いたり、ウィキペディアの認知度アンケート（www.libraryfair.jp/forum/2023/1043）などを行ったりして、普及を図った。また、ウィキメディア財団の職員や他言語版のウィキペディアンも協力し、「#1Lib1Ref《ワン・リブ・ワン・レフ》」運動（13章参照）を紹介したりもした。いずれまた、ここから新たなウィキペディアンが生まれることを願いながら。

なお、このウィキペディアの認知度アンケートはGoogleフォームで継続しており、10問回答すると、11問目からはウィキペディアにまつわるクイズになっている。よければ挑戦してみてほしい。

column 11

ウィキペディアに新規項目を作る前に——まずはその構造を知る

通常、私たちが目にする百科事典としてのウィキペディアの記事は、ウィキペディア上では「標準名前空間」と呼ばれる部分にある。

何かについて立項を検討したとき、まずは作成したい項目名「〇〇」を、どのページを開いても上部にある検索窓に入力し、検索にかけるのが一般的だ。該当する記事がなければ、「このウィキでページ『〇〇』は見つかりませんでした。以下の検索結果も参照してください」と表示される。その時、「〇〇」は赤い文字となっていて、これをクリックすると、新規項目の作成ページに移動する。短い記事であればその「テキストボックス」に直接書いていくか、あらかじめ別のところで下書きしておいた内容をコピーして、「ページを公開」をクリックすれば、「〇〇」はウィキペディアの新しい項目として作成される。

これらは、すべて標準名前空間で行われている。

もうひとつ、ウィキペディアンが使うことがある新規立項の方法に、「移動」がある。項目名だけの検索ではヒットしない、アカウントを持っていると作ることができる自分専用の「利用者ページ」の「下書き（サンドボックス）」など、ウィキペディアの別の空間に下書きしておいた内容を、標準名前空間に移動することで、新規項目を作成する方法だ。「移動」は、その項目のそれまでの編集履歴もまるごと移すことができる機能で、多くは記事名を変更するときに使う。

「移動」は、各記事の右上にある「履歴表示」と同じ並びの「その他の操作」から選択し、「新しいページ名」を記載するのだが、この時、移動先の候補として、ウィキペディアの様々な空間の名称がずらっと並ぶ。「標準」「ノート」「利用者」「利用者‐会話」「Wikipedia」「Wikipedia‐ノート」「ファイル」「ファイル‐ノート」「MediaWiki」「MediaWiki‐ノート」「Template」「Template

－ノート」「Help」「Help－ノート」「Category」「Category－ノート」等々である。

ウィキペディアタウンでは、ウィキペディアというウェブサイトそのものの構造について説明を受けることはほとんどないため、利用者ページで下書きした記事を移動するとき、初心者はよく戸惑う。「ええっと、ウィキペディアの記事だから『Wikipedia』に移動するんだよね……?」と思いがちなのだが、正解は「標準」

私も昔、間違えたことがあるが、ウィキペディアの空間はざっくり次のようになっていることを知れば、迷わない。

標準名前空間——通常のウィキペディアの各項目のページ

ノート——そのページについての議論のページ

利用者名前空間——個人が自由にメモなどに使えるページ（検索でヒットはしないものの非公開のページではないため、個人情報や著作権に抵触する内容は書いてはならない）

Wikipedia名前空間——コミュニティの方針など、ウィキペディアそのものに関する説明のページ

ファイル名前空間——画像や音声ファイルなどの解説ページ

MediaWiki名前空間——システムメッセージなどに関する空間（一部のユーザーのみ編集可能）

Template名前空間——インフォボックスなど、ウィキペディア日本語版で使用されるテンプレートに関するページ

Help名前空間——困ったときに役立つウィキペディアの操作方法のガイド。例えば、ひとつの記事に複数の呼称があって（〈北丹後地震〉〈丹後震災〉〈奥丹後地震〉など）、項目名以外の言葉でも検索できるようにしたいとき、〈Help: リダイレクト〉でその機能を追加できる。

Category名前空間——各項目の最下部に表示される分類の説明と一覧

Portal名前空間——「人文」「社会」「自然」など、

各分野における項目検索や各種依頼などに関するページ

プロジェクト名前空間——鉄道やスポーツ、市町村など、特定分野の項目についての編集方針などを紹介したり相談したりするページ

ちなみに、ウィキペディアの編集方法には、出典をつけるにも地図を挿入するにも複数の方法があり、これが絶対という決まりはない。一般的な項目を作成・編集するだけなら標準名前空間と利用者ページの下書きを使い、まずは習うより慣れよの精神でとりあえず書いてみるのがいいだろう。書き方に悩んだときは、似たような題材のよく書けていると思われる項目を参考にするといい。あとは「テンプレート」や「ヘルプ」を必要に応じて参照するくらいで、おおむねこと足りる。

しかし、なかには「カテゴリー」や「ポータル」を主な活動場所として、標準名前空間の閲覧や編集の利便性を高める作業を主に行っているウィキペディアンもいる。

ウィキペディアは、多層空間で様々な人が活動することで支えられているコミュニティなのだ。

なお、私が個人的に作成したウィキペディアの基本的な書き方の一例を紹介した「編集マニュアル」に飛べるQRコードが317ページにあるので、こちらも参考にしてほしい。

12 図書館発の企画とその継続を妨げるもの

私がウィキペディアタウンに行きはじめたのは、単に自分の編集のスキルアップと、丹後地方でウィキペディアタウンを実現するにあたり協力者を探すのが目的だった。記事の質についてはそんなに意識していなかったので、自分が関わった項目の完成度が低くても、深くは気にしなかった。

しかし、初めて主催したイベントで〈こまねこまつり〉を立項・加筆していく過程で、記事を読んだ地元の人々の反応を見て、ウィキペディアに地域記事を書くことのメリットを理解してもらうには、ただ項目があればいいというものではないと、遅ればせながら気がついた。

そうなると、ほかの地域のウィキペディアタウンに行ってがんばって書いても、常に何かをやり残しているような後味の悪さが残り、書くのが楽しくなくなってきた。よそ者が半日程度のイベントの時間内で、どうあがいてもその地域のことを書き尽くせるはずがない。だから自分で書くよりもそれぞれの地元の参加者に、イベント後も継続的に書いてもらいたいと思うようになっていった。

その当時、ウィキペディアタウンは全国で開催されてはいたものの、継続的に開催していけるところは少なかった。それはおそらく、主催者・支援者である図書館や現地ガイド、講師やウィキペディアン、初めて編集する一般参加者といった、様々な立場の関係者すべての期待に応えるには、ウィキペディアタウンの時間は短すぎる――ということを、記事を書くウィキペディアン以外は、やってみるまで実感することができず、1回のイベントに多くを求めすぎたからではないだろうか。特に行政が主催者の場合は、税金を使う以上、一定の成果ないし反響が求められるのは当然で、そのためにはある程度、読みごたえがあるよい記事が立項されなければならない。

図書館は資料を用意するのが仕事とはいえ、がんばって揃えた資料が参加者にほとんど見向きもされないと、気持ちが萎えてしまう。残念なことにイベントの短い時間で資料をしっかり読みこもうとする参加者はあまり多くはない。

講師は、参加者がイベント後も継続的に編集してくれることを期待するが、参加者の目的は様々で、講習中にニーズをすべて拾い上げ、的確にアドバイスすることは難しい。なかには好きなことが書けると過度な期待をする参加者もいて、まずは出典を見つけないとダメだ、丸写しはダメだ、写真は自分が撮ったものでないと基本的にダメだと、意外と注意事項が多いことを知り、自由に書けないことに落胆した結果、書けることも書かずに帰ってしまう人もいたりする。

ウィキペディアタウンに関わるどの立場から考えてみても、1回で皆が満足できるイベントとするには、致命的に時間が足りない。

それでもやりたいと思ったときに、主催者ないし講師サイドとしてどう企画すれば関係者全員が満足し、またやってみようと思える企画となるのかを考えてみる。

道筋はひとつではないと思うが、「よい記事ができる」→「皆がその記事の価値を認める」→「ほかのことも記事にしたい人が出てくる」→「皆で取り組む」→「よい記事ができる」のループが理想だと私は思っている。継続を目的としなくても、継続できていく形であり、ウィキペディアの項目が内容ともども充実し、〝中の人〟にアフターフォローで過度な負担をかけることもない。私たちエディット丹後のウィキペディアタウンは、はからずも初回からそんな形になっていたが、このループはどこかひとつでも無理が生じると成立しない。だから、気をつけるべきは、皆が無理をしないこと。

ウィキペディアを書きたい人は、書きたいときに、書きたいものを書く。書けないけど書きたいことがある人は、書いてほしい題材について資料を集めたり、分析したり、アドバイスしたり、写真をアップロードしたり、集まって編集できる機会や場所をつくったり。皆がそれぞれ、その人にしかできない／やりたいと思えることで協力する。ひとりひとりの得意なところをより合わせて、読みごたえのあるよい記事を作っていくには、様々な目的で参加する人たちが互いにどこまで何を期待できるのかを知り、そのうえで計画する適材適所のイベント設計が欠かせない。

様々な地域でウィキペディアタウンを経験するうちに、自分と周囲の人の役割がそんなふうにみえてきた頃――ゲームにたとえるなら攻略難易度ＭＡＸとでもいうような条件のウィキペディアタウンに協力することになった。

それは埼玉県行田市の市立図書館からの相談だった。

「ウィキペディアタウン in 行田」計画——市立図書館との協働

埼玉県行田市は、関東平野の中央部に位置する人口8万人あまりの地方都市である。関東7名城のひとつに数えられた忍城《おしじょう》の城下町で、かの豊臣秀吉の小田原征伐に伴う攻城戦の際、最後まで水攻めに耐え抜いた逸話は、映画化された和田竜の小説『のぼうの城』（小学館文庫）でも描かれた。

そしてもうひとつ、行田を有名にした小説がある。役所広司主演でドラマになった池井戸潤著『陸王』（集英社文庫）のモデルは、まさにこの行田市の企業で、行田は日本一の足袋生産地として知られる。もともと「行田」は「忍町」の字のひとつだったが、１９４９年5月に忍市として市制施行されたものの、すぐに「行田市」と改称された。その理由が、この足袋産業だというから相当である。

かつて、足袋は冬の季節商品だった。行田ではシーズンオフに製造した足袋を販売時期まで保管するため、江戸期から昭和期にかけて多数の「足袋蔵」が建てられた。現存するものだけでその数は80を数え、日本全国を探してもほかにない趣ある町並みを形成している。２０１７年、同市は「和装文化の足元を支え続ける足袋蔵のまち行田」として、日本遺産に認定された。

この「足袋蔵のまち」という地域財産を柱に、観光都市として広く行田を周知したい——それが、２０２０年5月に私が行田市立図書館のEさんから相談された、ウィキペディアタウンのねらいだった。

埼玉では、行田市の隣の熊谷市で２０１８年に県立熊谷図書館主催の「ウィキペディアタウンin熊谷」が開催されている。この企画に私は一般参加しており、イベント後もアフターフォローが必要な項目の立項に少しだけ関わった。Eさんはこの熊谷の事例を県内の図書館員研修で知り、「ぜひ行田でも！」と、伝手をたどって連絡をくださったのだった。

「和装文化の足元を支え続ける足袋蔵のまち行田」――丹後ちりめんの町の住人としては、なんとも心躍るフレーズだ。まるで姉妹都市のようではないか。ちなみに私は〈丹後ちりめん〉のウィキペディア記事を加筆した経験があり、この頃には愛知の伝統的な染織産業〈有松・鳴海絞り〉の加筆も手掛けていた。これらはいずれも「良質な記事」に認定されていて、素人ながら和装産業にはちょっと詳しいという自負がある。俄然、興味がわいた。

しかし、時はコロナ禍1年目。２０１８年の熊谷の企画では、講師の日下九八さんをはじめ関東在住の熟練のウィキペディアン複数名に地域住民や近隣の図書館員ら合わせて30人以上が参加した。休館日の県立図書館あげての大イベントだったのだが、さすがに同じようにはいかない。

「現在の状況からも、募集人数は5名程度にしたいと思います。行田市では初のウィキペディアタウンであり、ここから一歩を踏み出すわけで、ウィキペディア編集に長けている方の参加を望んでいます。とはいえ、警戒区域アラートの発動があった場合は、遠方から参加いただくのは問題となるかもしれないので、この近辺で伊達さんからどなたか紹介いただければありがたく……」

残念だが、コロナだから自粛しろと言われれば、諦めざるを得ないご時世である。そこで、ひとまず近場の講師経験者をひとり紹介し、イベントに向けてEさんのウィキペディア研修に付き合うことにした。

というのも、「私自身が初心者であることから、まずアカウントを作成し、図書館に関する項目の編集でプレ体験をしてみる予定です。こんな状況ですが、お力をお貸しいただければより実践的な企画にできると考えています」とまで言われては、講師をひとり紹介してあとは丸投げというわけにもいかない。実際、Eさんは勉強熱心な方で、図書館で所蔵していたという『ウィキペディア完全活用ガイド』（吉沢英明著、マックス）をバイブルに独学されていた。このウィキペディア編集の指南書は出版年が2006年と古いのが難点だった。編集のやり方に大きな変化はないが、コミュニティの方針やページの仕様なども当時と現在とではかなり変わっている。

ウィキペディアは記事だけでなく、システムや方針についても、よりよいものとなるようコミュニティで常に検討のうえ、改変されていくので、マニュアルを書籍化するのは難しいという事情がある。

Eさんにはそういったことも解説しながら、「ウィキペディアタウン in 行田」開催に向けて伴走することとなった。

地元の初心者か、他所の熟練者か

サポートにあたって、Eさんと企画のねらいを整理した。最初の相談では「コロナ禍なので参加人数は5名程度」、かつ「ウィキペディア編集に長けている人に参加してほしい」ということだったから、ならば、熊谷のウィキペディアタウンに参加した関東在住の熟練者たちをそのまま召喚するのが得策だろう。しかし、それならウィキペディアについて解説する講師はいらない。

近場の誰かということで、ひとり紹介したけど、早まったかな……。ウィキペディアンにも得手不得手があるので、講師経験があるウィキペディアンが、すべてのイベントで必ずしも執筆者として期待できるとはいえない。その逆もしかり。声はかけたが、やっぱりごめんと断る必要があるか？　とやや心配になりつつ、一応、聞いてみた。

「今回の企画では、『行田市民に図書館資料を使ってウィキペディアを書いてもらう体験』よりも、『質の高い〈足袋蔵〉の記事をウィキペディアに作る』ことを優先するという理解でいいでしょうか？　であれば、話は簡単です。日程さえ合えば、経験者を確保するのは難しくないかと。ちょっと検索してみただけでも、行田は魅力的な町のようですし。

体験ではなく、『高品質な記事の立項』に主眼を置いて編集者を集めるウィキペディアタウン――私たち編集者はこういうタイプのエディタソンを〝ガチペディア〟と呼んでいますが――なら、2018年3月に大阪市立中央図書館が開催した『大阪ウィキペディアエディタソン（みる編）』が参考になると思います」

これは私が、さかおりさんやのりまきさんと初めてお会いしたイベントで、総勢5名のベテラン執筆者が、明治時代に大阪市の北区一帯を焼け野原にした火災についての項目〈北の大火〉を共同で新規作成し、そのミーティングや作業の様子を日下さんが観客に向けて解説するという、一風変わった企画だった。何かが生まれる現場というのは楽しいものだ。このイベントも、ある種の工場見学のようで、白熱する編集作業は見ているだけで面白かった。

「大阪のイベントのように、執筆力に定評があるウィキペディアンを集めて、まずはよい記事をひとつ作り、その成果物を地域やウィキペディアタウンそのものの宣伝につなげるという形式でよければ、Ｗｉ‐Ｆｉ環境と電源のとれる会場、十分な資料、土地勘のあるガイドさえご用意いただけたら、すぐ実現できると思います。

資料は、足袋蔵についてのもののほか、行田市の歴史や地理的な資料も必要になってくると思うので、編集会場は図書館など、必要に応じて多様な資料を閲覧できる環境が望ましいかと。現地ガイドも、単なる道案内ではなく、足袋蔵という題材や市の歴史や地理に明るい方がいいかと思います」

しかし、この提案には、いささか無理があった。公共図書館の事業として実施するからには、ある程度、公に周知する必要がある。とはいえ、コロナ禍で人数を集められない以上、広く呼びかけるわけにはいかず、そのうえ参加者全員が行田市以外の住人というのは、少々具合が悪いのではないかと危惧されたのである。

その後のEさんからの返信はしばらく途絶え、もしや私が無理を言いすぎて計画自体が頓挫したかと、心配になりかけた頃、新たな案が示された。音信不通のその間、Eさんは決して諦めたわけではなく、さらなる情報収集を重ねて、実現可能なプランを検討していたのだ。

「行田は、県内では3例目のウィキペディアタウン実施自治体となります。つまり、今後はほかの市の見本となり参考とされる立場になるため、この企画は失敗しないように行う必要がありま す」

生真面目なEさんだけに、プレッシャーも相当なものであったようだ。

そんなEさんが集めた情報のなかに、私が『図書館雑誌』（２０１９年12月号）に書いた「はだしのコンサート」の事例紹介があったことが、行田市の企画の方向性を決定づけた。

「行田市には、〈はだしのコンサート〉の項目を作成した京都府立高校と同じく、総合学科のある高校があります。高校生の自主的な社会参加を促すにあたってウィキペディア編集はいい体験になるということで、このウィキペディアタウンに高校生数人に参加してもらい、次の世代を育むことを目的のひとつとするのはいかがでしょう。限定的なイベントにはなりますが、市内にある高校に通う高校生と作るウィキペディアタウンという考え方もありかと思うのですが」

「本校の事例を見てくださったのですね。地元の高校生とのウィキペディアタウン、大いにありですよ！」

実際、近年のウィキペディアタウンは、高校生を主体とする企画も多い。コロナ禍以前に高校でウィキペディアタウンを実施した先駆的な例としては、２０１５年からの数年間、「情報」の授業で取り組んでいた長野県高遠高校や、２０１９年に部活動の一環で県内在住の外国人を招き、生徒があらかじめ加筆しておいた地元の文化施設の項目を10か国語もの言語版に翻訳した福井県立丸岡高校などがある。そのほか、三重県立津高校や愛知県立幸田高校、埼玉県立不動岡高校、大宮高校など、高校生のみを参加者とするウィキペディアタウンは、コロナ禍以後に急増した印象が強い（コラム03も参照）。情報リテラシーを体験的に学べる取り組みとして、もともとウィキペディアタウンの教育的効果に注目する学校関係者はいて、彼らが主導した企画もある一方、コロナ禍で不特定多数を集めるイベント開催が難しくなった公共図書館が、特定少数の参加者を確実に集められる教育現場に注目し、提案するようになったからでもあるだろう。探究学習が一般化した時代の影響もあるかもしれない。２０２３年3月に福井市清明《せいめい》地区で行われたウィキペディアタウンは、地元のふたりの高校生による企画に教員や市内の図書館司書や地域住民が協力したイベントだった。ただ……。

「高校生たちはおそらくウィキペディア編集は初めてでしょうし、それ以前に文献調査をしてレポートにまとめるといった学習経験自体も、それほど多くはないと思います。地元といっても、足袋蔵の成り立ちや足袋産業そのものに興味を持って日々暮らしている子もそんなにいないでしょうから、題材への予備知識も少なく、短時間で質の高い項目を作成するのは難しいと思います。もちろん、学校で地域学習をしている可能性もありますし、一概に無理とは言えませんが……」

こう話しながら、私の脳裏には3Qタウンでの生徒たちの様子が駆けめぐっていた。あの時は、たまたま生徒のひとりが記事に使える写真を持っていたことで、取り組みへのモチベーションを一気に高めることができた。しかし、そんなラッキーな偶然が、そうそうあるわけもない。

「もうちょっと、作戦を練る必要がありそうですね」

出典にできるものとできないもの

「とりあえず、なるべくいろんな資料を集めていただけますか？　そんなに詳しいものでなくても、例えば足袋蔵について解説のあるポプラ社の『日本遺産1』など、小・中学生くらいを読者に想定しているような本。知識の少ない人や、読書に不慣れな人でも読みやすく、題材の概要をざっくり把握できて、かつ百科事典らしい明瞭で簡潔な解説文の参考になるような本もあるといいかと」

「えっ、児童書もですか？」

「はい。それから、『るるぶ』や『まっぷる』みたいなガイドブックも関連情報が掲載されていれば用意してください。もちろん足袋蔵に関する研究書や論文なども。ウィキペディアはあくまで三次資料なので、誰かがそれについて言及した二次資料が必要です。一次資料のみでの項目作成は、独自研究を載せないことを原則とするウィキペディアでは歓迎されません」

学術分野によってもその定義に違いがあるが、〈Wikipedia: 独自研究は載せない〉では「一次資料」を、基本的には題材の当事者により作成された文献や資料であると定義している。「二次資料」は、「一次資料から得た作成者の解釈・分析・評価・論拠・構想・意見」などが記されたものをいい、「三次資料」は「一次資料や二次資料を総括した、百科事典などの概説的な出版物」であるとしている。辞書や年鑑、図鑑、地図帳、資料集、索引など一般に「参考図書」と呼ばれるものもそれにあたるだろう。

ウィキペディア編集のための文献を準備するにあたって注意すべきは、この一次資料や二次資料の定義や扱いが、人によって異なる場合があるという点にあった。

「ウィキペディア・コミュニティでは一次資料の解釈が人によって違う場合もあって……行田市では当然、足袋蔵の関連資料をたくさん作成されていると思いますが、行田市の刊行した資料のみで〈足袋蔵〉の記事を書いてしまうと、客観性に欠けるとみなされる場合があります。

行田市で刊行されている市史や町誌、広報誌、足袋蔵の調査報告書などは基礎資料として当然、必要なのですが、そのほかに、関連書籍や新聞や雑誌の特集みたいな、内容的には簡単なものであっても、完全な第三者の言及、信頼できる二次資料もほしいです」

教育現場でウィキペディアタウンをやろうとするとき、よく問題になるのがこの点だ。例えば学校の項目を編集する場合、まず基礎資料となるのは通常であれば学校記念誌で、これは第三者が執筆・編集しているケースもあるのだが、ウィキペディアンのなかには学校の刊行物は一次資料だから使うなと主張する人もいる。しかし、学校記念誌を使わずに学校の項目を執筆しようとすると、ほとんどの場合、幹のない枝葉になってしまい、よい記事にはならない。

関東のある高校のケースでは、イベントに参加した学校関係者から「一次資料の解釈が違うのではないか」とウィキペディアンによるレクチャーに疑問の声があがり、のちに学内で物議を醸したと伝え聞いた。学校側が、世間のスタンダードと異なる基準が刷りこまれてしまうことで、教育課程の重要な場面で生徒が混乱するようなことになりはしないか、と不安に思うのは当然だ。特に高校生の場合、これからレポートや論文執筆など調査研究活動のイロハを学んでいこうという年頃である。調査研究の基礎がすでに身についており、ケースバイケースの判断を自分でできるのであれば問題ないが、そんな高校生は、進学校でもそれほど多くはないだろう。

ウィキペディアンは、講師といっても、教育指導や調査研究の手法について学んできた〝先生〟ではない。ウィキペディアの編集方針や記法を多少知っているというだけの〝外部の一般人〟である。高校でウィキペディア編集に取り組むのであれば、生徒たちの学習活動にその後も関わっていく先生方が企画の中心になるべきで、ウィキペディアンに頼っていいのはウィキペディア特有の編集方法のガイダンスや事例紹介くらいのものだろう。

ちなみにウィキペディアンであるとともに、高校で探究学習の指導をサポートする立場でもある私は、独自研究を反映させてはいけないウィキペディアの編集活動と、独自研究が理想とされる探究学習は、本質的にまったくの別物であると実感している。

数は少ないが、小中学校でもウィキペディアタウンの実践例はいくつかある。低年齢層では、児童生徒が各自で編集するよりも、保護者や教師が一緒に文章をまとめ、代筆するスタイルが採られることが多いのと、子どもたち自身がまだ論文執筆や大学での研究といったことを意識する年頃ではないので、誤った学習指導につながりにくいという意味では安心感がある。

一方、高校や大学では、生徒の主体性をより尊重する傾向があり、逆にいえば、監督の行き届かない問題は多々起こりうる。

最も多い問題は、著作権侵害と検証可能性の問題だ。ウィキペディアタウンで編集を体験した生徒がその後、自分でウィキペディアを編集するようになって、題材に関連するサイトを安易にコピペしたり、ＹｏｕＴｕｂｅの動画やＳＮＳやまとめサイトのような信頼性の低い媒体を出典に記事を作成し、問題になったら……。そうした例をイベント中に注意喚起することはできても、それ以上はフォローしきれないかもしれない。だが、ウィキペディアンの講師がいるイベントの場で問題のある編集がなされれば、それは講師やその人を講師に選んだ主催者側の責任として、イベントそのものが批判され、継続開催を難しくすることもある。

例えば関西のある高校のウィキペディアタウンでは、学校の項目に近年作られた校歌の歌詞を全文掲載して、のちに第三者から著作権侵害を指摘され、削除に至ったことがあった。たとえ著作権者から許可を得ていてもそれをウィキペディア上で証明するのは難しい。また、ウィキペディア上のテキストはＣＣ ＢＹで二次利用が可能とされることも忘れてはならない。

こうした問題は、社会人や図書館司書のようなある種の専門家が参加するウィキペディアタウンでもしばしば起こる。イベントの広報やガイダンスでウィキペディアを編集することを第一の目的のように思わせてしまうと、なんでも書けばいいと安直な編集に走ってしまう人もいるものだ。この点、たとえ論文執筆に慣れている研究者であっても、ウィキペディアならではの注意点を十分に理解している人は多くないと考えたほうがよく、参加者の背景がどのような場合でも油断はできない。「自分の考えを入れてはいけないのだから、資料の原文をそのまま写すべき」と誤解していたり、「参考文献を明記していれば丸写しＯＫ」と誤解している人も少なからずいる。一字一句、原典をそのまま記載することを「引用」といい、著作権者の許可なく行うことができるが、引用には引用と認められる範囲や条件がある（文化庁ではその必然性があり、カギカッコなどで引用部分を区別したうえで出典を明記し、主従の関係で引用部分が「従」となるべきことなどを定めている）。ウィキペディアにおいても必要に応じて引用は認められているが、引用の範囲や条件を超えてはならない。つまり資料を参考にしながら自分で文章を作る再構成が必要とされる。そして、文章ごとに出典を明記することが求められる。

行田の高校生たちが、どれだけ題材についての知識や、情報発信にあたっての慎重さや、文献調査と文章構成のスキルを身につけているのか——こればかりは当日になってみないとわからない。ひとまず経験が浅い参加者をイメージしながら、Ｅさんにアドバイスした。

「編集者自身がよく理解していない内容を無理に書こうとすると、資料の丸写しになったり、誤った要約をしてしまいがちです。しかし、どんなによい文献でも詳しすぎる資料はイベントの短い時間だけでは内容を把握しきれなかったりする。直接的には出典にならなくとも、題材のポイントがわかりやすく、理解を助けるパンフレットみたいな資料があるといいのはそのためです。もちろん、そういう資料ほどコピペの対象にもなりやすいので、市史など手堅い文献と併用してもらうことが前提ですが」

「なるほど……。足袋蔵については、市の文化財保護課が日本遺産登録に関わっていて、調査もしていますし、NPO法人ぎょうだ足袋蔵ネットワークが作成したパンフレットもありますので、幅広く探してみますね」

書きたい項目≠書ける項目——時間内に書ききれる項目か

7月。Eさんは丁寧に作りこんだプレゼン資料で行田市初のウィキペディアタウンをとりあえず1回やってみよう！　という決定を勝ちとってきた。足袋蔵の町の日本遺産認定に大きく貢献したぎょうだ足袋蔵ネットワークとの共催という形で、専門家の協力体制もしっかり確保し、記事に使う足袋蔵の写真は、行田市が持っている画像をなにかと制約の多いウィキメディア・コモンズに問題なく掲載するための下準備も着々と進めていた。参加者にとねらった市内の高校の協力もとりつけ、当日は生徒5名と教員2名の参加が決まった。

一方、初心者の高校生たちによる編集で、質の高い記事を作るための「作戦を練る必要がありそう」と言った私のほうは、煮詰まっていた。

ウィキペディアタウンを計画するとき、主催者はまず「ウィキペディアに書きたいこと」があるわけだけれども、「書きたいこと」というのは主観的であって、客観的に「書けること」とは少々違う。客観的にみて「ウィキペディアに書けること」は、特筆性や出典となる資料があれば書ける――というのがまず第一条件だが、イベントではさらに「予定時間内に書ける」という条件もはずすことができない。

前述のように、ウィキペディアの分量はバイト数で表示される。文字数に換算すると、1字ほどが2バイトとなる。一般的に2〜3時間で文献調査から記事作成までこなすウィキペディアタウンで新規記事を作成する場合、初心者のみ4〜5人のチームであれば1500〜5000バイトくらいが平均的な成果である。熟練者が入っても、8000〜1万バイトくらいの記事が作成できれば、かなり上出来といったところ。もちろん、それぞれの項目で必要な視点からの解説がなされていることが前提だが、このくらいの分量になると目を通すウィキペディアンも多く、メインページの「新しい記事」に載る確率も高くなる。

題材によっては、ありったけ内容を詰めこんでも、1万バイトに届かないものもある。しかし逆に、1万バイトではとうてい説明しきれない題材もある。歴史が深かったり、様々な観点が存在したりといった、大きな題材だ。そういうものは、文献を読みこみ理解するのも容易ではないので、イベントの短時間で取り上げるには、そもそも向かない。

あるひとつの足袋蔵の記事なら、分野としては建築の項目になるので、何を書くべきか、不慣れな編集者でも想像することは難しくない。「沿革」「構造」「用途」「アクセス情報」……そんなところだろう。バイト数でいうなら4000～8000、店舗や資料館として活用されている歴史があれば、1万バイトに届くかもしれない。

しかし、行田市がウィキペディアに作成したい〈足袋蔵〉という項目は、建築物単体ではない。足袋蔵のある「町」なのだ。まず、足袋蔵それぞれの「沿革」「構造」「用途」「アクセス情報」以前に、行田市の地場産業である足袋の蔵が誕生した背景や発展の経緯、そもそもなぜ行田で足袋が作られるようになったのか、歴史的あるいは地理的条件など、周辺情報に目を向けることも欠かせない。

書くべき内容が多ければ当然バイト数も増えるが、町歩きで視覚的に理解することができるのは、〈足袋蔵〉という記事に書くべき内容の、ほんの一部でしかない。たった1日のイベントで、高校生たちはどこまでインプットし、かつ、それを消化してアウトプットできるだろうか。

そもそも……どう考えても〈足袋蔵〉以前に、〈行田足袋〉って項目が必要だよね。

足袋蔵の町を生んだ行田の伝統産業そのものの項目は、当時まだ存在していなかった。

「町」をテーマにする難しさ

ウィキペディアは、例えば〈日本〉という項目で、日本のすべてを紹介することが不可能であるように、1本の長大な記事ですべてを書いたりはしない。日本＞東京都＞台東区＞浅草＞浅草寺＞仲見世通り＞雷おこし……といった具合に、大きな項目のなかに中くらいの規模の項目がいくつもあり、そのさらに内側に小さな項目がいくつもあり、これらがリンクで結ばれている。この構造は、大項目からみれば枝葉がどこまでも広がっていくようなイメージで、そうした記事同士をリンクでつなぐことで、様々な事象を詳細に解説できる仕組みになっている。

これは逆に小項目からみればバームクーヘンの層のように、より大きな項目に幾重にも包まれているようなイメージだ。「足袋蔵という建物」の外側に、今回のターゲットである「足袋蔵がある町並み」という中項目があり、その外側に「足袋蔵の町を生んだ行田の足袋産業」があり、さらにその外側に〈行田市〉だったり〈足袋〉だったりという、より広域な事象を解説する項目があって、初めてウィキペディアのなかで〈足袋蔵〉の解説が成立する。

「町」という題材が、そもそも初心者かつ少人数のイベントで扱うにはややスケールが大きいのだが、この「町」を解説するには、まず〈行田足袋〉をきちんと説明することが必須条件だ。むしろ、順番でいうなら〈足袋蔵〉よりも〈行田足袋〉を先に立項すべきである。

う〜ん、〈行田足袋〉は、軽く書いても5万バイトくらい？　ちゃんと書こうと思ったら10万バイトくらいになる題材だと思うけど……。

どう考えても、高校生5人のイベントで、ささっと扱える規模でないことは、それまでの私自身の執筆経験から容易に想像することができた。同時に、それをウィキペディアに書くとしたら、どのような文献をあたり、どういった観点から解説すべきなのかも、なんとなくみえていた。〈足袋〉については既存項目があるのね。ここに、主な産地として、「行田足袋」の節を作る？……いや、それだとほかの足袋の産地についても多少は書いておかないとバランスが悪くなっちゃうかな。

一地域のことにしか言及しないのでは、「〈藤織り〉っていう項目なのに丹後のことしか書いていない」というのと同じになってしまう。

かといって、行田以外の足袋の産地についても調査して書こうということになると、「足袋蔵をアピールしたい」という主催者の目的からだいぶ横道にそれてしまう。ウィキペディアの充実を思うなら手掛けたほうがいいとはいえ、言及されているだろう文献の量を想像しても、行田足袋だけを扱うのとは桁《けた》が変わってくるので、そこまでのボランティアはちょっとしんどい。

イベントのメインは〈足袋蔵〉。主催者のねらい的にもここは動かせないし……〈行田足袋〉は私が記事を作っておこうかな。乗りかかった船、とことん付き合うことにした。

とはいえ、〈行田足袋〉の立項は、私にとっても簡単ではない。まずは現地に行かないことには文献を集めるのも容易ではないのだ。手当たり次第に公共図書館やインターネットをあたってある程度までは事前に書いておけるが、内容の正確性は地元の文献や資料館できちんと調査した情報を入れ、できれば研究者の意見も聞かないことには、〝ちゃんと書いた〟といえるものにはならない。

しかし、イベント記事とは別に〈行田足袋〉を私が書くなら、貴重な現地調査の機会であるウィキペディアタウン当日に私は一執筆者として時間と闘うことになり、高校生たちのサポートや、イベントのメインである〈足袋蔵〉の編集を手伝う余裕はなくなってしまう。〈行田足袋〉を書くために調べていけば、当然、〈足袋蔵〉の情報も入ってくるので、とりあえず高校生たちに新規作成してもらって、後日、私が加筆するのは難しくはないが、それでは高校生がイベントに参加した意義が揺らぎかねない。高校生たちの成果も残しつつ、良質な記事に仕上げる——この意図を汲んで、参加者や主催者への適切な気づかいと、加筆ができるノウハウと執筆力のあるウィキペディアンの協力が必要だ。

心配してもしょうがない数か月後のコロナの状況はさておき、主催者と参加者の双方が満足できるだろう支援体制を考えてみた。

とりあえず講師は、高校生たちに基本的な注意事項をレクチャーできる者がひとりいればいい。これは最初にEさんに紹介した県内のウィキペディアンにそのまままかせていいだろう。

問題は、〈足袋蔵〉の執筆者。高校生をサポートしつつ、質の高い項目にブラッシュアップできるスキルのあるウィキペディアンの協力がほしい。記事のブラッシュアップといってもやり方は様々だが、例えば、ウィキペディアで〝優良執筆者〟と俗に呼ばれる「良質な記事」を量産しているウィキペディアンたちにも、がっつり文章で解説する人と、文章自体は端的ながら、地図などの画像を効果的に使って解説するのがうまい人がいる。ちなみに私はタイプでいうなら前者だが、高校生の文章を活かしてよい記事にできる人がどちらかといえば、間違いなく後者だろう。そういった編集に慣れていて、初対面の不慣れな参加者の編集活動を妨げずに記事の質を保証するサポートができて、近代建築や町づくりといった題材に関心が高いウィキペディアン。かつ、遠路をいとわぬフットワークの持ち主となると、近年のウィキペディアタウン界隈ではほぼ一択。やっぱり、かんたさんかなあ……。

それまでにも何度か丹後地方のウィキペディアタウンで、私の企画に応えてくれていたかんたさんは、さすがに理解が早かった。イベント当日には、初心者の高校生が調べたことを書きこみやすい骨格だけの〈足袋蔵〉の記事をあらかじめ準備し、イベント時間内だけで作成するのは難しい代表的な足袋蔵の位置情報を入れた地図も事前に用意してくれていた。

あまりに準備が整っていたので、イベントが終わったあとの内容チェックもまだしていない{{工事中}}の〈足袋蔵〉の記事が、数時間後にはメインページに掲載するための投票所に推薦されてしまい、「は、早すぎるよ〜」と焦るかんたさんが、翌日、急ピッチで記事を整えるために、行田市内を奔走されていたことは、同じく〈行田足袋〉を加筆するためイベント翌日も行田市に滞在していた私と、行田市立図書館の皆さんだけが知っている。

見出し文に残る言葉

2020年10月31日の「ウィキペディアタウン in 行田（Trial Version）」当日についても、書いておこう。

イベントに参加してくれた高校生は女生徒5人。行田市立図書館のEさんからの趣旨説明のあと、町歩きに出かける前に、私はひとつだけお願いをした。

「みんなが明日、この場にいない誰かに足袋蔵を紹介するとしたら、なんて言う？　足袋蔵の魅力を伝えるのに、何から話すかを意識しながらガイドさんの話を聞いて、町を見てください」

そして、午後の文献調査に入る前に、全員から一言ずつ足袋蔵を紹介するときにポイントとな

ウィキペディアタウン in 行田で様々な足袋蔵をめぐる参加者たち（2020年）

明治期の行田足袋の女工たち（足袋とくらしの博物館蔵）

る特徴を挙げてもらった。

「昔は足袋の保管庫で、今はお店とかにもなっている」

「壁の柱が多くて、空間には柱がない」

「江戸時代から昭和の中頃までにたくさん建てられた」

「年代によって、いろんな建築資材の蔵がある」

「日本遺産になった」

その全員の言葉を、なるべく高校生が発したそのままの表現でまとめ、さらに町を案内いただいたぎょうだ足袋蔵ネットワークの方々のコメントを加えて整えた文章を、かんたさんが用意していた骨格だけの〈足袋蔵〉の見出し文として打ちこんだ。

ウィキペディアの記事の冒頭にある数行の見出し文。それは、その記事が解説する題材の定義そのものであり、例えばＧｏｏｇｌｅなどで検索したとき、検索結果に引用される部分にあたる。

イベントでは、その見出し文にまとめたひとつひとつの特徴について、高校生５人が分担して文献を調べ、各節により詳細な解説を加えていった。ウィキペディアンのほか、引率の先生や図書館スタッフ、足袋蔵ネットワークの方々も資料探しを手伝ったりアドバイスしたりと、生徒たちの編集活動を手厚くサポートした。

残念ながらというか、予想に違わずというか、高校生たちは、行田市立図書館や学芸員の皆さんが本気で用意した文献の大半を、自分から手にとることはほとんどなく、パンフレットや観光サイトで見た内容だけで、記事を書こうとしていた。実際、ちょっと町歩きをしてガイドに話を聞いたくらいで、行田足袋そのものの予備知識のなかった高校生たちに、「足袋蔵の町」という概念は実感しにくく、近年、観光用に作成されたパンフレットくらいしか、読める気がしなかったのだろう。

地元といっても行田足袋の「行田」は本来、市のなかのひとつの地域（字）にすぎない。参加した高校生たちも「行田」を歩いたのはこの日が初めて、足袋産業についても今回初めて知ったという生徒が多かった。伝統産業についてちょっと説明を聞いただけで、文献を読み解けるくらい深く理解することは、大人でも難しい。

しかしこのウィキペディアタウンに参加した経験が、彼女たちにとって、それまで考えたこともなかった情報の探し方や、情報を必要とするときに頼れる人や図書館の存在を認識するきっかけになっていればいいなと思う。

作成された〈足袋蔵〉の項目は、〈行田足袋〉ともども、その後、「良質な記事」に認定される水準まで加筆された。記事の骨格準備からメインページ掲載まで急ピッチで編集を続けたかんたさんの尽力もさることながら、イベントを企画した行田市立図書館のEさんが画像提供など、イベント後も積極的に編集に参加してくれたことも大きい。

イベント以降は編集に参加していない高校生たちの文章は、ウィキペディアンたちの加筆に埋もれている。しかし、いちばん目立つ見出し文には、彼女たちの文章が、ほぼ当時のまま残っている。

とことん調べ上げたこの記事は完成度が高いので、この後もほかの編集者に大きく書き換えられる可能性は低い。高校生たちが「誰かに足袋蔵を紹介するとしたら、なんて言う？」に答えた言葉も、おそらくこのまま半永久的に〈足袋蔵〉の定義として冒頭に残り、広く世の人々に足袋蔵の町・行田の魅力を伝えていくことだろう。

希望はどこへ？

２０２２年11月、これからウィキペディアタウンを開催したいと考える図書館や教育機関の一助になればと、こうした各地のウィキペディアタウンの事例を集め、図書館総合展に「ウィキペディア展覧会」という場を設定する機会を得たことは先述したとおりだ。そこで私は、行田市にも主催者の立場から事例を紹介してもらいたいと考え、連絡した。しかし、ほんの2年前のことだというのに、すでに行田市立図書館にはウィキペディアタウンに関わった職員はひとりも在籍していなかった。

コロナが収束し、一般公募による「第1回」が大々的に開催できる日を夢見ながら、トライアルで途絶えてしまった行田市のウィキペディアタウン。いつの日か再開できる日は来るだろうか。

市町村直営の公共図書館の場合、職員は必ずしも図書館専門員ではなく、市役所職員などと同じく一般行政職として採用されていたりする。正規職員でもほんの数年で転勤し、図書館を離れてしまうことは珍しくなく、さらに図書館員は約７割が非正規であることも、長期的な社会活動への貢献を妨げる大きな壁となっている。多くの自治体で採用している雇用制度、継続雇用の上限を３年とする会計年度任用職員制度の弊害だ。

私が図書館司書の資格を取ったとき、担当教授が「司書はレファレンスを10年やって一人前。あなたたちはまだスタートラインに立ったにすぎない」と、単位を取得して浮かれる学生に釘を刺したのをよく覚えている。10年とはやや大げさかもしれないが、実際に、公共図書館にある何

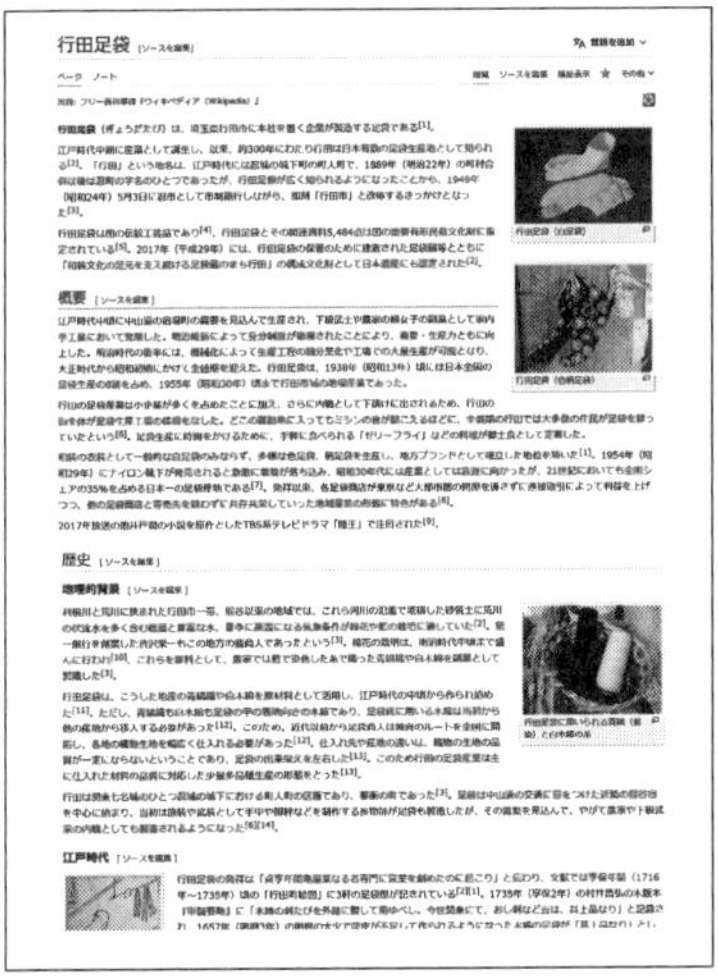

ウィキペディアタウン in 行田で新規作成された〈足袋蔵〉と〈行田足袋〉の冒頭部（2020年）

万何十万という文献を把握し、さらには自館にない情報をどこに問い合わせれば得られるかを見極め、様々な利用者のどんな知的好奇心にも応えられるような探索スキルを身につけるのは、一朝一夕でできることではない。

コンピュータにキーワードを入れて出てきた本を案内するだけなら、それは利用者が自分でできる時代である。２０２２年12月、国立国会図書館デジタルコレクションがリニューアルされ、全文検索機能が充実したことで、それまでと同じキーワードでも、圧倒的に多くの情報がヒットするようになった。同時に、ヒットしすぎることで、利用者には「情報を絞りこむスキル」がより求められることになった。どんなキーワードを組み合わせれば、その情報にたどりつけるのか、ただ「資料や情報を提供する」だけでなく、「資料や情報の探し方をガイドできる」経験豊富な図書館員のスキルと思考力がますます必要とされる今、誰もがその恩恵に与《あず》かることができる公共の福祉、知の拠点である図書館の職員が、ほんの数年で入れ替わってしまうこの国の行く末に、私は危機感を覚えざるを得ない。かくいう私もいつ入れ替わっても不思議はない、そんな非正規職員のひとりにすぎないのだが。

自分で適切な情報源やキーワードであたりをつけて、それらを絞りこみ、必要な情報を探し出せる人と、そうでない人と。便利な世の中が、逆に格差を広げることにつながらないよう、資料や情報を提供するとともに、その「探し方」を広く周知していく役割を図書館が担うことを強く求められる時代に、私たちは突入している。

column 12

ウィキペディアの記事名と内容の関係

「ウィキペディアタウン in 行田」開催のきっかけとなった、埼玉県立熊谷図書館による「ウィキペディアタウン in 熊谷」。実はこのイベントで作成した記事で、私はちょっとしたハプニングに遭遇した。

〈日本聖公会熊谷聖パウロ教会〉というプロテスタント系の教会について新規作成する班に入っていたのだが、立項直前に参加者のひとりが〈日本聖公会熊谷聖パウロ教会礼拝堂〉という記事が存在することに気づいたのだ。熊谷のイベントの約2週間前に、第三者によって作成されていた項目だった。履歴を見ると、同じような礼拝堂の記事を短期間に多数作成していた人によるものだったので、たまたま重複してしまったのだろう。

　すでに項目があるなら、白紙のページに好きに書いていく新規作成とはいかない。道義的に先に書かれた文章を尊重しつつ、内容を充実させていく加筆が求められる。

　しかし、この記事には、大きな問題がふたつあった。まず、すでに書かれていた内容の多くが、出典とするウェブサイトからの転用で、著作権侵害が心配されたこと。コラム09に書いたように、これは削除の対象となりかねない。そのリスクの感じられる文章を残したままでは、後日、私たちの加筆部分もすべて削除されてしまう可能性がある。

　実際にこの記事が著作権を侵害していると判断され、削除されるか。それとも引用の範囲内なのか。その判定はウィキペディア内の協議で下されるべきことで、皆、頭を抱えてしまった。

　もうひとつ大きな問題となったのは、記事名だ。〈日本聖公会熊谷聖パウロ教会礼拝堂〉という記事名では、私たちが書こうとしていた内容が書けなかったのだ。

　一般的に礼拝堂＝教会には違いないが、この項目は、文字どおりこの教会の礼拝堂の建築様式にのみ言及した数行により構成されていた。礼拝堂は文化財登録されているので、建築様式だけだとしても特筆性がないわけではない。しかし「礼拝堂の建築様式」と、「法人としての教会」を、別々の記事としてウィキペディアに作成にするほど特筆性が高いか、あるいは、書く内容があるかというと、この日調べたかぎり、これはそこまで大きな題材とは思われなかった。

また、この教会は、礼拝堂と門が大正時代の同時期に作られ、それぞれが文化財登録されていた。「教会建築の記事」だとしても、門が含まれない〈日本聖公会熊谷聖パウロ教会礼拝堂〉という記事名は部分的すぎたのだ。

悩んだ末に、私たちが採った方法は、〈日本聖公会熊谷聖パウロ教会礼拝堂〉を引用元の著作権に配慮しながら加筆修正し、後日、記事名を〈日本聖公会熊谷聖パウロ教会〉に「改名」する、というものだった。

本文の編集と違って、一度ついた記事名は、簡単には改名できない。検索語でもある記事名は、その内容を的確に表した言葉であるべきなのはいうまでもないが、同時に「日本語話者の大多数にとって、最も曖昧でなく、最も理解しやすいもの」であること。そして「その記事へのリンクを作成しやすいもの」であることが重要とされている。基本的には「日本語での正式名称を使用」するともされていて、何度も変更するものではないのだ。記事名を変えたい場合については9章で触れたように合意を得る必要がある。

すんなり同意してもらえるといいなと期待していた〈日本聖公会熊谷聖パウロ教会〉への改名提案は、残念ながら初版の立項者から「この記事は、礼拝堂の建築について立項したものです。法人としての教会について書きたいのであれば別途立項してください」と、反対意見を表明されてしまった。こうなると、なぜ改名が必要なのかさらに説明し、第三者のウィキペディアンたちから賛成コメントをもらえるように努力する必要がある。誰もコメントしてくれなければ、そのまま改名できずに放置され、気づけば数年……というケースもあったりする。

幸いこの項目については複数のウィキペディアンがコメントを寄せてくれたため、最終的には改名できたのだが、すべてが決着したのは、イベントの約1か月後だった。熊谷でのウィキペディアタウンに参加した一般参加者の多くはこの顛末を知ることもなく、なんとなく消化不良を感じていた人もいたかもしれない。考えても後の祭りだが、ウィキペディアタウンの場では、扱いに困る既存項目は別物として、予定どおり〈日本聖公会熊谷聖パウロ教会〉を新規作成していたほうが、気持ちよくイベントを終えられただろう。

項目を統合するにせよいずれかを削除するにせよ、ウィキペディア内で適切な提案をし、協議して合意を得ることは必要だ。しかし、それはその日のうちに結論が出る話ではない。

ウィキペディアタウンというその日かぎりのエディタソンの場では、その場で決着できることを優先するほうが大切な場合がある。そして、その場でできないけれど必要なことは、イベントに関わったウィキペディアンが責任をもって後日対処する。こうした時のために、ウィキペディアタウンにはイベント後もウィキペディア・コミュニティに関わりつづけるウィキペディアンがいたほうがいいし、可能なら主催者や参加者にもそうなってほしい。ウィキペディアタウンはそのためのアウトリーチ活動でもある。

もちろん、たとえウィキペディアンでも一参加者にそこまでフォローする義務はない。何度もいうように、ウィキペディア編集はボランティア。やりたくないことまでやらなくてもいいのだ。しかし、少なくともイベントで講師をつとめる者や、サポートすることを伝えて参加しているウィキペディアンは、こうしたアフターフォローも役割のひとつと心得るべきだろう。

ところで、ウィキペディアでは同一の記事名で複数のページを作成することはできない。同姓同名など異なる主題なのに記事名が同じになってしまう場合はどうすればいいのだろうか。

そのような時は「曖昧さ回避」といって、記事名の末尾に半角スペースを空けて半角カッコでくくり、そこに分野や分類を表す語を加えることが求められる。「ひまわり（絵画）」「ひまわり（気象衛星）」「ひまわり（1970年の映画）」のように。

詳しくは〈Wikipedia: 記事名の付け方〉を参照してみてほしい。

13 ウィキペディアタウンの始めかた

ウィキペディアに地域情報を充実させることが観光振興や移住促進につながると考える「地域」、収集してきた資料やレファレンスの利用促進を期待する「図書館」、ウィキペディアへの理解を深めることで未来のウィキペディアンを育みたいと願う「ウィキペディア・コミュニティ」。様々な立場で、異なる目的を持つ人々が協力し、それぞれのねらいがすべて達成されるＷｉｎ‐Ｗｉｎな関係が、ウィキペディアタウンの理想といわれる。

しかし、そんな魅力的な取り組みであるわりには、本書で繰り返し述べてきたように、ウィキペディアタウンを実施する自治体や公共図書館、教育機関、そしてウィキペディアンもまだまだ多いとはいえない。

本章では、ウィキペディアタウンに関心を持たれた方がイベントを成功に導くにあたり、留意すべき点と事前準備について、これまでの章と重複する箇所もあるが、具体的に紹介する。

1　まず、確認しよう――〈方針とガイドライン〉

ウィキペディアには、絶対の「ルール（規則）」はない。あるのは、不特定多数のウィキペディアンが話し合い、よりよい百科事典となることを目指し構築してきた「方針」と「ガイドライン」だけである。方針は「すべての利用者が従うべきもの」とされ、ガイドラインは遵守することを「推奨」されるが、例外は認められている。

そのほかにも各プロジェクトが定めた「提案」や個々のウィキペディアンが記した「私論」、そして編集方法の解説ページなどがあり、そうしたマニュアルの類いを仮にすべてプリントアウトしたら数千ページはあるのではないかと思うが、その大半は知らなくて困ることはほとんどなく、必要を感じたときに読む家電のマニュアルのようなものとイメージしておくといい。

何かを立項するとき、それが百科事典の項目にふさわしい特筆性のある主題であり、ウィキペディアの方針に反する内容でなければ、なんらかの項目について「〜してはいけない」とか「〜しなければいけない」と言うことは、ウィキペディアンの誰にもできない。何を主題にどこまで編集するかは、編集者ひとりひとりの自由意志が尊重されている。

ウィキペディアは誰のものでもない、巨大な共有の庭のようなものである。ひとつの場所で皆が気持ちよく過ごすためには、マナーを守るという当たり前のことが求められるが、そのマナーを知らない人もいる。しかし、知らないことを責めるのは間違いだ。誰であれ、初めて知る瞬間はあるのだから。

ウィキペディアのすべての指針の基礎である〈五本の柱〉には、「他のウィキペディアンと同意できないときにも、彼らに敬意を払い、礼儀正しくしてください」と書かれているし、〈善意にとる〉という〈Category：利用者の行動についてのガイドライン〉ではほかの編集者に対してウィキペディアンのあるべき姿勢を次のように説いている。

・そうではないという明確な証拠がないかぎり、プロジェクトに携わる人々は手伝おうとしているのであって、だめにしようとしているのではないと仮定してください。
・必要なときは、明確な証拠を示さないまま誰かの悪意を責めるのではなく、その人の行為を批判してください。
・そしてあなた自身もまた、それを証明する行動で、善意を示してください。

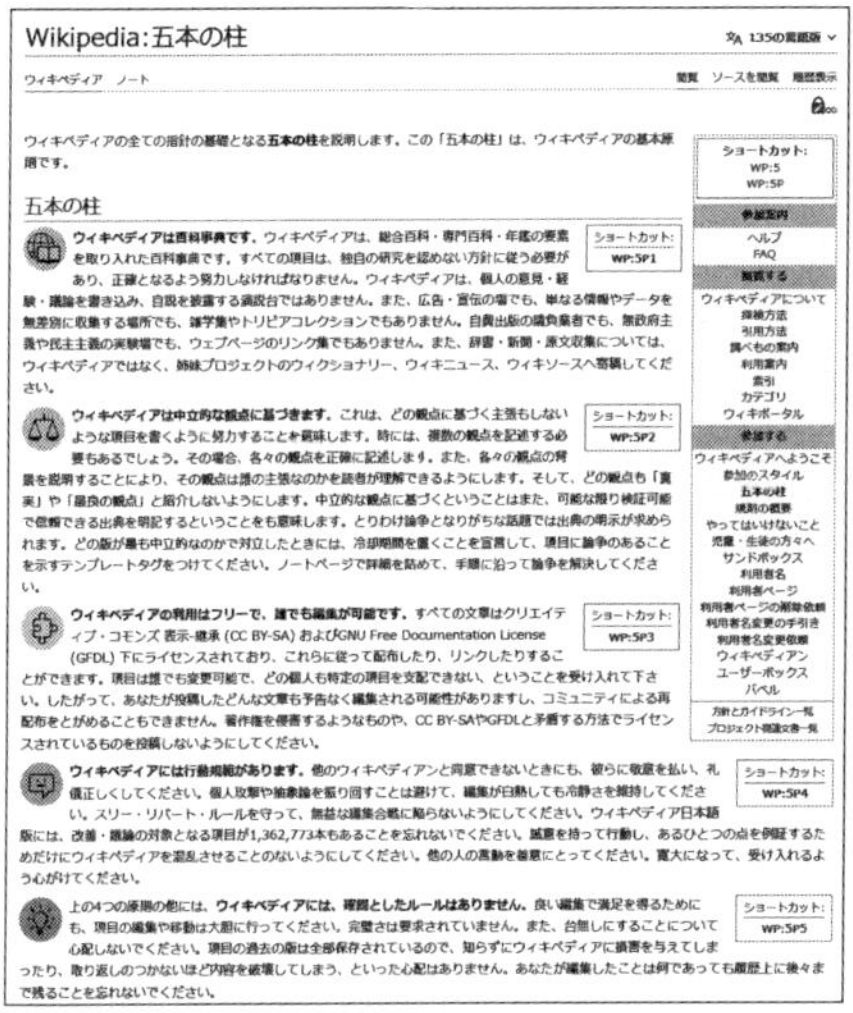
Wikipedia:五本の柱

文A 135の言語版 ∨

ウィキペディア　ノート　　　閲覧　ソースを閲覧　履歴表示

ウィキペディアの全ての指針の基礎となる**五本の柱**を説明します。この「五本の柱」は、ウィキペディアの基本原則です。

ショートカット:
WP:5
WP:5P

五本の柱

ウィキペディアは百科事典です。 ウィキペディアは、総合百科・専門百科・年鑑の要素を取り入れた百科事典です。すべての項目は、独自の研究を認めない方針に従う必要があり、正確となるよう努力しなければなりません。ウィキペディアは、個人の意見・経験・議論を書き込み、自説を披露する演説台ではありません。また、広告・宣伝の場でも、単なる情報やデータを無差別に収集する場所でも、雑学集やトリビアコレクションでもありません。自費出版の請負業者でも、無政府主義や民主主義の実験場でも、ウェブページのリンク集でもありません。また、辞書・新聞・原文収集については、ウィキペディアではなく、姉妹プロジェクトのウィクショナリー、ウィキニュース、ウィキソースへ寄稿してください。

ショートカット:
WP:5P1

ウィキペディアは中立的な観点に基づきます。 これは、どの観点に基づく主張もしないような項目を書くように努力することを意味します。時には、複数の観点を記述する必要もあるでしょう。その場合、各々の観点を正確に記述します。また、各々の観点の背景を説明することにより、その観点は誰の主張なのかを読者が理解できるようにします。そして、どの観点も「真実」や「最良の観点」と紹介しないようにします。中立的な観点に基づくということはまた、可能な限り検証可能で信頼できる出典を明記するということをも意味します。とりわけ論争となりがちな話題では出典の明示が求められます。どの版が最も中立的なのかで対立したときには、冷却期間を置くことを宣言して、項目に論争のあることを示すテンプレートタグをつけてください。ノートページで詳細を詰めて、手順に沿って論争を解決してください。

ショートカット:
WP:5P2

ウィキペディアの利用はフリーで、誰でも編集が可能です。 すべての文章はクリエイティブ・コモンズ 表示-継承 (CC BY-SA) およびGNU Free Documentation License (GFDL) 下にライセンスされており、これらに従って配布したり、リンクしたりすることができます。項目は誰でも変更可能で、どの個人も特定の項目を支配できない、ということを受け入れて下さい。したがって、あなたが投稿したどんな文章も予告なく編集される可能性がありますし、コミュニティによる再配布をとがめることもできません。著作権を侵害するようなものや、CC BY-SAやGFDLと矛盾する方法でライセンスされているものを投稿しないようにしてください。

ショートカット:
WP:5P3

ウィキペディアには行動規範があります。 他のウィキペディアンと同意できないときにも、彼らに敬意を払い、礼儀正しくしてください。個人攻撃や抽象論を振り回すことは避けて、編集が白熱しても冷静さを維持してください。スリー・リバート・ルールを守って、無益な編集合戦に陥らないようにしてください。ウィキペディア日本語版には、改善・議論の対象となる項目が1,362,773本もあることを忘れないでください。誠意を持って行動し、あるひとつの点を例証するためだけにウィキペディアを混乱させることのないようにしてください。他の人の言動を善意にとってください。寛大になって、受け入れるよう心がけてください。

ショートカット:
WP:5P4

上の4つの原則の他には、**ウィキペディアには、確固としたルールはありません。** 良い編集で満足を得るためにも、項目の編集や移動は大胆に行ってください。完璧さは要求されていません。また、台無しにすることについて心配しないでください。項目の過去の版は全部保存されているので、知らずにウィキペディアに損害を与えてしまったり、取り返しのつかないほど内容を破壊してしまう、といった心配はありません。あなたが編集したことは何であっても履歴上に後々まで残ることを忘れないでください。

ショートカット:
WP:5P5

参加案内
ヘルプ
FAQ
閲覧する
ウィキペディアについて
接続方法
引用方法
調べもの案内
利用案内
索引
カテゴリ
ウィキポータル
参加する
ウィキペディアへようこそ
参加のスタイル
五本の柱
規則の概要
やってはいけないこと
児童・生徒の方々へ
サンドボックス
利用者名
利用者ページ
利用者ページの削除依頼
利用者名変更の手引き
利用者名変更依頼
ウィキペディアン
ユーザーボックス
バベル
方針とガイドライン一覧
プロジェクト関連文書一覧

〈Wikipedia：五本の柱〉

相手の事情を慮《おもんぱか》る。相手の顔も素性も知らず、時に議論をかわすインターネット社会で、それは何よりも大切なコミュニケーションスキルであり、そのコミュニティが成長するために決して失ってはならない姿勢であるともいえるだろう。

2-1　テーマを決める――「自分自身の記事を書いてはいけない」という誤解

ウィキペディアについてのよくある誤解に、「自分自身の記事を編集してはいけない」というものがある。それを拡大解釈して、自分の専門分野や職業に関わることや通っている学校や自分の居住地域などについての記事をいっさい編集してはいけないと思いこんでいる人や、あるいはそう思いこみ、そうした行為を批判するウィキペディアンもいる。しかし、２０２３年にウィキメディアン・オブ・ザ・イヤーに輝いたマレーシアのタウフィク・ロスマンさんも「8歳の時、自分が通う小学校の記事をウィキペディアで編集したのが最初」と言っているように、多くの人が最初に編集しようと考える項目は、自分にとって身近な題材であり、そのきっかけが以後の自発的な編集活動につながることは否定されるべきではない。

確かに〈Wikipedia: 自分自身の記事〉というガイドラインには、「あなたが個人的に関わっていることがらについて記事を書くときには、あなたは、いつも以上に注意を払い、あるいはそれを控えなければなりません」とあるが、絶対に編集してはいけないとは言っていないのである。むしろこのガイドラインは、「自分自身の記事」に明らかな間違いを見つけたら修正することや、よりよい写真に替えることなど、内容の向上につながる編集を歓迎している（コラム02も参照）。

自分に関わる記事を編集するとき、慎重でなければならない点は３つ。これもガイドラインに明記されているが、中立的な観点・検証可能性・独自研究の禁止という、ほかすべての項目となんら変わらないものだ。つまり、第三者の公表した検証可能な情報源を出典に使用し、客観的事実を記すだけなら、本人が編集しても問題ないのである。

そもそもウィキペディアにおける「自分自身」とは誰か——アカウントの正体など通常、明らかになるはずもなく、その編集者が何者であろうと、問題は出典が客観的で信頼されるものかという一点につきる。したがって、たまに著名人が「ウィキペディアの自分の記事を加筆したいんだけど、自分では編集できないらしいから誰か代わりに書いて。出典はこれを使って」とSNSで呼びかけているのを見かけるが、誰が代わりに書いたとしても出典が本人のブログなど客観的とはいえない情報源であれば、それは「控えなければなりません」にあたる。

もし、ウィキペディアの誰かがあなたの執筆した項目に対して、「宣伝目的の記事ではないか」「本人や関係者の編集は禁止されている」などと指摘してきたら、あなたがすべきは書くのをやめることではなく、ウィキペディアの方針に沿っているかを確認することだと受け止めてほしい。

ウィキペディアにおける評価は、編集された項目に対してのみ行われるものであり、誰がなんのためにその項目を作成したかは無関係で、大切なのはそれが読み継がれるに値する項目であるかどうかという一点だ。

編集内容が未熟であったとしても、それは批判されるべきことではない。その項目に特筆性があれば、最初は内容が不十分でもいい。ほかの優れた項目などを参考に改善しようとする姿勢さえあれば、ウィキペディアンの多くはあなたの参加を歓迎する（「初心者に親切に〈Wikipedia: 新規参加者を苛《いじ》めないでください〉」も、このコミュニティで尊重することが推奨されるガイドラインである）。

2–2　テーマを決める――キャンペーンをきっかけにする？

なんらかのテーマを設定してウィキペディアの記事を充実させよう！　というキャンペーンはいろいろある。既存の項目に出典情報を追加して検証可能性を高めようとする「#1Lib1Ref《ワン・リブ・ワン・レフ》」運動や、特定の地域の理解を深めることを目的に関連項目の充実を目指す「ウィキペディア・アジア月間」など、有志が呼びかける様々な企画が展開されている。

世界初のフェミニスト政府を宣言したスウェーデンの第1次ロベーン政権により２０１８年に提唱され、同国の外務省とウィキメディア協会が主導して世界60か国以上で開催された、ウィキギャップ・キャンペーンについては2章でも触れた。

日本では、２０１９年9月に「ＷｉｋｉＧａｐ エディタソン ２０１９ 東京」と題してスウェーデン大使館で開催されたのを皮切りに、全国各地で展開された。

大使館でのイベントの際、当時の駐日スウェーデン大使は「ウィキペディアが本や紙の百科事典に代わる時代に、誰が社会の中で目に見えやすくなっているかに注意を払うべき」と、ウィキペディアの人物記事に女性の項目を充実させる必要性を語り、国連事務次長の中満泉《なかみついずみ》さんもビデオメッセージで「世界における変革に光を当てる運動であり、多くの女性を勇気づけることになる」と参加者一同にエールを送った。

各地のウィキギャップ・イベントの主催者は、公共図書館だったり民間団体だったり個人だったりと様々で、イベントのスタイルも、大使館にならった立食パーティを伴う大掛かりなものであったり、こぢんまりとしたオンラインの勉強会であったりと、こちらも様々だった。

ジェンダーバイアスに注目したウィキペディア・イベントには、女性アーティストのウィキペディア記事の充実を目指して開催された「アート+フェミニズム」などが先行事例としてあった

WikiGapエディタソン 2019 東京（2019年9月）

WikiGapエディタソン 名古屋（同年12月）

が、分野を問わず広く女性を対象としたことで、ウィキギャップは広く注目を集め、2021年4月までに30以上の言語版で5万本以上の記事が編集されたといわれている。

スウェーデン政府がこの取り組みを推奨したのは、ウィキペディアの人物記事に、女性の項目が占める割合が男性と比べて少なく、約2割しかなかったことがきっかけだった。しかし、ウィキペディアはどのような政治的な影響も受けないことを基本原則としているため、国家が特定の意図をもって影響を及ぼすことは歓迎されていない。ロベーン政権の呼びかけには、同国のウィキペディアンからも批判の声があがったという。

また、男性に比べて女性の歴史的な記録が少ないために百科事典に項目が少ないのは、ウィキペディアに限った話ではない。無理に女性の人物記事を増やすことにこだわると、逆に出典となる文献が多くあってウィキペディアに書くべき男性の記事を男性であるというだけで軽視することにもつながるのではないかとも危惧された。

そのほか数々の批判はあったものの、ウィキギャップは、ウィキペディアの様々なキャンペーンのなかでも特に成功を収めた企画のひとつといえるだろう。日本でもキャンペーン終了後の今も、ウィキギャップはウィキペディアタウンに次いで人気の編集テーマである。

このほかウィキペディア・エディタソンでは文学や美術など文化芸術分野に関するテーマも人気である。コラム03で紹介したような、文学館や博物館の企画展などに合わせたテーマ設定も、関係機関のねらいと合致すれば相乗効果が期待できるだろう。

2-3 テーマを決める——神社仏閣は書きやすいテーマなのか

ウィキペディアタウンの定番の題材のひとつに神社仏閣がある。どの地域にも昔からあり、神社であれば、本殿や拝殿、境内社、鳥居など、あるものが決まっているので、ある程度、テンプレートに沿って書きやすいからだろう。本殿や灯籠などが文化財に指定されていることも多いため、ウィキペディアの立項条件である特筆性がわかりやすいのも、書きやすいとされる理由だ。

でも、神社仏閣って、ほんとうに書きやすい題材なのか。ウィキペディアタウンを続けていて、どんな題材で、どういう項目を作成すれば、この取り組みが地域の人々に喜ばれ、根づいていくかを考えるうちに、私は疑問に思うようになった。

神社仏閣は宗教施設であり、地域の民俗に深く関わる施設でもあり、イベントの短い時間だけの文献調査で理解できるしろものではない。題材について理解が浅いと、文献を読んでも文意が読み取れず、自分の言葉に言い換えるのも難しくなり、それでも著作権侵害にならないように書こうと思えば、断片的な情報を箇条書きするくらいしかできない。

ウィキペディアの編集をちょっと体験してみたい——例えば出典を入れたり、写真を掲載したりする方法を知りたいといったノウハウを学ぶのを目的とするなら、神社仏閣は確かに手堅い題材かもしれない。けれど百科事典の基本は、文章による「解説」であり、これが難しいのであれば、書きやすい題材とはいえないだろう。

地域の歴史や神社仏閣がほんとうに好きで、もともとその題材に理解がある参加者ならいい。

しかし、そうでないなら、ウィキペディアタウンと俗に呼ばれるイベントにおいて、多くの人が文献の内容を理解し、文章化しやすく、書いて楽しいと思える題材は、もっと身近な、自分に縁あるものなのではないだろうか。

とはいえ、神社仏閣が町の成り立ちを知るうえで魅力的な題材であることは否定できない。ここではふたつ事例を紹介しよう。

ひとつは、京丹後市網野町網野にある、網野神社。この神社は、もともと網野村のはずれに位置していたが、1904（明治37）年に網野村が隣の村と合併して網野町となった際、地理的に町の中心に鎮座することになった。合併当初のふたつの旧村のあいだには網野神社のほかは田畑くらいしかなかったが、やがてあいだを埋めるように人家が建ち並び、大正時代には神社のまわりは人家で埋まった。1921（大正10）年には郡役所が網野神社近くに移転されたことを受け、網野神社は本殿を建てなおすついでに参道の向きを郡役所に向けて90度変更した。それが、現代に見られる網野神社の姿だ。

古《いにしえ》からその地にあった神社の歴史をたどることで、地域そのものの発展が見える。そんなところに着目するウィキペディアタウンも面白いかもしれない。

さらにもうひとつ、神社の項目に欠かせない地域を表す題材に「祭」がある。なぜかウィキペディア、特にウィキペディアタウンで作成された記事には、祭礼行事に触れていないものが多くあるが、日本の祭はもともとは「祀《まつ》り」、多くは寺社や神社に由来する行事である。ウィキペディアタウンでは町歩き中に見ていないものはイメージしにくく、書きにくいのかもしれない。また、とことん書くには時間も必要な題材なので、その点ではエディタソン向きの題材とはいえないのかもしれない。しかし、地域の人々が神社仏閣に親しむきっかけとなるのは建物や灯籠の様式などより、四季折々の祭であることが多いのではないだろうか。

2023年春、日本各地で、コロナ禍により中断していた祭礼が復活した。「数年ぶりの開催」、そんな見出しが躍るネットニュースが連日飛びかったゴールデンウィークに、私が見物した祭のひとつに、滋賀県蒲生《がもう》郡日野町で開催された、琵琶湖の湖東地域で最大の郷祭《ごうまつ》りがある。

その日野祭は馬見岡綿向《うまみおかわたむき》神社の850年以上の歴史を持つ例祭で、5月の初めに3日間かけて行われる。祭礼の段取りは細かく決められており、午前3時に開始する神事もあるとか。そんな祭で様々な役を担うのは、神社の氏子《うじこ》である8つの大字地区の住民で、役どころは数百年の昔から基本的に変わらず、それぞれの地区のなかで継承されてきた。

祭ではしばしば、「巫女《みこ》」や「稚児《ちご》」や「大名」などに扮した「役」が登場する。あるいは囃《はや》子《し》や太鼓といった、山車に乗る人たちがいる。それら様々な役を誰が担うと、いつ、どこで、どういう基準で決まるのだろう。関係者には当たり前に知られているものの、外部の者がその詳細を知る機会はほとんどないことが、地域行事には多くあるが、特にその知名度と詳細が知られていないこととの差が激しいもののひとつが、伝統的な祭であるように思う。

町の名前は、時代とともに変わることがあり、明治期の市制・町村制施行に始まり、平成の大合併を経て、いまや名前に歴史的意味を持たない土地も少なくない。そのため近年、登記簿を扱うお役所の人などに「ウィキペディアの地区記事は、行政地名の変遷を確認するのに便利」と評されたりもする。現代のグローバル社会では、身近な地域の営みの単位である「小字」や「隣組」といった昔ながらのコミュニティも、生きていくうえで必須とされるつながりではなくなり、その意義が薄れている地域もあるだろう。

けれど、町の名前が変わっても、連綿と続いてきた人々の営みは受け継がれている。それが顕在化しやすいもののひとつが祭で、様々な役割が隣組のような小さなコミュニティ単位で引き継がれていることが多い。ウィキペディアにいくつかの祭礼行事を立項していてそう気づいたとき、私はウィキペディアに「祭」を書くことは、「地域」を書くことと同義ではないかと考えるようになった。

2022年10月、私は日野町で開催された「ウィキペディアタウン in 日野 vol.2」に参加し、地域の人々とともに〈日野祭〉という項目を新規作成した。

このエディタソンに参加していた日野町在住者のひとりに、イギリス人のトム・ヴィンセントさんがいる。近江日野商人の歴史と文化に惚れこみ日野町に居を構えたトムさんが初めて日野祭に参加した数年前、トムさんの上に酔っぱらって山車から落ちてきた町民がいた。その後、ふたりは意気投合し、ともに新規事業を立ち上げる仲になったとか。

そんなトムさんが日野祭について語った言葉が印象に残っている——「祭の場には階級も壁も

ないから、正直でいられる」

祭は、昔からその土地に住む人々と、新たに町を築く一員となる移住者の距離を縮める大きなきっかけとなりうる非日常であると同時に、日常に連なるものといえるだろう。

階級社会の壁のあるイギリスに育ち、今は〝外国人〟という壁を時に感じながら日本に暮らすトムさんの祭の魅力を伝える言葉に、少子高齢化の進む時代に地域再生を目指して全国各地の田舎でさかんに取り組まれている移住促進の鍵があるような気がする。

神社仏閣や祭を短時間での項目作成を求められるイベントでテーマとするのは難しくとも、取り組み方によってはこれほど地域を知ることのできる題材はない。

3　ウィキペディアにおける著作権を理解する

「地域力とは、記憶の共有である」と、以前、耳にしたことがある。記憶を構成するのは経験であり、経験で得られた情報を知識とするなら、少なくともその一部は、適切な方法をとれば、間接的にも伝えることができるはずだ。

ウィキペディアに掲載されたすべての情報は、国際的非営利組織によるプロジェクト、クリエイティブ・コモンズ・ライセンスのCCBYあるいはCCBY-SAとされ、誰でも自由に利用することができることは何度か述べた。

注意すべきは、「自由に」＝「無条件」ではないという点だ。ウィキペディアの採用するCC

BYは、著作権者のクレジットを表示することを主な条件に、改変はもちろん、営利目的での二次利用も許可している。ウィキペディアの情報を利用する際も、それがウィキペディアのいつの時点での情報かを明記することを求められ、それにより情報源が曖昧になることなく、適切な活用をはかることができる。同時にウィキメディアのプロジェクトの多くは、その掲載情報を二次利用する際には同等のライセンスで複製・改変・再頒布を認めることを条件とするGFDL（GNU Free Documentation License）にも準拠しているので、ウィキペディアの情報を利活用する人は、その情報を利活用されることを認めなければならない。

一方、各記事を書く際に参照する出典の著作権はそれぞれの執筆者ないし継承者のものなので注意が必要だ。クリエイティブ・コモンズ・ライセンスにはいくつか種類があるが、著作権を放棄し、作品を完全にパブリックドメインとするのは「CC0」のみ。ほかのウェブサイトでオープンデータをうたっていてもそのライセンスは様々であり、必ずしもオープンとはいえないものもある。それらをウィキペディアで利活用するにあたっても、同じく注意が必要だ。

ウィキペディアタウンでは自分の書いた文章やウィキメディア・コモンズにアップロードした写真が、そうしたウィキペディアの方針に同意したものとされることを参加者に事前に伝えることも大切である。なお、著作権に関しては前章も参考にしてほしい。

4　ウィキメディア財団の助成制度と講師に求められること

「私もウィキペディアタウンをやりたい」——時々、そんな声を聞くことがある。そうした声の半分以上は、すでに検討を始めている人の真摯な相談や意欲的な決意表明だが、残り半分は他力本願な夢物語であったりする。前者は実現するが、後者が実現した話はあまり聞かない。

「私もやりたい」と言いつつ、なかなかうまくいかない後者の人は、続けてこう言ったりする。「けど、協力してくれる人がいない」「お金がない」——協力者を見つけるまでがひと苦労なのはよくわかる。

しかし、ウィキペディア編集はもともとひとりでできるボランティア。仲間がいなくても、お金がなくても、まずは自分でやってみればいいのである。ウィキペディアに限らずそれが客観的に見て価値ある行いで、自分ひとりでもやってやるぞ！　とひたむきにがんばるような人には、それに触発されて、できる範囲で手伝ってあげたいと考える人が現れるものだ。

「うちは田舎で閉鎖的だから話が通じない」——そんなふうに地元を悪く言う人が信望を得られないのは当然で、ともに活動する仲間を得たいのなら、口よりも手を動かして、協力したくなるような実績をまずは作ることが大切だろう。

イベントをするお金がないのなら企画の趣旨にあった企業や自治体などの助成金や支援制度を探してみよう。助成制度はウィキメディアにもある。

ウィキメディアは、世界全体で毎月30万人以上の編集者がなんらかの編集活動を行う場で、毎月17億台以上のデバイスからアクセスされている。２０２３年11月時点で６０００万以上のウィキペディア記事があり、１億点以上のメディアファイルがコモンズにある。

この巨大な知のプラットフォームを維持管理するため、ウィキメディア財団は世界中の有志から寄付を募り（ウィキペディアは商業広告をいっさい載せていない）、38の「国・地域別協会」が「世界中の人々がフリーなライセンスかパブリック・ドメインで教育コンテンツを収集（略）発展させることができるようにし、それに参加してもらうことと、効果的かつグローバルにそれを広めること」を目標に活動している。

日本にはこうした協会がなかったが、２０２３年10月に「ウィキペディア日本語版ユーザーグループ（Wikimedians of Japan User Group）」がウィキメディア財団の公認を得た。これは国・地域別協会の設立につながるひとつの動きとなるかもしれない。といっても、これはまだ小さな萌芽にすぎず、ウィキペディア日本語版は、ほかの多くの言語版と比較しても規模が大きいとはいえ、まだまだ発展途上のコミュニティといえるだろう。

しかし、ウィキメディア財団は、たったひとりに対しても、その志がウィキメディア運動の目指すところに合致していれば、自発的な活動を広く支援するコミュニティ基金を通して、交通費をはじめ企画運営費など必要な金銭的援助を行っている。図書館総合展公式ページの「ウィキペディア展覧会」では、財団のこの助成制度についても簡単に紹介した（www.libraryfair.jp/booth/2022/sub/1478）。詳細は申請に必要な情報のリンクを集めた上記サイトで確認してほしい。

ただし、あらかじめ一点だけ注意しておきたい。財団の資金は、現在、そして未来においても「すべての人類の知識の集合」を作り、維持するためにある。なんの計画もなく、もらえるものならと手を出してよいものではないことは心してほしい。

ある時、この点を勘違いしたあるウィキペディアンが、自らが有償の講師として依頼を受けていた地方自治体主催の企画の名義を無断で借用し、講師が負担するはずのない運営費を書き連ねて支給限度額いっぱいの助成金を申請するという問題を起こした。

海外に拠点を置く財団は、各言語版の活動について正確な事情を把握することは困難であることから、通常、各国の問題には干渉しないことを原則としている。この助成金申請の問題も、主催者および財団双方の事情を知る者の内部告発がなければ見過ごされていただろう。財団関係者の問い合わせによって、公費による企画であり助成金を申請する予定がないことが発覚し、支給は停止された。その後、どんな過ちも「善意にとる」ことを大前提とする同財団の助成金審査担当者は、申請書を修正のうえ再提出することを認め、必要経費の名目を全面的に書き換えさせたうえで、数か月後に異例の再認定を行っている。

たとえ企画終了後の最終報告書で正しく清算するつもりであっても、申請・審査の過程で他人の名義を無断で使い、嘘をついてはいけないのは当たり前の話だが、問題のウィキペディアンは最終的に助成金を受け取れたことを理由に、「最初の申請にも問題はなかった」と主張しつづけている。

もし、あなたがエディタソンを開催しようと思うなら、理想はあなた自身がウィキペディアンとなって、経験の浅い参加者をサポートすることだ。しかし、もし誰か外部の人間を頼るのであれば、ウィキペディアンにも様々な人がいることを念頭に置き、慎重な人選をおすすめしたい。ウィキペディア内での活動年数や肩書に惑わされず、その人物の「投稿記録」を見て、あなたの企画のねらいに合う編集者なのかどうか判断したり、可能なら伝手をたどって過去にエディタソンに関わったことのある関係者にアドバイスを求めるといいだろう。

ウィキペディアタウンの講師に求められる技量や心構えは、主催者の目的だけでなく、参加者層によっても変わる。

エディット丹後を例に挙げれば、私のほかにウィキペディアを編集する者がいなかった当初、講師として他地域からお招きしたウィキペディアンに期待したのは、次の3つだった。

A　地域振興に関する理解を深める講習や事例紹介ができること

B　ウィキペディアやオープンストリートマップなどのコンテンツの編集方法を教えられること

C　ウィキペディアタウンの項目作成時のグループミーティングで、ファシリテーター役ができること（記事の構成のアドバイスができること）

幾度もの企画を重ねるうちに、地元の人のなかにも講習やファシリテーター役のできる人が育ち、近年では毎回のイベントに複数人が参加してくれるようになった。こうなれば、単純な講師役をあえて遠くから連れてくる必要はない。現段階で誰かを招くとしたら、期待するのは次の3つを備えた人物である。

D　イベント後も新規作成した項目の加筆に協力し、メインページに掲載される水準まで高めようという意欲と能力のあるウィキペディアン

E　百科事典らしい項目を執筆する能力（題材分析・記事構成力）があり、初心者の編集活動をフォローすることができるウィキペディアン

F　エディット丹後メンバーにない観点でウィキペディアについて語り、地域の人々の知見を広げることができるウィキペディアン

講師として招く場合、主催者が交通費や宿泊費や謝礼を負担することが多い。特に地方で終日イベントをしようと思えば、あるいは逆に私のような地方在住者がほかの地域で講師をしようと思えば、宿泊を伴う場合もある。その費用は各自治体の助成金や前述の財団の助成制度で支払われることもあるが、安くはないので、当然、それなりの費用対効果を期待される。主催者側にとっては、相応の資質や成果を講師に求めるのは当然なのだ。

数年前までは、「とりあえず1回やってみよう」といった企画が多く、A～Cのような講師が求められることが多かった。しかし近年では、行政提案型協働事業として東京の府中市が後押しした「ウィキペディアタウン in 府中」や、佐賀県の伊万里市民図書館が主導した「イマリペディアン養成セミナー」、登録有形文化財の保存・活用を目指す「ウィキペディア愛知登文会《とうぶん》」、石川県の加賀市デジタルアーカイブプロジェクト「かがが」から派生したウィキペディアタウンのように、初回から明確に地域情報のアーカイブ化や地域の人材育成を目的に、継続的な開催を計画する企画もある。そうした地域では、参加者のスキルアップに応じてD～Fのような資質を備えた協力者が必要になる場面もあるだろう。

ウィキペディアンに、何を、どこまで期待するのか。期待できるのか。主催者と講師は、互いの求めるところ・応えられるところを、事前に包み隠さず共有しておくことが大切だ。

5　ウィキペディアタウンの準備物

以上を踏まえて、いざウィキペディアタウンを開催しよう！　となったとき、何を用意すべきか。開催の目的や題材、参加者によって、ウィキペディアタウンといってもいろいろだということは繰り返し述べてきたとおりだが、ここではとりあえずこれだけはという準備物について紹介する。

参加者のアカウント取得——ほとんどすべてのウィキペディアタウンで、事前にウィキペディアのアカウントを取得しておくことが求められる。限られた時間をそれで消費するのはもったいないからというのが主な理由だが、ひとつのIPアドレスから24時間以内に取得できるアカウントが6つまでという制限があることも、事前取得が推奨される理由のひとつだ。なぜそんな制限があるのかといえば、不適切な目的のために大量のアカウントを取得しようとする迷惑行為を防止するためである。

互いの顔が見えないウィキペディア・コミュニティでは、アカウントに紐づけされた「投稿記録」がその編集者を物語る情報のすべてであり、アカウントひとつひとつが1個の人格とみなされる。ウィキペディアでは公平性を保つため、ひとり1アカウントを原則としており、複数のアカウントを持つことは通常認められない。基本的にネットを介してしか相手が見えないウィキペディアにおいて、イベントに集まった十数人の参加者がいっせいにアカウントを取得したらどう見えるだろうか。

実際に、あるウィキペディアタウンでは、事前にアカウントを作成してこなかった参加者が多くいたことで、ふたつのWi-Fi回線から短時間に多数のアカウント作成が行われたために、ウィキペディアの管理者はそれら新規アカウントを不適切な利用者によるものと誤解し、ブロックした。講師をしていたウィキペディアンが解除の申立てを行い（〈Wikipedia: 投稿ブロックへの異義申し立て〉）、無事にリカバーされたが、イベント時間内に解除が間に合うのか、当事者がやきもきしただろうことは想像に難くない。

一方、事前にアカウントを取得しておこうにも、できないケースもある。例えばフリーWi-Fiや携帯電話会社の端末、マンションや公共施設など多数がIPアドレスを共用している条件下では、その圏内で過去に悪質な編集をした人がいれば、その回線がウィキペディア側にブロックされていることもある。数十人が参加するイベントであれば、何人かがそのような理由で事前にアカウントを取得できないことがある。

こうした場合に備え、エディタソンの講師または主催者は〈Wikipedia: アカウント作成者〉の権限を事前に（2週間前くらいまでには）申請し、取得しておくことが望ましい。この権限は、24時間以内に7個以上のアカウントを作成できたり、連続投稿数の制限がなくなるもので、短期間であれば比較的簡単に付与してもらえる。ただし、申請時点で初編集から30日以上経過しており、かつ、ウィキペディアで一定の編集経験があることが必要なので、注意しておきたい。

人数と項目数——初心者であれば1項目あたり2～5人程度で担当し、ウィキペディア編集のノウハウを備えたファシリテーター役をひとり配置できるとよい。題材と参加者の適性によっては、文献調査に専念する人がいてもいいし、現地取材（写真撮影）と画像アップロードだけを担当するチームをつくるという分担もありだ。

文献資料——前章で述べたとおり、題材に関する一般書のほか、雑誌や新聞記事、論文、児童書、パンフレット類まで幅広く揃える。郷土の題材であれば、郷土史誌や自治体広報誌、各種の報告書、新聞の地方欄はチェックしておこう。

複数項目を扱うイベントでは、郷土史誌のような基礎的な文献を数人が同時に必要とする場合があるため、複本があるといい。また、位置関係を理解するのに役立つ地図や、パブリックドメインの写真などもあれば探しておきたい。

パンフレットなど市場に流通していないものは、PDF版が公的なサイトに公開されているか、公共図書館に蔵書登録されていれば、検証可能性が高くなる。もし地域で入手した資料がそのような状態にないときは、国立国会図書館に1～2部納本することをおすすめしたい。

これらのことが難しいと感じる人は、まずは気軽に地元の公共図書館に相談してみよう。図書館にはレファレンス（資料の相談）という役割があるので利用を躊躇する必要はない。ちなみにエディット丹後でウィキペディアタウンを開催するときは、1か月ほど前までに府立および市立の公共図書館に、企画の趣旨と題材を伝え、関連する資料をすべて揃えてもらえるよう「協力貸出依頼」を書面で提出している。館によっては、当日借りられない資料はあらかじめコピーをとってくれたり、私たちが存在に気づいていなかった資料が用意されていることもあり、とても助かっている。

スケジュール――参加者数と編集したい項目数やその規模、イベントの目的が定まったら、町歩き（現地取材）の必要性を検討。題材についての学習時間や、ウィキペディアについての講習など、それぞれにかかる時間を想定し、スケジュールを組み立てる（タイムテーブルの一例は159ページ参照）。町歩きをする場合は、事前に現地調査を行い、移動時間や交通上の危険箇所などを確認し、昼食場所などの情報もガイドできるようにしておく。必要に応じて、「イベント賠償責任保険」の加入も検討したい。

ここまでの説明を読み、「いや、そんなしんどい企画はとても無理……」と思ったなら、いきなり新規項目の作成や大幅な改善に挑むのではなく、とりあえず今ある項目にひとつかふたつ情報を追加するとか、図書館の本でウィキペディアの記述が正しいか否かを検証してみて書誌情報を追加するといった、「#1Lib1Ref」に取り組んでみてはどうだろうか。2016年に始まったこのウィキメディア運動については先にも触れたが、世界中の図書館司書が15分間ウィキペディアを編集し、「司書ひとりにつき出典ひとつ（One Librarian, One Reference）」を既存項目に追加した場合、35万件の情報の信頼性が向上すると試算されたことから、文献にアクセスしやすい立場にいる図書館員たちに参加を呼びかけたもので、毎年1月に大規模なキャンペーンが展開されている。図書館員の研修や、小中高校生の図書館を使った調べ学習にも手頃な「#1Lib1Ref」は図書館関係者でなくても参加できるし、いつどこで誰がこのイベントを開催してもかまわない。

会場選びと通信環境——会場でフリーWi-Fiが使えれば便利だが、短時間で接続しなおすことを求められることも多い。また会場備えつけのWi-Fiでも、5〜10台以上接続すると通信不良が起きることが多く、容量はそれほど大きなものでなくてよいので、Wi-Fiは複数回線あると安心だ。モバイルWi-Fiは1日ひとつ数百円からレンタルすることができる。なお、公共施設の回線では、ウィキペディア側の設定によりアカウントを取得していても編集できない場合があるので、事前に確認しておきたい。

編集はスマホやタブレットでも可能ではあるが、画面が小さいとやりにくいので、できればWi-Fi接続可能なノートパソコン、またはキーボード付きのタブレットを参加者に持参してもらうのがいい。ひとり1台の用意が難しいときは、1台のパソコンをチームで共有してもいいが、編集時はそれぞれ自分のアカウントでログイン・ログアウトすることを忘れないようにしたい。

このように多くの電子機器を使用するので、電源の確保は重要である。電源タップを相当数用意すること、また、全体への講習や成果の共有のためにプロジェクターとスクリーン、または大型のテレビモニターなども必要となる。エディットソン後ではさらに、グループミーティング時にファシリテーター役が画面を見せて説明するための32インチ程度のモニターを用意することもある。

町歩きに出かけているあいだにパソコンなどの荷物を保管しておける場所もあるといい。移動時間のロスを減らすため、編集会場はなるべく近くが望ましく、地域の図書館や公民館のほか、レンタルスペースなどが利用できる場合がある。会場に椅子や机が十分にあるか、飲食可能か、冷暖房やプロジェクターを使用できる環境であるかどうかは、事前に確認しておこう。

ガイドと地図――町歩きをするウィキペディアタウンでは題材やその土地の事情に明るい現地ガイドと地図も重要である。2022年10月に福井県の美浜町で開催された「ウィキペディアタウン・in 美浜」では、〈佐柿〉〈美浜町民レガッタ〉〈へしこ〉という3つの題材それぞれのガイドとして、若狭国吉城歴史資料館の館長、教育委員会の町民レガッタ担当者、へしこ料理研究家の3名に講習してもらい、昼休みには町のゆるキャラ「へしこちゃん」も登場した。文献調査に先立ち、題材への理解を深めるのに、適切なガイドの存在は大きい。

地図は、エディット丹後ではよく、対象地区全域の住宅地図を使用する。ウィキペディアに立項するのはそのなかの一部であっても、題材とその他様々なものとの相関関係は、周辺もくまなく視野に収めることで、初めて理解できたりするからだ。

項目作成の準備――新規項目を編集する場合は、インフォボックスと節の構成、カテゴリーなど基本的な骨格をあらかじめ「下書き（サンドボックス）」ページなどに作成しておくと、編集活動がスムーズになる。立項する際は、「ここに書いて」ではなく、こうした記事の構成についてもグループミーティングでディスカッションしながら解説したほうが、参加者にとっては学びが大きい。ただし、参加者のなかには新規立項をしてみたいという人がいることもある。その場合は、用意しておいた骨格にこだわらず、希望する参加者に、インフォボックスの構造から説明し、骨格づくりをまかせるほうがいいだろう。参加者ひとりひとりが何を求めて参加しているのか、ミーティングの最初に確認しておくことが重要である。

また、節については、題材について理解を深めて初めて適切な構成がみえてくるものでもあるから、情報共有とディスカッションのため、ホワイトボードや大きめの模造紙、付箋などを用意しておくといい。オンラインで行う場合は、Ｇｏｏｇｌｅドキュメントやスプレッドシートを活用するのも有効である。特に、学生を対象とする場合は、図書の日本十進分類法（ＮＤＣ）との対比や、情報カードやワークシートを活用するなど、ふだん学校で学んでいるような手法を取り入れることも検討したい。

広報——企画の大枠が決まり、参加者を募る段になったら、広報には自治体のほか地域メディアに協力してもらったり、図書館や公民館に案内を掲示する、ＳＮＳを活用するなどの方法があるが、題材に関係する地域の団体やボランティアグループ、学校などには特に声をかけておきたい。

　ウィキペディアンに対しては、ウィキペディアの〈プロジェクト：アウトリーチ／ウィキペディアタウン〉に開催情報を掲載する、Ｘ（旧ツイッター）に「#jawp」タグを付けて投稿する、Ｆａｃｅｂｏｏｋの公開グループ「Wikipedia TOWN」に投稿するなどの方法が有効である。

参加者の持ち物——先述したＷｉ‐Ｆｉ接続可能なノートパソコンやタブレットのほか、写真

ファシリテーターのパソコン画面をモニターに映しながらミーティングするエディット丹後の編集会の様子（2023年）

撮影のためのデジタルカメラかスマホ、筆記用具はできるだけ持参してもらう。また、題材と参加者によっては、関連資料や地域の古い写真などがあれば持ってきてほしいと声がけしておくと、有効に使える場合がある。

参加者への事前連絡――スケジュールや緊急時の連絡先、持ち物、健康管理など、一般的なイベント参加の諸注意のほか、「アカウントの事前取得」と取得方法を連絡する。理由は前述のとおり。

このほか、参加人数が多い場合には、主催者側が全員分の名札を準備しておくといい。また、次回に活かすため、参加者へのアンケートを用意しておくことも重要だろう。

最後に、ウィキペディアタウンにおけるウィキペディアの講習について、簡単にまとめておこう。事前に講習すべき内容は主に3つある。

・ウィキペディアやウィキメディア財団の活動や理念
・ウィキペディアやウィキペディアタウンの活用事例
・ウィキペディアの編集方法や編集上の注意事項

また、イベントで編集を体験したあとに、解説しておきたいことに次の2つがある。

・イベントで編集した項目をさらによい内容とするために加筆修正したいポイント
・後日、項目の「履歴表示」から、第三者の編集でどこがどう変わったのか、「要約欄」や「ノート」ページに指摘がないか、確認すること

さらに後日、もし新たに作成した項目あるいは大幅に加筆した項目がメインページの「新しい記事」や「強化記事」に掲載されることがあったら——その時は、その項目についてまったく知らなかった人に1日あたり50数万回クリックされる可能性が生まれたことを伝え、画面右上のツールの「ページ情報」からその閲覧数の推移（ページビュー数）を確認できることを紹介すると、イベントから時間が経って熱が冷めた参加者の関心をあらためて引くことができるかもしれない。ウィキペディアタウンを「また、やりたい！」と思ってもらえる企画とするには、Ｐｌａｎ（計画）→Ｄｏ（実行）→Ｃｈｅｃｋ（評価）→Ａｃｔｉｏｎ（改善）の、特にＡｃｔｉｏｎが重要である。

以上、もしあなたがウィキペディア編集をまだしたことがないなら、以下のＱＲコードのリンク先に簡単な編集方法のマニュアルをまとめたので、まずは編集デビューしてみてほしい。また、このマニュアルはあなたがいよいよウィキペディアタウンの企画者となったときにもぜひ活用してほしい。

column 13

高校生のリテラシー教材としてのウィキペディア

学校図書館司書として、私がウィキペディアやウィキペディアタウンが教育活動に寄与するツールとなるのではないかと考えた理由は複数ある。まず、ネット検索で発見されやすいウィキペディア記事に適切な出典情報があれば図書館の利活用促進につながるのではないかという点。また、よく知る題材であれば、疑問を持った際に出典と照らしあわせることで、ファクトチェックを学べるのではないかという点が挙げられる。

次いで、ウィキペディアを「書く」ことにより、調べ学習や探究学習の基盤となる情報の収集や整理、分析、再構成といったノウハウと、引用のルールや著作権など、生徒たちが情報を利活用するうえで今後も必要となることへの理解を深められるのではないかという思いもあった。

さらにウィキペディアタウンにより身近な社会や人々を深く知ることで、自分の生活圏を肯定的にとらえるきっかけになるのではないか。また、自らが発信した情報が多く閲覧され、利活用されていると実感することで、誰かの役に立っているという手応えを得て、自己肯定感も増すのではないか。加えて家庭や学校以外の様々な人と協働することで視野を大きく広げ、異世代とのコミュニケーションの経験を積むこともできるのではないかとも期待した。

しかし、学校内でウィキペディアタウンを主催し、ウィキペディア編集を生徒にすすめるのは簡単なことではない。教育現場の目標はあくまで生徒ひとりひとりの人間的な成長である。ウィキペディアは個人の責任で参加するもので、それを学校が推奨するからには、その活動が学校の教育理念や方針に沿った活動であるかが重要で、ウィキペディアタウンがどんなに素晴らしい学習効果をもたらし、地域貢献につながるものであっても、同じ効果を得られる活動がほかにもあるなら、必ずしもウィキペディアである必要はない。がんばって書いても次の瞬間には書き換えられてしまうかもしれず、自分が書いたと主張する権利もなく、独自研究を書けるわけでもないウィキペディアは、取り組んだことが必ずしもよい結果になるとは保証されず、成果として残るものが少なくみえる。一方、例えば図書館振興財団による小学生から大人までを対象とする「図書館を使った調べる学習コンクール」など、本人の成果として残り、場合によっては大学入試の役に立つこともあるコンクールに参加したり、学校のホームページやSNSで自由研究などを発表したりするほうが、生徒に利するものがあるかもしれない。

もしウィキペディアタウンをやってみたい、あるいは生徒を参加させたいという思いを持たれた学校関係者がいるなら、そうしたメリット・デメリットを踏まえ、なぜウィキペディアでなくてはいけないのかと、学校内で理解を共有することがいちばんに求められるだろう。

デジタル世代への紙の本の普及に限界を感じてウィキペディアに関わりはじめた私も当初、インターネット上の情報そのものには、さほど重きを置いていなかった。しかし、ツールとして考えるなら、デジタルの媒体が紙の媒体と比べて優れているところは多くある。まず、インターネット上の情報は書店や図書館まで行かなくても読むことができ、貸し出し中で借りられないということもない。必要があれば文字を拡大したり、読み上げ機能を使ったり、翻訳アプリで訳したりもできる。まさに「読書バリアフリー」が目指す世界といえるだろう。

2020年に普通科系探究コース「みらいクリエイト科」を設置した私の勤務校では、高校1年生の授業でファクトチェックを学ぶ教材として自校のウィキペディア項目を活用している。自分の学校のことだから当然、生徒はある程度知っているわけだが、沿革や部活動一覧の記載が合っているか確認したり、アクセス情報について時刻表で確認したりを繰り返していくと、間違っている情報があれば、生徒もよく気がつく。しかし、抜けている情報は見落とされやすい。例えば学校までのアクセス手段である鉄道の路線名の間違いには気づいても、バスについて書かれていないことには気づかず、「みんな学校にどうやって来ている?」と呼びかけて、初めて「あ!」と声をあげたりする。

「よく知っていることでも書かれていないことは見落としてしまうなら、知らないことを調べたときにはどうなるかな? 調べてわかったことがすべてだと思ってしまっていないかを常に意識してください」――そう言って、授業を終える。

見つけた情報が正しく見えても、なかには間違いがあるかもしれない。書いていないこともあるかもしれない。あたまからウィキペディアやインターネットの情報は信用しちゃダメ! と禁止するより、そうしたことを意識して読んでみることで、出典を確認したり、ほかの情報源を探したりといったファクトチェックの意識が芽生えるきっかけになるのでないだろうか。

教育現場における「情報活用能力」という言葉は、1986年の臨時教育審議会第2次答申で初めて用いられ、「情報および情報手段を主体的に選択し、活用していくための個人の基礎的な資質」と定義されている。高校の普通科では2003年度以降に「情報」の授業が導入され、2022年度にはプログラミング教育を視野に入れた「情報Ⅰ」が共通必履修科目となったが、各学校現場はこの授業でちゃんと情報活用能力を教えられているのか、単なる情報通信技術を教えるだけになっていないかを折に触れて考える必要があると思う。

デジタルネイティブのZ世代にとってウィキペディアを書くことなど簡単である。しかし、何をどう書くべきか、それを読んだ人がどう受け取り、どのように社会に影響するのかというところまで想像することについては考えが及ばない者も多い。

ウィキペディアには、良い編集も悪い編集もある。ウィキペディアンも善意の人ばかりではなく、時に不快な思いをすることもあるかもしれない。しかし、様々な人々が様々な意図を持ち、様々な形で関わるコミュニティは私たちが日々を生きる一般社会の縮図ともいえる。

好ましかろうと好ましくなかろうと、知ることや体験することで学べることは多くあり、誰にとっても身近なサイトであるからこそ無視することが賢明とはいえない。

2021年の流行語に「親ガチャ」という悲しい言葉がある。確かに人は生まれてくる環境を選ぶことはできないし、その偶然がのちの人生に与える影響はあまりに大きい。教育格差や情報格差への影響も深刻である。

ウィキペディアを創設したジミー・ウェールズは、「地球上の誰もが、人類の知識の集合体に自由にアクセスできる世界を想像してみてください」と語っている。3歳の時に両親に買ってもらった百科事典に夢を与えられた彼は、この世の誰もが平等に情報を得て学ぶ権利があると考えて、インターネット上の社会に無料の百科事典を作った。ウィキペディアは生まれ育ちに関係なくすべての人に開かれている〝可能性〟の社会なのである。

おわりに

本稿の執筆にあたり、幾人かのウィキペディアンに、助言をいただきました。ありがとうございました。

また、ウィキペディアタウンを推進するにあたり、多くのきっかけとチャンス、サポートを与えてくれた、こまねこまつり実行委員会と、図書館総合展運営委員会や関係者の皆さま、京都府立図書館ならびに京丹後市立図書館の皆さま、京都府立久美浜高校・丹後緑風高校久美浜学舎の教職員の皆さまに、この場を借りてお礼申し上げます。

そして、日頃からウィキペディアタウンのために休日もほとんど家にいない私を理解し、支えてくれている両親と、大切な友人・パートナーである edit Tango の皆さん、私たちの活動を〝こびとのくつやさん〟のようにサポートしてくださっている不特定多数のウィキペディアンならびにウィキメディアンの皆さん、ほんとうにありがとう。これからもよろしくお願いします。

著者

伊達深雪《だて・みゆき》

京都府立高校の学校図書館司書。地域学習や情報教育にウィキペディアの活用を推進し、京丹後市を中心にウィキペディアタウン開催を支援するボランティア活動(edit Tango)を創始、地域や高校、大学などで年間20回以上のエディタソンに関わる。令和元年度文部科学大臣優秀教職員表彰、第50回学校図書館賞奨励賞ほか受賞多数。2019年には勤務校がLibrary of the Year優秀賞を受賞した。

装・挿画
鷲巣弘明

装丁
磯田真市朗

ウィキペディアで まちおこし

みんなでつくろう地域《ちいき》の百科事典《ひゃっかじてん》

2024年1月16日　第1刷発行
2024年8月26日　第2刷発行

著者
伊達深雪

発行所
株式会社　紀伊國屋書店
東京都新宿区新宿3-17-7
出版部（編集）　電話03(6910)0508
ホールセール部（営業）　電話03(6910)0519
〒153-8504　東京都目黒区下目黒3-7-10

本文組版　明昌堂
印刷・製本　シナノ パブリッシング プレス

ISBN978-4-314-01202-7　C0036　Printed in Japan
定価は外装に表示してあります
NDC：007、015、017、361、370、601、916など